Destins sulfureux

D1413693

Retrouvez toutes les collections **J'ai lu pour elle**
sur notre site :

www.jailu.com

BERTRICE SMALL

Destins sulfureux

Traduit de l'américain par Adèle Dryss

J'AI LU
POUR elle

Titre original :

The Dragon Lord's Daughters
A Brava book, published by
Kensington Publishing Corp., New York

© Bertrice Small, 2004

Pour la traduction française :
© Éditions J'ai lu, 2007

Pour Sophia Patricia Small.

Quand elle aura l'âge de lire ce qui va suivre...

Prologue

Grande Bretagne antique, avant les « Âges sombres »

L'Enchanteur regarda lord Ector droit dans les yeux.

— Arthur ne peut pas épouser Lynior, dit-il.

— Mais pourquoi ? protesta lord Ector. Je me suis mis d'accord avec le père de cette petite pour qu'elle et Arthur se marient à Beltaine. Lynior est fille unique et elle est enceinte de lui. Pour un enfant trouvé, c'est un bon mariage.

— Vous auriez dû me consulter avant de prendre une décision susceptible de changer le cours de la vie de ce garçon, répondit tranquillement l'Enchanteur.

— Vous consulter ? Je ne vous ai pas revu depuis la nuit où vous nous avez amené un nouveau-né nommé Arthur, à ma femme et à moi. Nous ne savons même pas qui vous êtes, mais puisque vous apparaissez chez nous dans un nuage de fumée, nous supposons que vous venez de l'Autre Monde. Et jamais nous ne nous serions avisés d'éconduire un émissaire de l'Autre Monde.

— Je suis Merlin.

— Le Merlin du roi ?

Lord Ector était impressionné, et peut-être légèrement effrayé. Merlin, mi-sorcier mi-humain, était connu pour ses puissants pouvoirs surnaturels.

L'Enchanteur hocha la tête.

— J'ai été au service d'Uther Pendragon, mais le roi est mort il y a treize ans, Ector de Gwynedd. Depuis, la Grande Bretagne est sujette aux luttes intestines, comme vous le savez sûrement. Les rois mineurs ne peuvent se mettre d'accord sur le choix du Grand Roi. J'ai donc décidé de réunir un conseil à Londres, pour le solstice d'hiver que les chrétiens appellent Noël. C'est moi qui choisirai le nouveau roi, et vous devrez être présent avec Arthur, l'enfant qui vous a été confié, ainsi que Cai, votre fils. Vous ne pouvez pas refuser.

— Non, je m'en doute, admit lord Ector. Mais pourquoi interdisez-vous à Arthur d'épouser Lynior ? Qu'est-ce que cela change pour vous ?

— Venez à Londres au solstice, et vous le saurez.

Lord Ector soupira.

— Le père de Lynior sera très mécontent, d'autant plus que sa fille est enceinte.

— Dites-lui qu'Arthur reconnaîtra l'enfant au moment voulu, et que ni sa fille ni son petit-fils n'en souffriront jamais. Je veillerai personnellement à ce que cette petite épouse un jeune homme de bonne famille, qui la chérira, elle et son enfant. Dites-lui que Merlin l'Enchanteur lui en fait la promesse.

— Je n'y manquerai pas, répondit lord Ector en battant des paupières car Merlin venait de s'évanouir en fumée.

Secouant la tête, Ector de Gwynedd se demanda ce que tout cela signifiait, mais il devrait attendre Noël pour le savoir. À présent, il avait la tâche difficile d'annoncer à Arthur qu'il ne pouvait épouser Lynior, et, plus difficile encore, d'en informer le père de la jeune fille. Avec un soupir, il appela un domestique et lui demanda d'aller chercher sa femme.

— Es-tu certain que tu ne rêvais pas ? s'enquit Maeve quand elle eut appris la nouvelle. Tu as un peu abusé de l'hydromel au déjeuner, mon cher mari, ajouta-t-elle en le contemplant tendrement.

Ector soupira de nouveau et attira sa femme sur ses genoux.

— Non, je ne rêvais pas, chérie.

Sentir ses formes rebondies contre lui le rassurait. C'était une bonne épouse. Ils étaient mariés depuis plus de vingt ans, maintenant.

— Ainsi donc le vieux Merlin est venu… dit-elle. Oh, comme j'aurais aimé être là ! Je me demande ce qu'il projette pour Arthur. C'est malheureux pour Lynior, mais si l'Enchanteur affirme que tout ira bien, nous pouvons le croire. Il faut prévenir lord Evan au plus vite.

— Et Arthur ?

— Commençons par Evan. Il parlera à sa fille pendant que nous expliquerons la situation à notre fils adoptif. Ces jeunes gens ont fait un enfant ensemble, je ne vois pas pourquoi ils ne resteraient pas amis. Je préfère t'accompagner : Evan a un caractère emporté, tout comme notre Cai, et il adore Lynior, sa seule enfant…

Contre toute attente, lord Evan ne sortit pas de ses gonds.

— Depuis que j'ai donné mon consentement à cette union, je n'ai cessé de faire des cauchemars nuit après nuit. Je comprends pourquoi, maintenant : ce mariage ne devait pas avoir lieu.

— L'Enchanteur a assuré qu'il choisirait personnellement un bon mari pour Lynior. Quelqu'un qui la chérira, elle et son enfant, confia lord Ector à son vieil ami.

Mais la jeune fille ne se montra pas aussi conciliante que son père.

— Si je ne peux épouser Arthur, je n'épouserai personne, déclara-t-elle. Je n'ai pas besoin d'un homme pour être heureuse. J'élèverai mon fils toute seule. Je lui apprendrai à devenir aussi bon et honorable que son père. Arthur est-il au courant ?

— Pas encore, répondit Maeve à celle qui aurait dû devenir sa belle-fille. Merlin a précisé qu'Arthur reconnaîtrait l'enfant.

— C'est un garçon que je porte, affirma tranquillement Lynior. Je l'appellerai Gwydre. Il faut qu'Arthur soit voué à un grand destin pour que Merlin intervienne de la sorte.

— C'est Merlin qui nous a confié Arthur, autrefois, dit lord Ector. Nous ignorions à qui nous avions affaire à l'époque, mais quand un homme surgit chez vous dans un souffle de fumée accompagné d'un roulement de tonnerre, non seulement vous ne discutez pas avec lui, mais vous ne lui demandez même pas son nom !

— Irez-vous à Londres pour le solstice d'hiver ? questionna lord Evan.

— Merlin l'a exigé. C'est là-bas que le Grand Roi sera choisi, a-t-il dit. Nous devons emmener Arthur et Cai.

— Tu n'as pas l'intention de me laisser ici, j'espère ? intervint Maeve.

Les deux hommes se mirent à rire.

— Non, femme, répliqua lord Ector. Je n'en ai pas l'intention. Tu viendras avec nous et tu assisteras au couronnement du nouveau roi.

Lord Ector et sa famille quittèrent donc leur château du pays de Galles pour se rendre à Londres, au solstice d'hiver. Plus ils approchaient de l'antique ville, plus ils rencontraient de monde sur les routes: toute la Grande Bretagne semblait s'être déplacée pour voir le Grand Roi choisi par le célèbre Merlin. Ils eurent la chance de trouver une chambre dans une petite auberge de la cité. Les hommes d'armes qui les avaient escortés durent se contenter de dormir dans les écuries avec les chevaux.

Le jour venu, Cai, le frère aîné d'Arthur, s'aperçut qu'il n'avait pas emporté son épée qu'il voulait porter pour l'occasion. Sans son arme, un guerrier n'était pas correctement vêtu.

— Trouve-moi une épée, ordonna-t-il à Arthur.

— Où veux-tu que je t'en trouve une ? Je n'ai pas d'argent. Tu crois qu'il me suffira d'en demander une à quelqu'un pour qu'on me la donne ?

Cai envoya une taloche au jeune Arthur.

— C'est ta faute, de toute façon ! Tu es en train d'apprendre à devenir mon écuyer et tu oublies mon épée ! Si je devais livrer bataille, je serais dans de beaux draps !

— Mais ce n'est pas le cas. Nous allons simplement nous joindre à la foule et assister au choix du Grand Roi parmi les douze rois mineurs, Cai.

D'un violent coup de poing, Cai envoya son cadet au sol et se dressa devant lui.

— Trouve-moi une épée, sale mioche, où je te donnerai une telle raclée que tu ne pourras plus marcher pendant un mois !

Arthur se remit péniblement debout et tituba vers la cour de l'auberge en se frottant la tête. Cai avait un mauvais caractère et il ne servait à rien de discuter avec lui quand il était de méchante humeur. Il n'avait pas l'intention d'aller lui chercher une épée, mais il se contenterait de rester hors de sa vue – et de ses poings – en attendant que le roi soit désigné.

Au départ, il n'avait pas voulu venir à Londres, mais ses parents lui avaient annoncé qu'il n'épouserait pas Lynior et qu'il devait absolument les accompagner pour assister à la cérémonie. Arthur ne comprenait pas pourquoi sa présence importait tant, et quel rapport l'avènement du nouveau souverain pouvait avoir avec son mariage avec Lynior. Mais de mariage il n'était plus question, et personne n'avait daigné lui expliquer pourquoi. Son père adoptif lui avait avoué qu'il l'ignorait lui-même et qu'il obéissait simplement aux ordres d'une autorité supérieure et céleste.

Tout à coup, un vieil homme voûté, enveloppé dans un grand manteau noir, s'approcha de lui en s'appuyant sur sa canne :

— Vous cherchez une épée, jeune monsieur, n'est-ce pas ?

— Comment le savez-vous ? s'étonna Arthur.

— Entrez dans cette cour et vous la trouverez, dit le vieillard en désignant la direction à suivre de son doigt noueux.

Et il disparut dans la rue, comme happé par la brume matinale…

Après avoir hésité un long moment, Arthur se dit qu'après tout, qui ne tente rien n'a rien. Et Cai n'en reviendrait pas s'il lui rapportait une épée ! Il s'aventura donc dans la cour au sol herbeux, où il découvrit un gros bloc de pierre dans lequel était fichée une immense épée au manche serti de joyaux. Des mots étaient gravés dans la pierre – *Celui qui retirera cette épée de ce roc, sera le Roi légitime de la Grande Bretagne* – mais, trop occupé par la surprise qu'il réservait à son frère, le jeune homme ne les remarqua pas et s'empara de l'épée.

— Maintenant vous allez me suivre, Arthur, fils d'Uther Pendragon, Grand Roi de toute la Grande Bretagne ! déclara une voix forte et autoritaire, comme le vieil homme surgissait de l'ombre.

Arthur se retourna.

— Qui êtes-vous ? Et qui avez-vous dit que j'étais ?

— Vous êtes le fils unique d'Uther Pendragon et de sa femme, Igraine, qui fut l'épouse de Gorlois, duc de Cornouailles.

— Non, vieil homme, vous vous trompez. Je suis Arthur, le fils cadet de lord Ector de Galles.

— Son fils *adoptif*, Arthur Pendragon. C'est moi qui vous ai confié à lui, la nuit où vous êtes né. Ector ignorait alors qui j'étais.

— Et qui êtes-vous? questionna le jeune homme, à présent intrigué.

— Je suis Merlin l'Enchanteur. C'est moi qui ai placé cette épée dans la pierre avant de lui jeter un sort, de façon que seul le roi légitime de la Grande Bretagne puisse l'en retirer. Tous les seigneurs de ce pays vous ont précédé pour tenter de la prendre. Tous ont échoué. Le Grand Roi de Grande Bretagne, c'est vous, Arthur Pendragon. Maintenant, remettez cette épée en place et attendez-moi. Je vais chercher les petits rois. Il vous faudra retirer l'épée de la pierre une nouvelle fois, devant témoins, et vous serez proclamé Grand Roi.

— Est-ce pour cela que je ne peux épouser Lynior, Merlin?

— Oui. Vous avez un autre destin à suivre, mon seigneur. Lynior vous donnera un fils au printemps, et de lui naîtra une lignée de Pendragon qui franchira les siècles.

— Le fils de Lynior ne pourra être roi après moi?

Merlin secoua la tête.

— Personne ne vous succédera, Arthur Pendragon, mais vous aurez un autre fils. Je n'ai hélas pas le pouvoir d'empêcher sa naissance, je dis « hélas » car il sera une vraie malédiction. Et l'enfant de Lynior devra rester inconnu, afin que la lignée des Pendragon puisse perdurer. Vous avez des demi-sœurs, Arthur, les filles de Gorlois: Morgause, Elaine et Morgane. Elles sont toutes des créatures surnaturelles et chercheront à venger leur père en s'en prenant à vous et aux vôtres. Si nous voulons protéger le fils de Lynior, son existence devra demeurer secrète tout comme la vôtre l'a été, pendant toutes ces années que vous avez passées auprès de lord Ector. Il fallait vous garder en vie pour que vous puissiez un jour suivre les traces de votre père.

Arthur hocha lentement la tête.

— Je comprends, dit-il avec l'impression que le poids de la pierre où était fichée l'épée reposait maintenant sur ses épaules.

Et en même temps, il sut avec une conviction profonde que son enfance était à jamais révolue. La vie qui s'ouvrait devant lui s'annonçait pleine d'aventures, de passion, de plaisirs et de peines. Il connaîtrait des succès, mais aussi de grandes déceptions.

— Merlin, vous resterez près de moi pour me guider, n'est-ce pas ?

— Je resterai auprès de Votre Majesté aussi longtemps que je le pourrai, répondit l'Enchanteur avec un petit sourire qui adoucit ses traits un peu rudes.

— Et quoi qu'il arrive, mon sang se perpétuera à travers les siècles ?

— À jamais, seigneur. Vous avez ma promesse.

Arthur replaça l'épée dans la pierre.

— Faites venir les autres rois pour que je leur prouve que je suis leur souverain.

— Tout de suite, seigneur.

Peu après, Arthur ôtait l'épée de la pierre pour la deuxième fois, et il fut proclamé Grand Roi devant tous les petits rois de la Grande Bretagne.

Ce ne fut pas au goût de tout le monde. Comme Merlin l'avait prédit, son règne fut prestigieux mais les filles de Gorlois, ses demi-sœurs, ne cessèrent d'empoisonner son existence. L'aînée, Morgane Le Fay, une enchanteresse puissante, séduisit Arthur qui ignorait à qui il avait affaire et eut un enfant de lui. Ce fils, Mordret, fut à l'origine de la ruine du royaume de son père.

Mais, dans les montagnes du pays de Galles, la fille d'Evan éleva en secret le fils aîné d'Arthur, Gwydre, et fut protégée par les pouvoirs magiques de Merlin l'Enchanteur bien après la disparition de ce dernier. De l'union de Gwydre et de sa femme Eres, fille d'Odgar, lui-même fils de Aedd, naquit une longue lignée de Pendragon qui traversa les siècles.

PREMIÈRE PARTIE

Averil

1

— J'épouserai un grand seigneur, affirma Averil Pendragon à ses sœurs assises avec elle dans la grande salle du château de leur père.

Ses longs cheveux d'or frémirent sur ses épaules comme elle hochait la tête pour donner plus de poids à cette allégation.

— Tu épouseras l'homme que notre père choisira pour toi, rectifia Maia.

— Et ce sera un grand seigneur, insista Averil.

— Peut-être. Tout comme il pourrait s'agir d'un vieux négociant envers qui père voudrait éponger ses dettes. Ou encore d'un chevalier dont il tiendrait à s'assurer les services. Ta dot n'est pas grosse, Averil, bien que tu sois l'aînée. Et tu n'es qu'une fille de concubine, ne l'oublie pas. Mon frère Brynn et moi sommes ses seuls héritiers légitimes, lui rappela Maia avec un sourire hautain.

— Mais je suis la plus belle de nous trois, rétorqua Averil. Tout le monde s'accorde à le reconnaître. Ma beauté ne sera pas bradée à un simple négociant ou à un chevalier de passage. Et je suis peut-être la fille d'une concubine, mais mon père aime ma mère, ce qui ajoute à ma valeur.

— Tu es la plus belle de nous trois, c'est vrai ! s'écria Junia, la plus jeune, en soupirant. Vous êtes toutes les deux des beautés, alors que moi je suis tellement quelconque !

— Tu n'es pas quelconque, intervint Maia. Tu es jeune, c'est tout.

— Non, ce n'est pas tout! Tu as des cheveux d'un roux magnifique. Et les tiens, Averil, brillent comme l'or pâle, attestant que tu descends de l'Autre Monde. Les miens sont noirs et tellement communs!

— Ils sont parés des reflets bleutés des ailes de corbeaux, petite sœur. C'est loin d'être commun! Et tu as des traits ravissants, un petit nez adorable, une très jolie bouche…

— Mais je suis comme toi, fille de concubine, gémit Junia. Et la plus jeune! Quelle dot me restera-t-il quand ce sera mon tour de me marier? Père sera sûrement obligé de me donner à un vieux négociant.

Et elle se mit à pleurer.

— Voilà, tu es contente de toi? jeta Averil à Maia. Tu fais pleurer cette enfant avec tes fanfaronnades, et si nous ne parvenons pas à la consoler, nous serons punies.

— Et toi? Tu n'as pas dit que tu étais là plus belle et que tu épouserais un grand seigneur, peut-être?

Elle se leva, tira Junia de son tabouret et la prit dans ses bras.

— Allons, mon poussin, allons. Père nous aime autant toutes les trois. Il nous donnera de belles dots et un grand seigneur pour mari, ne t'inquiète pas.

— Vraiment? demanda Junia en reniflant.

— Bien sûr, petite sotte! dit Averil avec impatience. Nous sommes les filles du Dragon Lord, et nous descendons du roi Arthur, dont le prestige n'a jamais faibli à travers les siècles. Simplement, en tant qu'aînée, je serai la première mariée. J'aurai quinze ans le mois prochain et je crois que le moment est venu d'y songer. Père n'est pas pressé de se séparer de nous, mais beaucoup de filles ont déjà pris époux à mon âge.

Junia essuya ses larmes.

— J'ai entendu notre père et lady Argel parler de mariage, il y a quelques jours, lança-t-elle innocemment.

Maia l'écarta d'elle brusquement.

— Et qu'ont-ils dit ?

— Ils n'ont pas prononcé de nom.

— Mais que disaient-ils ? insista Averil. Quelque chose a certainement piqué ta curiosité, Junia, sinon tu n'en aurais pas parlé.

— Ils ont dit que le moment était venu de songer à vous marier toutes les deux. Père voudrait suivre l'exemple de notre prince, le Grand Llywelyn, et choisir parmi les seigneurs des Marches galloises qui feraient d'excellents partis. Voilà, c'est tout ce que j'ai entendu.

— Et qu'a répondu ma mère ? s'enquit Maia.

— Elle était d'accord avec lui. Tu la connais, elle est tellement gentille et conciliante qu'elle s'oppose rarement à notre père. La mienne estime que nous avons de la chance de l'avoir, parce que peu d'épouses sont aussi attentionnées envers les concubines de leur mari, et rares sont celles qui leur permettent de vivre dans leur château avec leurs enfants.

— D'après ma mère à moi, si lady Argel avait pu concevoir des enfants plus tôt, nous ne serions pas là, remarqua Averil avant de revenir à ce qui la préoccupait. Écoutez, nous devons tendre l'oreille, toutes les trois, si nous voulons éviter d'être mises devant le fait accompli.

Elles en convinrent sans hésiter, mais quelques jours plus tard, Averil surprit une conversation qui lui déplut fortement. Son père envisageait de marier d'abord Maia, parce qu'elle était sa fille légitime. Jamais, jusqu'ici, il n'avait privilégié l'une d'entre elles en raison de sa naissance. Et ce n'était pas tout ! En attendant que Maia ait quinze ans – elle en avait quatorze – il ne commencerait pas ses recherches parmi les familles susceptibles d'offrir un bon parti. Averil aurait alors seize ans et serait trop vieille pour faire un bon mariage !

Elle soupira, se demandant que faire, et si elle se garda d'en parler à ses sœurs, elle se confia à sa mère, Gorawen.

Gorawen était aussi belle que sa fille avec ses cheveux d'or pâle et sa peau d'une blancheur diaphane, mais ses yeux étaient gris argent alors que ceux d'Averil étaient d'un vert très clair, comme ceux de son père.

Toutes les filles du Dragon Lord avaient les yeux verts.

— Tu as eu raison de venir me voir, lui dit Gorawen. Si nous devons attendre que Maia soit mariée, tu seras trop âgée pour avoir une chance de trouver un bon parti. Je ne tolérerai pas que ta beauté soit bradée à une famille quelconque !

— Il ne l'avait jamais privilégiée par rapport à moi, jusqu'ici, se plaignit Averil.

Gorawen sourit et tapota doucement la main de sa fille.

— Il a toujours été très juste envers toi, chérie, et Argel aussi, mais cette fois, c'est différent. Il ne faut pas oublier que vous êtes des enfants naturels, Junia et toi.

— Tout comme notre ancêtre, Gwydre, le fondateur de cette maison.

— Je sais, mais c'était il y a des siècles, et Gwydre était un garçon. C'est différent, pour les filles. Ma naissance était légitime mais j'avais quatre sœurs. Pour moi, il n'était ni question d'une dot, ni du couvent, ni d'un mari. Mon père, Arian ap Tewydr, a été trop heureux de me donner à Merin Pendragon comme concubine. Il savait que ton père me traiterait convenablement et me protégerait jusqu'au restant de mes jours. Il lui a fait jurer sur le nom de ses ancêtres qu'il prendrait soin des enfants issus de notre union, et Merin s'est bien occupé de nous, Averil.

— Pourquoi n'as-tu pas eu d'autres enfants, mère ?

— Je n'ai pas voulu donner un fils à ton père alors qu'Argel n'y était pas parvenue. C'est une femme bonne et patiente, mais la bonté et la patience ont leurs limites. Ysbail nous cause assez de soucis comme cela.

— Mais Argel a donné un fils à père.

— Seulement après plusieurs années de mariage. Voilà pourquoi il a pris Ysbail pour seconde concubine. Elle a été très déçue de donner naissance à Junia, mais elle est stupide, nous le savons. Si elle avait mis au monde un fils, il aurait été éclipsé par son frère légitime, puisque Argel a fini par avoir un garçon qui est devenu l'héritier de ton père.

— Vous auriez toutes les deux pu avoir d'autres filles, dit timidement Averil.

— Oui, mais nous l'avons évité.

Puis elle se mit à rire et ajouta :

— Je t'expliquerai en temps voulu, ma fille.

— Parleras-tu à mon père ?

— Plus tard. Ton anniversaire ne tombe que le dernier jour d'avril. Je ne veux pas qu'il devine que tu as écouté sa conversation avec Argel à ce sujet. Laisse-moi faire. J'attendrai le bon moment pour agir et tu te marieras avant Maia, je te le promets.

— Je te crois, mère. Tu ne m'as jamais menti.

— Patience, ma chérie. Tout vient à point à qui sait attendre…

— J'essaierai de m'en souvenir.

— Bien. Désormais, tu montreras à ton père que tu es prête à le quitter et à devenir une bonne épouse. Ta conduite doit être irréprochable.

Une fois Averil repartie, Gorawen réfléchit à la meilleure stratégie. Selon elle, Merin Pendragon avait gardé un peu trop longtemps ses deux filles aînées auprès de lui. Il aurait dû les marier plus tôt. Averil aurait quinze ans à la fin du mois et Maia, quatorze ans le 14 mai. Dès qu'ils commenceraient à leur chercher un parti, Ysbail réclamerait que l'on en fasse autant pour sa fille Junia, songea-t-elle en souriant. Mais Averil aurait la primeur, car Maia avait le temps. Et elle aurait une dot appréciable : elle ne serait pas obligée de devenir une concubine, comme elle.

Gorawen se leva, demanda à sa femme de chambre de lui apporter son manteau et sortit. C'était une belle journée de printemps. Seules quelques poules picoraient dans la cour. Les chiens dormaient au soleil et plus loin, dans le jardin de la cuisine, un gros chat tigré somnolait dans un tapis de verdure. Elle le chassa, sortit son couteau et commença sa cueillette. Si elle voulait parvenir à ses fins, elle devait attirer Merin dans son lit. Ces derniers temps, elle ne l'excitait plus beaucoup. Certes, il n'était plus un jeune homme. Il avait épousé Argel sur le tard, lorsqu'il avait trente ans, trop occupé jusque-là à servir Llywelyn ap Iowerth, surnommé le Grand Llywelyn, son suzerain et seigneur de presque tout le pays de Galles. Ce fut Llywelyn qui le renvoya finalement chez lui, lui conseillant de se marier avant qu'il ne soit trop tard.

Conscient que le prince avait raison, Merin Pendragon avait donc regagné son château. Peu après, il épousait Argel urch Owein, fille d'Owein ap Dafydd. Âgée de quinze ans à l'époque, elle s'était révélée incapable de concevoir. Au bout de quatre ans, Merin avait pris une concubine, Gorawen, et l'avait installée chez lui. Neuf mois plus tard naissait Averil et, un an après, Argel donnait naissance à une fille, Maia. Une nouvelle période d'infertilité avait suivi.

Sa grand-mère lui ayant transmis son savoir, Gorawen connaissait les secrets de la contraception et avait mis cet enseignement à profit afin de laisser à Argel le temps de donner un fils à l'homme qu'elles partageaient. Mais Merin devint impatient et prit une nouvelle concubine, Ysbail. Junia vint au monde peu après. Gorawen continua de prier pour qu'Argel ait un fils et les dieux finirent par l'entendre. Averil avait six ans, Maia cinq et Junia trois lorsque naquit Brynn, un bébé robuste, un 1er août.

Ce fut le dernier enfant de Merin et, au fil des ans, le maître de Dragon's Lair sembla peu à peu perdre tout intérêt envers ses compagnes. De temps à autre, Gorawen parvenait à l'attirer dans son lit et à lui donner un peu de plaisir... principalement quand elle voulait obtenir quelque chose. Merin Pendragon n'avait jamais été dupe. Aussi, ce soir-là, lorsqu'elle lui murmura son invitation à l'oreille, il sourit d'un air entendu et accepta.

Gorawen avait fait installer une grande baignoire en chêne dans sa chambre, qu'elle fit remplir d'eau chaude. Elle déshabilla elle-même Merin et y entra avec lui pour le laver. Il grogna de plaisir quand elle lui brossa le dos avant de le frictionner. Elle débarrassa ensuite ses cheveux gris de leurs poux et les lava soigneusement.

— Où as-tu donc dormi ? Tu as des piqûres de puces dans le dos ! Il te faut un nouveau matelas. J'en parlerai à Argel.

— Je préférerais que tu t'en occupes. Elle est morose, ces derniers temps. Elle n'accepte plus le moindre conseil, elle pleure pour un rien... Je ne sais pas ce qu'elle a. En tout cas, elle n'est pas enceinte, je puis l'affirmer.

— Peut-être ne peut-elle plus concevoir ? C'est toujours triste, pour une femme, de savoir qu'elle ne pourra plus jamais donner la vie.

— Vous vous entendez très bien, toutes les deux. Vous avez su rendre ma vie agréable. Je suis sûr que tu sauras t'occuper d'elle.

Il l'attira contre lui et l'embrassa dans le cou.

— Tu es une bonne épouse, Gorawen.

Elle sourit.

— Et toi, tu as toujours été bon pour moi et pour notre fille. Viens, sortons du bain. Je te réserve d'autres plaisirs.

L'instant d'après, drapée dans une serviette, elle le sécha en songeant qu'il était encore bel homme. Quand ils furent secs, elle l'emmena dans son lit et lui apporta un plateau avec des mets sucrés et un gobelet de vin.

Gourmand, Merin Pendragon ne se fit pas prier.

— Hmm, délicieux ! Qu'est-ce que c'est ? demanda-t-il.

— Des prunes séchées qui ont macéré dans du vin tout l'hiver. Je les ai ensuite fourrées avec du miel et roulées dans un pralin d'amandes.

Elle s'allongea près de lui et but une gorgée dans son gobelet.

— Tu es très maligne, Gorawen, dit-il, sans savoir que les prunes dont il se délectait avaient fait un petit séjour dans un puissant aphrodisiaque, constitué d'herbes fraîchement cueillies.

Déjà, son désir s'éveillait et il attira sa concubine contre lui.

— Seigneur de mon cœur, murmura-t-elle en s'offrant à ses baisers, tout en lui caressant la nuque, comme il l'aimait.

— Que veux-tu de moi ? s'enquit-il en la faisant rouler sous lui.

Il ouvrit la serviette et contempla ses seins généreux.

— Plus tard, Merin, murmura-t-elle en lui titillant l'oreille du bout de la langue.

Frissonnant d'impatience, il rit doucement.

— Très maligne…

D'un coup de reins, il la pénétra en gémissant quand elle noua les jambes autour de ses reins. Elle ne fut pas longue à crier de plaisir, et Merin Pendragon se sentit plus jeune qu'il ne l'avait été depuis longtemps. Lorsqu'elle jouit pour la deuxième fois, il la rejoignit dans l'orgasme. Une extase intense les fit trembler longuement.

Satisfaits, et encore surpris de la puissance du plaisir qu'ils venaient de partager, ils restèrent étendus dans les bras l'un de l'autre. Gorawen songea que cette recette de prunes était encore plus efficace qu'elle ne le pensait.

— J'ai une faveur à te demander, Merin.

Il éclata de rire.

— Je te l'accorde d'avance, ma douce ! Je viens de passer un moment plus qu'agréable. Alors ? Je t'écoute.

— J'aimerais que tu trouves un mari à Averil. Elle aura quinze ans à la fin du mois, il est grand temps de l'établir.

— J'y ai pensé. Maia est concernée aussi.

— Maia est ta fille légitime, mais elle est plus jeune que la nôtre. Elle sera plus facile à marier et, si je puis me permettre, elle ne devrait pas passer avant sa sœur aînée. Tu les as toujours traitées équitablement et elles ne comprendraient pas que, tout à coup, tu te mettes à privilégier ta fille légitime.

— Ah, oui, je vois. Et puis, le temps que nous trouvions un bon parti pour Maia, Averil risque d'être trop vieille pour en espérer un.

— Exactement. Sa grande beauté te facilitera la tâche et tu n'auras aucun mal, ensuite, à trouver un époux pour Maia. Une fille légitime est toujours plus aisée à marier. Et si ses sœurs font un bon mariage, ce sera un atout pour Junia.

— Maligne et intelligente... Mais tu penses à quelqu'un, toi? Moi, je ne vois pas.

— Tu voulais suivre l'exemple de notre prince et chercher du côté des seigneurs des Marches galloises. Cette alliance nous serait utile, notamment quand Brynn sera en âge de prendre femme. Je sais que le prince espère se débarrasser de ce roi anglais qui est son suzerain, mais je me demande s'il y parviendra un jour. Nous autres Gallois devons d'abord penser à nous et à nos enfants.

Merin Pendragon hocha la tête.

— Tu raisonnes bien, ma douce amie. Plus nous nous allierons aux frontaliers, mieux nous nous porterons. Tu as raison, je chercherai d'abord un mari pour Averil, mais avant toute chose, je dois en informer Argel. Elle m'est aussi loyale que toi et mérite mon estime.

— Bien sûr que tu dois la mettre au courant! Je respecte ma châtelaine autant que je te respecte... Une autre prune, mon amour? susurra-t-elle en prenant le plat.

— Oh, oui! Personne ne sait me combler comme toi, Gorawen, pas même Argel, lui confia-t-il en dégustant trois nouveaux fruits.

— Tu as fait de moi la plus heureuse des femmes, répondit Gorawen en toute sincérité.

Il lui sourit avec chaleur tandis que son désir s'éveillait de nouveau. Avant de répondre à son ardeur, elle mit le plat hors de sa portée. C'était la première fois qu'elle usait d'un tel subterfuge pour ranimer sa flamme, mais elle préférait qu'il ne fasse pas le rapport avec les fruits. La potion s'était avérée efficace au-delà de ses espérances...

Elle eut un petit sourire en songeant qu'il n'obtiendrait pas le même succès avec Ysbail. Avant de parvenir à ce résultat, elle devrait se montrer drôlement experte, ce qu'elle n'était pas. Quant à Argel, elle n'avait plus le moindre intérêt sexuel pour son mari. Merin lui expliquerait la situation et elle s'inclinerait, comme toujours.

Le lendemain après-midi, Gorawen emmena sa fille dans le jardin pour parfaire ses connaissances en matière de botanique, et pour lui raconter son petit succès avec Merin Pendragon.

— Ton père m'a donné sa parole, mais tu ne devras en parler à personne, Averil. Faisons-lui confiance. Son choix se portera sur une famille des Marches galloises, car nous devons protéger nos alliances si nous voulons survivre.

— Maia pense qu'on me donnera à un vieux négociant ou à un chevalier, mais j'en doute. Meilleur sera mon mariage, meilleur sera le sien.

— Absolument. À présent, ma fille, je vais t'apprendre comment ne pas tomber enceinte, afin que tu puisses éviter d'avoir un enfant dont tu ne voudrais pas.

— Le prêtre dit que la seule fonction de la femme est de créer la vie et qu'il ne faut pas aller contre la nature.

— Le prêtre est un vieux benêt. Il oublie qu'il a eu neuf enfants avec sa compagne, et que sans ton père, ils seraient tous morts de faim. Et je suis sûre qu'il a pris du plaisir avec sa femme autrement que pour concevoir.

— Apprends-moi tout ce que tu sais, mère. Certains te tiennent pour une sorcière, à cause de tes potions et de tes herbes.

— N'écoute pas les imbéciles ! Mon savoir me vient essentiellement de ma grand-mère. Elle pensait que, n'étant pas dotée, il fallait compenser, et je crois qu'elle a eu raison.

Elle se pencha.

— Tu vois cette plante, près des carottes sauvages ? Compressée en pâte et prise à raison d'une boulette par jour, elle possède une vertu anticonceptionnelle. Si une femme veut préserver sa santé, elle ne doit pas avoir des bébés trop rapprochés. Il est plus sage d'attendre au moins deux ans entre chacun.

— Pourquoi n'en as-tu pas eu davantage, mère ?

— Si j'avais donné naissance à un fils avant Argel, cela aurait rendu nos vies beaucoup plus difficiles. Et ton père n'avait pas besoin d'avoir d'autres filles. Trois lui suffisent.

— Tu as empêché Ysbail d'avoir d'autres enfants, n'est-ce pas ?

Gorawen sourit sans répondre.

— Voilà l'asparagus. Les meilleurs sont ceux dont la tête est penchée vers le sol. Cette plante a un double pouvoir : soulager la constipation et stimuler les relations amoureuses. Il faut attendre encore une saison avant de la cueillir pour la faire bouillir, sinon elle provoque des maux d'estomac.

— Comment affecte-t-elle les relations amoureuses ?

— À cet usage, on fait bouillir les tiges jusqu'à ce qu'elles soient tendres, on ajoute une pincée de sel et du beurre. Chez un homme, voir une femme les déguster lentement, lécher les tiges, sucer les bourgeons stimule sa virilité. Il imagine alors que c'est sur son sexe que sa langue s'active…

— Oh ! s'exclama Averil en rougissant. Je n'avais jamais…

Sa voix s'évanouit et elle s'empourpra de plus belle.

— Tu ne dois pas parler à tes sœurs de tout ce que je dis. Junia est trop jeune pour connaître ces choses ; quant à Maia, c'est à sa mère de faire son éducation. Revenons à notre sujet, le sexe d'un homme. Tu devras toujours veiller à ce qu'il soit propre avant d'y toucher, et à ce que ton mari se baigne régulièrement. Lave-le toi-même ou prends ton bain avec lui. Ils adorent, en général. Dans les plus grandes maisons, l'hôtesse est responsable du bain de ses invités d'honneur et transmet cet art à sa fille. À Dragon's Lair, toutefois, nous n'avons pas d'invités de choix. Nous sommes un peu trop isolés pour que quiconque s'arrête chez nous.

Elle s'interrompit un instant pour réfléchir.

— Mais Maia et toi devez apprendre comment baigner un homme… reprit-elle, l'air soucieux. C'est indispensable à votre éducation. J'en parlerai à Brynn et tu t'entraîneras sur ton frère.

— Tu voudrais que je le lave ? s'écria Averil, scandalisée. Ce petit sauvageon ne sait pas ce que c'est que l'eau, sauf peut-être l'été, quand il nage dans la rivière.

— Tu n'as pas le choix. Brynn et ton père sont les seuls hommes de rang à Dragon's Lair, et il serait totalement inconvenant que tu laves Merin.

Oubliant subitement sa fille, elle partit à la recherche d'Argel pour lui exposer ses problèmes.

Elle la trouva installée à son métier à tisser, dans la grande salle où elle réalisait une tapisserie représentant le mariage du roi Arthur avec la reine Guenièvre. Près d'elle, Ysbail, l'autre concubine de Merin Pendragon, brodait. Elles levèrent les yeux de leur ouvrage à l'arrivée de Gorawen.

— Les filles doivent apprendre à baigner un homme, annonça-t-elle d'emblée. Notre seigneur va se mettre en quête d'un mari pour Averil et pour Maia, et leurs connaissances de base dans l'art d'être de bonnes épouses laissent à désirer !

— Un mari pour Averil et Maia ? glapit aussitôt Ysbail. Et ma fille, alors ?

— Junia est encore trop jeune, lui rappela Argel d'un ton sans réplique. Tout d'abord, notre seigneur s'occupera d'Averil, car elle est l'aînée. Il doit lui trouver un bon parti s'il veut que Maia soit encore mieux lotie. De leurs deux mariages dépendra la qualité de ceux de Junia et de Brynn.

— Bien sûr, convint Ysbail en se radoucissant. Mais notre bon seigneur a intérêt à se dépêcher ! Averil se fait vieille. Je veux que Junia soit mariée à treize ans.

— La beauté de ma fille fera passer son âge au second plan, rétorqua sèchement Gorawen.

— Averil a un âge idéal pour convoler, corrigea Argel. Mais Gorawen a raison : les filles ont appris à être des femmes d'intérieur, mais l'art de l'hospitalité leur fait défaut. Il faut remédier à cette lacune sans délai.

— Brynn servira de cobaye, ajouta Gorawen.

Les deux autres éclatèrent de rire.

— Je sais, je sais, mais nous n'avons pas le choix.

— Non, admit Argel. Dès ce soir, nous ferons préparer la grande baignoire et commencerons notre enseignement. Junia y assistera. Elle n'est pas trop jeune pour apprendre.

— Pauvre Brynn, dit Ysbail.

— Il survivra, répliqua Argel. Et un bon nettoyage lui fera le plus grand bien !

Le soir même, de l'eau fumait dans la baignoire près de laquelle des linges rêches, des brosses et des serviettes étaient posés sur une petite table. Protégées par de longs tabliers, Averil, Maia et Junia attendaient leur frère.

Il arriva peu après, amené de force par deux serviteurs et se débattant comme un beau diable, au grand amusement de ses sœurs. À neuf ans, Brynn Pendragon ressemblait à son père comme deux gouttes d'eau. Grand et musclé pour son âge, il avait les mêmes cheveux noirs et épais que Merin.

— Je ne veux pas prendre un bain ! cria-t-il en regardant la baignoire avec horreur. C'est bon pour les femmelettes et les Normands !

— Tais-toi donc ! ordonna son père en lui envoyant une claque. Les châtelaines dignes de ce nom baignent toujours leurs invités. Nous vivons trop isolés pour recevoir souvent, dans cette région. Tes sœurs n'ont pu se faire la main, alors elles s'exerceront sur toi. Tu vas te laisser faire, mon garçon, sinon tu recevras une raclée dont tu te souviendras. Je dois chercher un mari pour Averil et ensuite pour Maia. Veux-tu qu'elles ternissent notre nom en se montrant mal éduquées et ignorantes des règles élémentaires de l'hospitalité ?

Brynn ne répondit pas, mais il ne gigotait plus. Ayant déjà reçu une ou deux corrections de son père, il ne tenait pas à renouveler l'expérience.

— Tu ne changes jamais de vêtements ? lui demanda Averil en commençant à le déshabiller. Bah ! Tu sens mauvais, petit frère ! Honte à toi ! Quand on est de sang noble, on prend soin de sa personne !

Elle prit les vêtements de Brynn du bout des doigts et les tendit à ses sœurs en les chargeant de les mettre au feu.

— C'est ma tunique préférée !

— Tu pourrais en faire une soupe empoisonnée, espèce de cochon ! le gronda Averil.

Tout le monde riait autour d'eux, mais personne ne s'interposa.

— Il restera debout dans la baignoire pendant que vous le savonnerez, décida Argel. Ensuite il s'assiéra, et vous l'épouillerez avant de lui laver la tête.

Peu après, les trois sœurs frottaient leur petit frère jusqu'à ce que sa peau devienne rose.

— Devons-nous le laver partout ? s'enquit nerveusement Maia.

— Partout ! répondirent les trois mères en chœur.

Les yeux de Maia se posèrent sur les attributs du garçon, puis sur Averil.

— Fais-le, toi. C'est mon frère.

— Il est mon frère aussi, remarqua Averil. Mais je m'en charge aujourd'hui et toi, demain.

— Demain ? répéta Brynn. Vous n'allez pas recommencer demain !

— Demain et les jours suivants, jusqu'à ce que tes sœurs soient capables de te baigner convenablement, dit sa mère en riant. Même si nous ne recevons que des hôtes qui viennent pour affaires à Dragon's Lair, elles doivent se montrer à la hauteur.

Averil prit un gant, l'enduisit généreusement de savon et lava le sexe de son frère soigneusement, en remontant la peau pour ne rien laisser au hasard. Elle continua entre ses jambes et le rinça en l'aspergeant d'eau.

— Ce n'était pas si difficile, confia-t-elle à Maia.

— Les attributs d'un homme adulte sont beaucoup plus gros, crut bon de préciser Merin tandis que Brynn s'asseyait et que l'épouillage commençait.

— À ton âge, tu devrais savoir que l'on doit se laver régulièrement, les cheveux aussi ! remarqua Averil, dégoûtée.

— Le prêtre a dit qu'il ne fallait pas se laver à l'excès ! Que trop s'occuper de son corps est un péché de vanité !

— Écoute le prêtre en ce qui concerne ton âme, mon fils, mais pour ce qui est du corps, remets-t'en aux femmes. Tu auras beaucoup plus de succès avec les filles si tu sens la rose que si tu empestes le fumier !

Une fois satisfaites, les trois sœurs vidèrent un seau d'eau sur la tête de leur petit frère qui se mit à cracher et à suffoquer. Indifférentes, elles firent mousser le savon dans ses cheveux, le rincèrent, puis le firent sortir de la baignoire pour le sécher.

— Passez bien entre les orteils, précisa Gorawen.

Après ce traitement, Brynn Pendragon était propre comme un sou neuf.

— Je sens les fleurs, grommela-t-il en grimaçant.

Averil lui tendit une tunique propre.

— Tu n'auras qu'à te rouler dans la porcherie, frérot, ton bain de demain n'en sera que plus long.

— Faudra d'abord que vous m'attrapiez !

— Ne t'inquiète pas, Brynnie, nous t'attraperons, susurra Averil.

— À présent, au lit, mon fils, dit tranquillement Argel en l'embrassant sur le front.

Dès que le petit garçon fut sorti, Argel se tourna vers les jeunes filles.

— C'était bien, les félicita-t-elle. Mais vous devez vous améliorer. Votre frère sera baigné tous les jours jusqu'à ce que je sois pleinement satisfaite de votre habileté en la matière. Faites de beaux rêves, et que Dieu vous protège.

Les trois sœurs saluèrent la châtelaine par une révérence, embrassèrent leur mère et leur père et se retirèrent à leur tour. Elles dormaient toutes les trois dans le même lit, en haut de l'une des tours. Elles se lavèrent le visage et les mains, nettoyèrent leurs dents avec un tissu, puis se brossèrent mutuellement les cheveux avant de les tresser en natte épaisse, pour la nuit.

Une fois dans leur grand lit, elles tirèrent les rideaux tout autour et se blottirent sous la couverture de fourrure qui tenait bien chaud.

Au bout d'un long silence, Averil prit la parole.

— Avez-vous remarqué le sexe de notre frère ? Je l'ai trouvé petit, bien que papa ait dit que celui d'un homme devenait plus gros.

— Il a à peine neuf ans, remarqua Maia, toujours prompte à défendre son petit frère. Il a le temps de changer.

— Pourquoi ? Ça grossit ? s'étonna Junia. À quoi ça sert ?

Les deux aînées se mirent à rire.

— D'après maman, quand un homme est excité, son sexe devient plus large, plus long et tout dur.

— Pourquoi ? répéta Junia.

— Pour qu'il puisse le mettre en toi, petite sotte, et te faire un bébé, répondit Averil.

— Vraiment ? Et il le met où ? demanda Junia, les yeux ronds.

— Ne bouge pas, je vais te montrer.

Averil souleva la chemise de nuit de la benjamine et, du bout du doigt, appuya sur l'endroit en question.

— Il y a une petite cavité, à l'intérieur de toi, exactement de la taille requise.

— Ça alors ! Et… ça fait mal ?

— La première fois seulement, paraît-il, continua Maia. Quand l'homme traverse l'hymen. Mais ensuite, cela devient du plaisir s'il est habile. Maman dit que papa l'a rendue très heureuse, et elle espère qu'il en sera de même pour nous.

— Je me demande quels maris nous aurons, soupira Junia.

— En ce qui te concerne, tu as le temps, sœurette. Tu as à peine onze ans.

— Vous allez me manquer, quand vous serez parties !

— Allons, tu auras ce lit pour toi toute seule ! répondit Averil en riant. Tu es toujours en train de te plaindre que Maia et moi prenons toute la place, que nous te donnons des coups de pied…

— Mais je n'aurai plus personne à qui parler avant de m'endormir. Personne pour me rappeler que je dois faire ma prière. Et puis… et puis, j'aime bien dormir entre vous deux !

— Nous ne sommes pas encore parties, chérie, lui dit Averil en l'embrassant sur la joue. Bon, si nous dormions ? Ce bain m'a épuisée.

— Gentille Marie, mon bon Jésus, veillez sur notre nuit, commença Maia.

— Que les anges nous gardent durant ces heures sombres, ajouta Junia.

— Et nous prêtent vie jusqu'à demain pour que nous puissions prendre le chemin que Dieu a tracé pour nous, conclut Averil. Amen.

Quelques instants plus tard, les trois sœurs dormaient à poings fermés.

2

Godwine FitzHugh était mourant. À son chevet se tenaient Rhys, son fils illégitime, et son unique héritière âgée de six ans.

— Prends bien soin de Mary. Elle n'a plus que toi, maintenant, dit-il en serrant la main du jeune homme entre ses doigts noueux.

— Ne t'inquiète pas, père. Je la protégerai.

— Qu'elle fasse allégeance aux Mortimer, et toi aussi, ajouta le vieil homme avant de tourner les yeux vers l'autre personne présente dans la pièce. Prêtre ! Vous avez entendu mes souhaits. Je confie ma fille à mon fils, ainsi qu'Everleigh. Vous devez transmettre mes dernières volontés aux Mortimer.

— Comptez sur moi, seigneur, répondit le prêtre. Comptez sur moi.

Godwine FitzHugh reporta de nouveau son attention sur ses enfants.

— Trouve-toi une héritière sans tarder, Rhys. Épouse-la et fais-lui des enfants. Plus tard, tu chercheras un bon mari pour Mary.

— Oui, père. Je te le promets.

Ce disant, Rhys FitzHugh songea que ce serait un engagement difficile à tenir. Il n'avait rien à offrir à une femme, alors comment intéresserait-il une héritière ? Son père avait de bonnes intentions. Il lui avait donné son nom et l'avait élevé depuis que sa mère était morte, à sa naissance, tout comme celle de sa demi-sœur. Godwine s'était marié tardivement, après avoir consacré la plus grande partie de sa jeunesse à préserver la paix pour le roi, ici, dans les Marches, entre l'Angleterre et le pays de Galles. Rhys était né de la passion de jeunesse de son père pour sa mère.

— Le mieux, ce serait que tu l'enlèves, petit, murmura Godwine.

Rhys crut avoir mal entendu.

— Que dis-tu ?

Le vieil homme parvint à sourire.

— Trouve-toi une fille bien, enlève-la et dépucelle-la. Sa famille n'aura plus qu'à accepter le mariage, mon fils. Je sais que ta naissance te dessert, et j'en suis désolé.

— Tu ne m'incites pas à me conduire comme un homme d'honneur, chuchota Rhys.

— Ne sois pas idiot, petit. Tu ne peux pas te permettre d'être honorable, dans cette affaire. Tu as besoin d'une épouse et tu n'as pas d'autre choix pour l'obtenir. Et puis, il n'y a rien de si dégradant à enlever une femme. Cela se fait tous les jours.

Le jeune homme secoua la tête en souriant.

— J'ai l'impression que je n'ai pas le choix, si je veux des enfants légitimes, n'est-ce pas ?

Son père acquiesça d'un battement de paupières, puis tendit la main vers sa fille.

— Mary, jure-moi que tu obéiras à ton frère et que jamais tu ne déshonoreras notre nom.

La petite fille prit la main froide et émaciée de son père dans la sienne.

— Je te le promets, père, dit-elle d'un ton solennel. Et jamais je ne chasserai Rhys d'Everleigh, qui que soit mon mari. Il restera toujours notre régisseur. Je le jure sur notre Sainte Vierge.

— Bien. À présent, donne-moi un dernier baiser, ma fille, et laisse-moi mourir, car je ne verrai pas le soleil se lever.

Mary FitzHugh posa ses lèvres sur sa joue froide.

— Adieu, mon père. Je prierai toujours notre Sainte Mère et notre Seigneur Jésus pour la paix de ton âme.

Sur ces sages paroles, la fillette fit une brève révérence et quitta la pièce.

— Prêtre ! Confessez-moi, puis vous me donnerez l'extrême-onction, selon les rites de notre Sainte Église. Ensuite, vous me laisserez seul avec mon fils.

Quand ce fut fait, Rhys et son père se retrouvèrent en tête à tête.

— Assieds-toi près de moi, mon fils. Ta présence me réconforte.

Rhys FitzHugh approcha une chaise du lit.

— J'aurais épousé ta mère si elle n'était pas morte en couches, tu sais. Elle était d'aussi noble famille que moi.

— J'en suis heureux, père.

— Tu aurais dû hériter d'Everleigh.

— Oui, mais tel n'était pas mon destin. Tu as été un bon père pour moi, je n'ai pas à me plaindre.

— Mais je ne peux rien te laisser, car tout l'argent que j'ai doit servir de dot à Mary. Mes terres ne sont pas très grandes et je n'ai pas pu épargner un sou. Je le regrette sincèrement.

— Dans ce cas, tu as raison, je n'ai plus qu'à enlever une héritière, répondit Rhys avec un petit sourire qui adoucit ses traits graves.

— La fille Pendragon ! s'écria soudain Godwine. Voilà celle que tu dois enlever ! Au pays de Galles. Elle n'a probablement pas de terres, car elle a un frère, mais d'après la rumeur, elle aurait une belle dot. Leur seul héritier mâle ne doit pas être beaucoup plus âgé que Mary… Les Pendragon se disent descendants du roi Arthur. Elle fera une bonne épouse, sans être d'assez haute naissance pour causer des problèmes avec le roi ou avec le prince de Galles. Enlève-la, viole-la

40

et son père n'aura plus qu'à vous marier. Il n'aura pas d'autre choix pour réparer l'outrage.

Sur ces paroles, Godwine FitzHugh sombra dans un sommeil d'où il n'émergea plus.

Lorsqu'il eut rendu son dernier soupir, Rhys Fitz-Hugh tourna les yeux vers la fenêtre de la chambre. Le soleil n'était pas encore tout à fait couché.

Il se leva, prit une petite pièce de métal poli et la plaça tout près de la bouche de son père. Pas la moindre buée ne ternit son éclat. Godwine FitzHugh était mort. Son fils posa un baiser sur son front, avant d'aller chercher la femme de service qui aiderait sa sœur à toiletter le vieil homme. Cette nuit, le seigneur d'Everleigh resterait dans la grande salle de son château, veillé par ses deux enfants. Ses serfs et les paysans qui travaillaient pour lui pourraient lui rendre un dernier hommage jusqu'au lendemain midi. Ensuite, Godwine FitzHugh serait enterré.

Une fois lavé et habillé, le défunt fut déposé dans son cercueil que l'on exposa sur un socle entouré de hauts candélabres. On apporta deux prie-Dieu munis d'un coussin pour Rhys et sa sœur. Au fur et à mesure que la nuit s'écoula, le jeune homme surveilla la petite fille, mais elle resta bien droite et ne flancha à aucun moment malgré la difficulté de l'épreuve qu'elle traversait. Il se sentit fier d'elle. Son père n'avait pas besoin de lui demander de prendre soin d'elle. Il l'adorait depuis l'instant où elle était née.

Quand l'aube se leva, les domestiques entrèrent pour rallumer le feu presque mort et apporter un repas. Rhys se leva et s'étira, avant d'aider Mary à se mettre debout.

— Viens te restaurer, petite sœur.

— Nos gens vont arriver. Ce serait un manque de respect envers notre père que l'on nous voie manger devant lui.

— Hawkins ne laissera entrer personne tant que nous n'aurons pas terminé, répondit Rhys, songeant que sa petite sœur était déjà la digne châtelaine d'Everleigh.

Lorsqu'ils eurent repris des forces, Mary se posta à l'entrée de la salle et accueillit chaque serf, qu'elle connaissait par son nom, et chaque paysan venu honorer son père. À midi, le cercueil fut scellé et transporté à la chapelle où fut célébrée la messe. Le cortège funéraire mené par Mary accompagna ensuite le défunt jusqu'à sa dernière demeure. Quand l'ultime pelletée de terre fut versée, la fillette s'évanouit. Son frère dévoué la souleva dans ses bras et l'emmena dans son lit, où elle dormit jusqu'au lendemain matin.

Deux jours plus tard, Edmund Mortimer, le suzerain de la région, arriva avec son fils Roger, l'ami de Rhys. Ils furent conduits dans la grande salle et Edmund s'assit sur le trône. Mary FitzHugh s'approcha de lui, plaça ses petites mains dans les siennes et lui jura fidélité. Après elle, Rhys prononça le même serment.

— Quelles dispositions ont été prises pour vous deux ? demanda lord Mortimer.

— Va chercher le prêtre, dit Rhys à un domestique. Notre père l'a chargé de vous transmettre ses dernières volontés, ajouta-t-il à l'adresse de lord Mortimer.

L'instant d'après, le frère Kevyn s'inclinait devant le suzerain.

— Mon ancien seigneur a placé sa fille sous la protection de son demi-frère, un vaillant homme qui donnerait sa vie pour la demoiselle Mary. Il devra prendre soin d'elle, lui choisir un mari le moment venu et gérer Everleigh comme si le domaine lui appartenait. Lord FitzHugh a également laissé un peu d'argent pour la dot de sa fille.

— Et pour son loyal fils ? s'enquit lord Mortimer.

Le prêtre secoua la tête.

— Mon seigneur lui a donné quelques conseils, mais rien d'autre.

Lord Mortimer opina. S'il n'avait pas eu de fille légitime, lord FitzHugh aurait probablement légué son domaine à son bâtard.

— Quels conseils votre père vous a-t-il donnés, Rhys FitzHugh ?

— Il a suggéré que j'enlève une héritière et que je l'épouse, seigneur.

— Diantre ! Allez-vous le faire ? demanda le suzerain avec un sourire amusé.

Il trouvait ce conseil très sage car ce jeune homme n'avait pas d'autre choix, en vérité.

— Je dois y réfléchir, mon seigneur.

— Je crois que votre père vous a donné là une recommandation éclairée, jeune Rhys FitzHugh. Quel âge avez-vous ?

— Vingt-cinq ans, mon seigneur.

— N'attendez pas trop longtemps pour prendre femme. Votre semence est au maximum de sa fertilité. Avez-vous déjà des enfants ? s'enquit-il en remerciant la servante qui lui apportait un gobelet de vin.

— Étant donné les circonstances, j'ai cru plus prudent de m'en abstenir, mon seigneur.

— Oui, bien sûr.

Lord Mortimer but son vin, se leva et se tourna vers Mary.

— Votre frère prendra bien soin de vous, petite demoiselle, mais si vous aviez besoin de mes conseils ou de mon aide, faites-le-moi savoir.

Il s'inclina vers la fillette et lui baisa la main.

— Et quand vous aurez besoin de mon aide, mon seigneur, je ferai mon devoir envers vous, répondit-elle en lui faisant une révérence.

— Je n'en attendais pas moins de vous, Mary Fitz-Hugh.

— Je continuerai à rendre régulièrement visite à Rhys, père, dit Roger.

Lord Mortimer sortit, et Roger se tourna vers son ami avec un sourire interrogateur.

— Quand vas-tu enlever ta femme ?

— Pour l'amour de Dieu, Rog, je viens à peine d'enterrer mon père !

— Je te laisse, mon frère, intervint Mary. Je dois apprendre à confectionner du savon, aujourd'hui.

Les deux hommes se retrouvèrent seuls.

— Mon père a raison, Rhys. Tu ne peux te permettre d'attendre trop longtemps.

— Je pensais enlever la fille Pendragon, au pays de Galles...

— Excellent choix ! La famille de son père descend du roi Arthur. Merin Pendragon a un fils, mais aussi beaucoup d'argent et de bétail pour doter sa fille. Quand partons-nous ?

Rhys se mit à rire.

— Je ne suis pas sûr que ce soit un projet très honorable. Contraindre le père d'une jeune fille à la marier ne me semble guère correct.

— Bah ! Des filles se font enlever tous les jours. De toute façon, tu n'as pas le choix. Je suppose que ton vieux père ne t'a pas laissé grand-chose, à part la responsabilité de sa fille, Everleigh et un avenir incertain.

— Je resterai le régisseur de Mary.

— Peut-être, mais lorsqu'elle se mariera, Everleigh deviendra la propriété de son mari. Il pourrait avoir un parent pauvre et vouloir lui confier l'intendance du domaine. Mary risque de ne pas oser le mécontenter, et que deviendras-tu alors ? Non, une épouse bien dotée est la meilleure des solutions pour toi, Rhys. Son argent te permettra de t'acheter un petit domaine et d'en devenir le propriétaire. Vous serez alors chez vous, avec ta femme, vous aurez des enfants et vous vivrez heureux.

— Tu sembles avoir tout prévu, en ce qui me concerne. Et si j'avais envie de partir en croisade, une fois Mary mariée ?

— Tu es trop vieux pour cela, mon ami.

— Je n'ai donc plus qu'à enlever une héritière, conclut Rhys, dépité.

— Dès demain, nous partirons en éclaireurs au château de Pendragon pour essayer d'apercevoir sa fille, décida Roger avec enthousiasme.

— Non, Roger. Mary et moi avons besoin d'un peu de temps pour faire notre deuil en paix. Si nous amenons cette jeune fille ici, elle ne cessera de pleurer et de se lamenter jusqu'à ce que nous soyons mariés.

— Je te donne une semaine, pas plus. Et ne discute pas ! Ton père, tout comme le mien, me donnerait raison. Je me demande à quoi elle ressemble… ajouta-t-il avec un grand sourire.

— Qui ?

— La petite Pendragon, pardi ! J'espère pour toi qu'elle est ronde et douce.

Rhys se mit à rire.

— Elle est peut-être trop jeune pour être enlevée.

— Nous l'enlèverons quand même. Si elle est trop jeune pour être violée, il te sera plus facile de lui faire entendre raison en lui offrant des rubans et des friandises. Sinon, tu devras la charmer, apaiser ses craintes par tes baisers. Il y a toujours une solution avec les filles.

— Tu as l'air de t'y connaître, Rog. Pourtant, tu ne sembles toujours pas décidé à t'établir.

— La petite Pendragon aura peut-être une sœur !

— Reviens dans une semaine, lui dit Rhys. Pour l'instant, Mary et moi avons besoin de calme.

Roger Mortimer réapparut une semaine plus tard, accompagné d'une douzaine de jeunes hommes montés sur des chevaux vigoureux.

— J'ai pensé que nous aurions besoin d'aide, expliqua-t-il à son ami stupéfait. Un seigneur escorté d'une troupe en armes sera beaucoup plus impressionnant que deux simples cavaliers.

— Tu es fou ! répondit Rhys en réprimant son envie de rire.

— Allez, à cheval ! Il est temps de se lancer dans l'aventure.

— J'hésite encore…

— C'est ton propre père qui t'a suggéré de le faire. Quel autre choix as-tu, de toute façon ? Une femme de paysans, peut-être ? Ce serait une promotion pour elle, mais un déclin pour toi. Dépêche-toi, Rhys. Plus vite nous en aurons fini, plus vite ton avenir sera assuré.

— Et si nous échouons ? Si la fille est trop bien gardée ?

— Nous ne saurons pas ce qu'il en est tant que nous ne serons pas au pays de Galles pour nous rendre compte de la situation.

Rhys FitzHugh en convint.

— Donne-moi le temps de parler à Mary.

— D'accord, mais dépêche-toi !

Rhys trouva sa sœur dans sa chambre.

— Je dois partir deux ou trois jours, sœurette. Rhawn veillera sur toi, et le frère Kevyn sera là lui aussi.

— J'espère qu'elle est jolie et docile, dit doucement Mary.

— Qui ? demanda Rhys, feignant l'innocence.

— L'héritière que tu vas épouser ! Crois-tu qu'un bel homme viendra m'enlever un jour, mon frère ?

— Il ne vaudrait mieux pas ! Je serais obligé de le tuer, si cela arrivait. Tu seras mariée dans les formes, Mary.

— Pourquoi cette Pendragon ne le serait-elle pas ?

— Les Pendragon sont des Gallois, des gens à moitié sauvages.

— Alors pourquoi veux-tu enlever cette fille ? s'étonna Mary.

— Parce que sa famille possède du bétail sans être pour autant une famille importante. Ils ne se plaindront pas en haut lieu, dès l'instant où j'épouse décemment la fille ensuite. Quant à son frère, il n'est pas beaucoup plus vieux que toi, chérie, d'après ce que l'on m'a dit. Il ne représente donc pas un danger pour moi. À présent, donne-moi un baiser. Roger et ses hommes m'attendent.

— Est-ce que les Gallois mangent les enfants ? s'inquiéta la fillette.

— Mais non ! Qui t'a raconté une chose pareille ?

— C'est Rhawn.

— Rhawn est une vieille bique ignorante. Si elle te raconte d'autres sornettes du même genre, elle aura affaire à moi, dis-le-lui.

Il embrassa sa sœur et ajouta :

— Prépare la chambre d'amis pour ma femme, Mary.

— D'accord, Rhys. Que Dieu te protège et te ramène sain et sauf à Everleigh.

Peu après, Rhys montait sur son grand étalon gris pommelé.

— Je ne connais même pas le chemin de Dragon's Lair, confia-t-il à son ami.

— Moi, je le connais.

Rhys s'aperçut que les sabots des chevaux avaient été enveloppés dans du tissu, afin d'étouffer le bruit de leur approche. Aucun des animaux n'était de couleur claire, et tous les hommes portaient des tons sombres afin de ne pas attirer l'attention. Même si la campagne n'était pas très peuplée, une troupe se remarquait toujours, et ils avaient pris soin de cacher leurs armes et leurs cottes sous des tuniques et des capes. Un œil averti aurait néanmoins remarqué qu'il s'agissait d'une bande en mission…

Ils établirent un campement au crépuscule. Les jours rallongeaient, en ce début de printemps. Ils mangèrent des galettes et du bœuf séché, allumèrent un feu pour éloigner les bêtes sauvages et organisèrent un tour de garde pour permettre à chacun de dormir. Le lendemain matin, ils reprirent la route et arrivèrent en vue de Dragon's Lair à la mi-journée. Le château se dressait en face d'eux, sur une petite colline dominant un vaste champ de fleurs. Des vaches grasses paissaient tranquillement dans les herbes hautes.

— Oh, elle sera très bien dotée, remarqua Roger. J'ai rarement vu un domaine aussi luxuriant, au pays de Galles. Regarde, Rhys ! Au-delà, il n'y a que des montagnes arides, comme celles que nous avons traversées. Comment Pendragon fait-il son compte pour avoir des terres aussi prospères ? Peut-être lui viennent-elles de son ancêtre aux pouvoirs surnaturels ?

— Je croyais qu'il descendait du roi Arthur ?

— Oui, mais sa mère descend d'une créature moitié humain et moitié fée. Merlin l'Enchanteur l'aurait amenée ici et ils auraient élevé ce château ensemble par des moyens magiques. Le vieux sorcier aurait également jeté un sort sur ces terres pour qu'elles restent fertiles et que les Pendragon soient toujours prospères.

— J'ai du mal à croire à ces histoires, avoua Rhys. Elles sont bonnes pour les enfants.

— Tu as peut-être raison… Mais regarde, là-bas, près des saules qui bordent le ruisseau. Je vois trois jeunes filles dont l'une, la blonde, a tout d'une fée ! Tu crois que l'une d'entre elles pourrait être la fille Pendragon ?

— Allons leur poser la question, décida Rhys. Restez en retrait, ajouta-t-il à leur escorte. Il ne faut pas les effrayer.

Quand les jeunes filles virent les deux cavaliers approcher, elles se mirent sur leurs gardes.

— Est-ce ici Dragon's Lair ? demanda poliment Rhys.

— Oui, répondit la plus grande.

Il remarqua que les deux plus jeunes s'étaient réfugiées derrière elle.

— Je m'appelle Rhys FitzHugh d'Everleigh. Mon compagnon est Roger Mortimer, le fils de lord Mortimer. À qui avons-nous l'honneur, demoiselle ?

— Êtes-vous en affaires avec mon père ?

— Vous êtes la fille de Pendragon ?

Seigneur ! Elle était magnifique ! La chance commencerait-elle à lui sourire ?

— Oui, répondit Averil avant de se tourner vers ses sœurs. Allez vite prévenir lady Argel que nous avons deux invités.

Maia et Junia s'apprêtaient à obtempérer, lorsque Roger Mortimer plaça son étalon en travers de leur chemin.

— N'ayez pas peur, demoiselles, je ne vous ferai aucun mal. Mais vous n'allez pas partir tout de suite.

— Qu'est-ce que cela signifie ? lança Averil.

— Êtes-vous la fille de Pendragon ? répéta Rhys, subjugué par sa beauté.

— Oui, je suis sa fille, répondit-elle avec impatience, se demandant pourquoi il lui posait deux fois la même question. Je m'appelle Averil.

Rhys FitzHugh approcha sa monture le plus près possible de la sienne et, d'un geste sûr, souleva la jeune beauté de son cheval et la mit sur le sien, devant lui.

— Dans ce cas, je vous emmène ! dit-il en s'élançant par-dessus le ruisseau avant de s'éloigner au galop. Roger !

Roger sourit aux deux filles éberluées.

— Maintenant, petites, vous pouvez aller dire au Dragon Lord que Rhys FitzHugh d'Everleigh a enlevé sa fille. Bien sûr, il est attendu à Everleigh afin de convenir des termes du mariage.

Sur ce, Roger Mortimer éperonna son cheval et partit rejoindre son ami.

Quand Averil revint de sa surprise et s'aperçut que les tours du château s'éloignaient de plus en plus, elle se mit à crier si fort que le cheval de Rhys prit peur.

— Scélérat! hurla-t-elle en frappant son agresseur de ses poings. Laissez-moi descendre immédiatement! Comment osez-vous poser les mains sur moi? Mon père vous punira pour cet outrage! Laissez-moi descendre!

Rhys bataillait à la fois pour contenir son cheval affolé et maîtriser la petite furie qu'il avait enlevée. Elle faillit même être désarçonnée tant elle se démenait, l'inconsciente!

— Calmez-vous un peu! ordonna-t-il en s'efforçant de l'immobiliser.

Pour toute réponse, Averil lui griffa le visage des deux mains.

— Hé! s'écria-t-il en arrêtant son cheval.

Il repositionna aussitôt sa captive face vers le sol et la maintint comme il put.

— Espèce de bandit! Vous voulez me tuer? Pourquoi faites-vous ça?

Ignorant sa question, il parvint en haut de la colline où l'attendaient les hommes d'armes.

— Attachez solidement les mains de cette tigresse et mettez-la sur le cheval que nous avons emmené. Il faudra aussi lui attacher les pieds si nous voulons l'empêcher de nuire, la garce! pesta-t-il en constatant que son visage était en sang.

Dès qu'Averil fut au sol, elle prit les hommes de vitesse et partit en courant. En un éclair, Rhys sauta de cheval et la rattrapa. Évitant ses coups de pied, il la souleva de terre et la ramena de force vers la jument qui l'attendait. Il la hissa sur le dos de l'ani-

50

mal et lui maintint solidement les poignets tandis qu'elle vociférait dans sa langue barbare.

Deux hommes l'attachèrent, mais elle criait tellement qu'ils durent la bâillonner de crainte de devenir sourds. Pour se défendre, Averil en fut réduite à darder ses yeux verts étincelants de fureur sur ses agresseurs.

— Dépêchons-nous, dit Roger. Les deux gamines sont rapides. Pendragon et ses hommes risquent de nous rattraper. Si nous pouvons les distancer aujourd'hui, nous sommes sauvés.

Sans perdre de temps, ils s'élancèrent au grand galop vers le côté anglais des Marches, pour ne s'arrêter qu'en fin d'après-midi. Ils perçurent alors un bruit de cavalcade, au loin.

— Nous n'arriverons pas à les semer. Partez en avant pour faire diversion pendant que nous nous cachons, dit Roger Mortimer à ses hommes d'armes. Mais ne vous faites pas prendre, pour l'amour de Dieu !

— Je laisse deux hommes avec vous, mon seigneur, répondit le capitaine. Votre père m'écorcherait vif si je vous laissais sans protection.

Sans attendre sa réponse, il désigna deux soldats puis continua sa route avec les autres au triple galop.

L'un des deux hommes était éclaireur. Il conduisit aussitôt ses protégés vers les ruines d'une ancienne bâtisse religieuse, et ils continuèrent à pied jusqu'à ce qui restait d'une ferme. Averil fut détachée et emmenée de force sur un tas de foin où on l'obligea à se coucher. Rhys jeta son manteau sur elle et s'y assit pour l'empêcher de fuir. Puis ils attendirent.

Les aboiements d'une meute de chiens approchèrent peu à peu, ainsi qu'un martèlement de sabots. Des cris s'élevèrent. Le son d'une corne. Les hommes d'armes s'efforçaient de calmer les chevaux pour qu'ils ne donnent pas l'alerte à leurs poursuivants. Les bruits finirent par s'éloigner, et le silence revint.

— Ils sont partis, dit Roger.

— Cela sent la pluie, commenta Rhys. Je préférerais rester ici. Ils vont faire demi-tour et je n'ai aucune envie de tomber nez à nez avec eux. Tu crois que les hommes de ton père parviendront à les semer ?

— Oui, sans difficulté. C'est tout juste si Pendragon les apercevra. Ils seront sur la terre anglaise à la nuit tombée et je doute que les Gallois s'aventurent là-bas. Le Dragon Lord devra accepter le fait que son héritière a été déshonorée et sera contraint de venir établir les termes du mariage.

— Nous ne sommes pas encore à Everleigh, remarqua sagement Rhys.

Il se leva et s'aperçut seulement alors que sa captive avait cessé de se débattre. Il retira le manteau. Averil s'était évanouie. Il se pencha aussitôt sur elle et soupira de soulagement en constatant qu'elle respirait et que l'on percevait bien les battements de son cœur, à la base de son long cou gracile.

— Non, tu ne l'as pas tuée ! lança Roger en riant. Elle est belle, n'est-ce pas ? Quelle chance tu as, Rhys !

— Oui. Elle est plutôt jolie, admit-il.

Qu'avait-il fait ? se demanda-t-il brusquement. En enlevant cette jeune beauté à sa famille, il lui avait ôté toute chance de convoler un jour avec un homme de son rang. Qu'était-il, lui ? Un bâtard, qui ne serait jamais rien de mieux que régisseur. Le père de la jeune fille risquait de le tuer, mais le mal était fait et la demoiselle avait des lèvres tellement tentantes…

— Jolie ? Elle est magnifique, tu veux dire ! Regarde ses cheveux ! On dirait de l'or pur. Et ce corps svelte, avec des rondeurs juste là où il faut… s'enthousiasma Roger. Quel ravissant petit nez aussi. Droit et fin, sans la moindre bosse. Je me demande de quelle couleur sont ses yeux. Vraiment, Rhys, tu es tombé sur un joyau.

Ils s'assirent et attendirent que la nuit tombe. Enfin, ils entendirent des chevaux revenir puis s'éloigner en direction de Dragon's Lair. L'un des hommes d'armes alla vérifier qu'il s'agissait bien de leurs poursuivants en se cachant entre les rochers.

— C'étaient les Gallois, mes seigneurs, confirma-t-il en revenant. Et celui qui les menait semblait furieux. Il vociférait comme un beau diable !

— Nous allons attendre encore un peu, décida Rhys. J'enlèverai alors le bâillon de la demoiselle pour qu'elle puisse manger et boire.

Quand le bruit de la cavalcade eut complètement disparu, il s'occupa d'Averil.

— Vous avez failli me tuer ! l'accusa-t-elle.

— Avez-vous faim ou soif ? demanda-t-il sans lui répondre.

— Comment pourrais-je manger ? rétorqua-t-elle en lui montrant ses mains liées.

— Désolé, mais je ne vous fais pas confiance. C'est moi qui vous nourrirai, décréta-t-il.

— Mon père vous tuera !

— Votre père est reparti bredouille, pour l'instant. Il viendra à Everleigh tôt ou tard pour conclure notre mariage. Je vous ai enlevée et vous m'appartenez, désormais.

— Jamais je ne serai à vous ! Je préfère entrer au couvent plutôt que de devenir votre femme !

Averil était hors d'elle. Jamais elle ne s'était sentie aussi impuissante.

— Avant que votre père arrive, vous et moi nous serons bel et bien accouplés, jeune fille. Vous ne serez plus vierge, alors oubliez le couvent, rétorqua durement Rhys. Et cessez de protester, sinon je consomme notre union ici même, sans délai et devant témoins.

— Vous n'oseriez pas !

Mais le regard menaçant que lui lança le jeune homme la calma sur-le-champ.

— Je n'ai que des rations de soldats à vous proposer, s'excusa-t-il en coupant la galette pour la lui donner.

— Vous avez du vin ?

— Que de l'eau, répondit Rhys en posant sa flasque en corne sur ses genoux.

— Vous ne pouvez même pas vous offrir du vin ? ironisa-t-elle.

— Voulez-vous de l'eau ou non ? demanda-t-il, les dents serrées.

— Je dois rester en vie, si je ne veux rien perdre du moment où mon père vous tuera à petit feu pour l'outrage que vous m'avez infligé, riposta-t-elle avant de boire avidement.

Roger Mortimer éclata de rire.

— Elle a du caractère, Rhys. Elle te donnera des enfants vigoureux.

Averil darda sur lui un regard venimeux, et Roger rit de plus belle.

— Si seulement vous aviez une sœur, mademoiselle !

— J'en ai deux, jeta-t-elle. Plus jeunes que moi. Elles m'accompagnaient quand vous m'avez enlevée. Je suis l'aînée des trois filles Pendragon et de son fils.

La lune apparaissait maintenant entre les arbres. L'orage qui avait menacé n'avait pas donné de pluie, finalement. Averil se roula en boule sur le manteau de Rhys et s'endormit. Roger la couvrit avec sa cape, et les quatre hommes se relayèrent pour monter la garde, laissant les chevaux brouter derrière les ruines.

Au petit jour, une brume épaisse flottait dans l'air mais au-delà, un ciel bleu annonçait une belle journée. Ils se remirent en route. Vers midi, ils franchirent la ligne invisible qui marquait la frontière avec l'Angleterre où ils retrouvèrent les hommes de lord

Mortimer qui les attendaient. Ils arrivèrent à Everleigh en fin d'après-midi.

Rhys coupa les liens d'Averil et la souleva de cheval pour la poser à terre.

— Bienvenue chez vous, mademoiselle. Voici Everleigh, dit-il en l'entraînant à l'intérieur de la maison.

— C'est à vous ? s'enquit-elle en regardant autour d'elle avec curiosité.

Cela aurait pu être pire, se dit-elle.

— Non, à ma sœur. Mary est l'héritière légitime de mon père. Elle a six ans et je suis responsable d'elle. Je suis le fils bâtard de mon père.

Averil se mit à rire.

— Vous trouvez cela drôle ? demanda-t-il, irrité.

— Non. Je trouve que c'est une incroyable coïncidence.

— Une coïncidence ? s'étonna-t-il, son beau visage devenant perplexe.

— Moi aussi, je suis la fille illégitime de mon père, expliqua-t-elle.

— Mais… vous avez dit que vous étiez la fille aînée de Pendragon !

— Oui, sa fille aînée, née de sa concubine, Gorawen. Ne serais-je pas celle que vous cherchiez ?

— Je cherchais l'héritière de Pendragon, admit-il lentement.

— C'est ma sœur cadette, Maia. La plus jeune, Junia, est la fille de l'autre concubine de mon père, Ysbail… Oh ! Quel dommage pour vous ! Vous vous êtes trompé, n'est-ce pas ? dit-elle en éclatant de rire.

— Je vais vous renvoyer d'où vous venez !

Voilà ce qui arrivait quand on ne suivait pas son instinct, songea-t-il avec humeur.

— Tu ne peux pas, intervint Roger en secouant la tête.

— Pourquoi pas ?

L'hilarité d'Averil redoubla.

— Parce que tu l'as enlevée et que tu es obligé de l'épouser, à moins de te déshonorer, toi, ta famille et la famille Pendragon.

Roger se tourna vers la jeune fille qui se tenait les côtes.

— Êtes-vous en bons termes avec votre père, mademoiselle ? Viendra-t-il avec la dot qu'il vous a réservée ?

— Mon père nous aime toutes d'une manière égale. En tant qu'aînée, je suppose toutefois qu'il m'accorde une place privilégiée. Il me donnera une dot quand je me marierai, mais je n'ai pas l'intention d'épouser ce bouffon qui m'a kidnappée ! Je me ferai au contraire une joie d'assister à votre mise à mort, et je me délecterai du spectacle de votre lente agonie, Rhys Fitz-Hugh.

Rhys semblait complètement abattu par ce retournement de situation.

— Mademoiselle, reprit Roger, vous n'avez pas le choix dans cette affaire. Aucun autre homme ne voudra de vous maintenant, et l'Église non plus. Vous serez considérée comme souillée.

— Mais pourquoi ? Rien ne s'est passé entre moi et ce sombre imbécile. Je suis aussi pure qu'avant.

— Oui, mais votre parole ne suffira pas à convaincre un homme. Vous êtes une femme, ne l'oubliez pas. Et dans cette affaire, ma parole ou celle de mon meilleur ami ne pèsera pas lourd non plus. Si vous ne vous mariez pas, vous subirez la disgrâce jusqu'à la fin de vos jours.

— Alors je préfère la disgrâce ! s'exclama Averil.

— Moi je ne peux l'accepter, à cause de ma sœur, déclara Rhys. Je vous épouserai, mademoiselle, même si vous n'êtes pas l'héritière de votre père. Le nom de Mary doit être protégé.

— Je ne vous épouserai pas ! hurla Averil.

Ivre de rage, elle s'empara du couteau qu'il portait à la ceinture et le frappa à l'épaule. Roger bondit et la désarma, mais elle avait eu le temps d'atteindre Rhys. Il saignait.

— Vous avez intérêt à vous calmer, espèce de petite sauvage ! C'est la deuxième fois que vous le faites saigner ! gronda Roger avant d'appeler les domestiques pour qu'ils viennent prendre soin de leur maître. La blessure n'est pas profonde, il n'en mourra pas, s'empressa-t-il de préciser comme certaines servantes pleuraient déjà. Donnez-lui un verre de vin.

Quand Rhawn, la gouvernante de sa sœur, lui eut bandé l'épaule, Rhys lui demanda :

— Où est Mary ?

— Là où cette mégère que vous avez ramenée avec vous ne risque pas de lui faire du mal, bougonna Rhawn en jetant un œil noir à Averil.

— Ne me regardez pas comme ça, espèce de vieille toupie ! lança Averil. Je ne suis pas venue de mon plein gré avec ce crétin que vous avez pour maître. Par sa conduite inconsidérée, il a ruiné ma vie et tous mes espoirs.

— Je vous épouserai, répéta Rhys, croyant qu'elle avait besoin d'être rassurée.

— Vous ne m'avez pas entendue ? Je ne veux pas vous épouser !

— Que tu le veuilles ou non, tu l'épouseras, fille ! lança la voix dure de son père qui venait de surgir dans la grande salle d'Everleigh, ses hommes d'armes sur les talons.

3

Le Dragon Lord était un homme grand et fort, doté d'une autorité naturelle impressionnante. Il avança à grandes enjambées et s'assit sur le trône placé sur l'estrade sans y avoir été invité.

— À présent, Rhys FitzHugh, vous allez vous expliquer. Ensuite, je déciderai. Soit je vous permettrai d'épouser ma fille que vous avez déshonorée, soit je vous tuerai pour laver l'affront que vous avez infligé à ma famille.

Ses yeux verts scrutaient le jeune homme avec curiosité.

— Ce château est-il à vous ?

— Non, mon seigneur, répondit Rhys en toute franchise.

— Tue-le, père ! cracha Averil. J'ai moi-même essayé, mais je n'ai réussi qu'à le blesser.

Le Dragon Lord l'ignora. Les femmes étaient tellement émotives ! Ne voyait-elle pas que cet homme pouvait être une opportunité non négligeable ?

— À qui appartient ce château, Rhys FitzHugh ?

— À la mort de mon père, Everleigh est revenu à ma petite sœur, Mary FitzHugh.

— Vous êtes donc un fils bâtard ?

Ce n'était pas un problème en soi. Seule l'absence de terres en posait un, songea Merin Pendragon.

— Oui, mon seigneur.

Rhys était extrêmement mal à l'aise. Bien qu'il fût chez lui, à Everleigh, il se sentait comme un moins que rien devant ces Gallois. Il jeta un coup d'œil à Roger Mortimer, mais celui-ci gardait le silence et arborait cet air coupable qui les trahissait toujours quand ils étaient enfants et qu'ils avaient fait une bêtise.

— Êtes-vous le tuteur de votre sœur, Rhys Fitz-Hugh ?

— Oui, mon seigneur. Sur son lit de mort, mon père m'a dit que si ma mère n'était pas morte en me donnant la vie, il l'aurait épousée. Plus tard, quand il s'est finalement marié, il a perdu cette autre femme en couches, la mère de Mary. Mary a six ans. Mon père m'a chargé de veiller sur elle et sur Everleigh, et de m'assurer qu'elle fasse un bon mariage, le moment venu. Tenir mes engagements ne sera jamais une contrainte pour moi. J'aime ma petite sœur de tout mon cœur.

— Au moins, vous avez un toit jusqu'au jour où elle convolera, Rhys FitzHugh. Vous devrez alors spécifier sur le contrat que vous resterez à Everleigh en tant que régisseur. Si vous gérez convenablement ce domaine, le mari ne devrait pas s'opposer à cette clause.

Il soupira et reprit plus durement :

— À présent, qu'est-ce qui a bien pu vous amener à enlever ma fille ? Je veux la vérité !

— Je voulais épouser une héritière, mon seigneur. J'ai vingt-cinq ans, il est temps pour moi de songer à m'établir. C'est mon père qui m'a suggéré cette solution.

— Saviez-vous que j'ai trois filles, et que seule l'une d'entre elles est légitime ?

— Non, mon seigneur, avoua Rhys en rougissant, conscient de sa stupidité. Averil a dit qu'elle était votre fille et, comme elle était la plus grande, je n'ai pas cherché plus loin.

Merin Pendragon se mit à rire aux larmes.

— Ce n'est pas drôle, père! s'exclama Averil, furieuse.

— Moi, je trouve ça tordant! Ce jeune homme me paraît intelligent, mais il s'est conduit d'une manière stupide et le voilà obligé de porter à vie le poids de son erreur.

Le Dragon Lord darda soudain son regard perçant sur Roger Mortimer.

— Et vous, jeune Mortimer? Quelle part avez-vous prise dans tout cela? Je me plaindrai à votre père et il risque de ne pas être content.

— Nous voulions bien faire, mon seigneur. Et Rhys n'a pas touché à la jeune fille, je le jure!

— Il m'a attachée et bâillonnée, père! Il m'a privée de nourriture, et je crois bien qu'il m'a fait attraper la fièvre en me forçant à dormir dans une étable en ruine. J'ai failli mourir de froid.

— J'en prends bonne note, ma fille, jeta Merin avec une certaine ironie. Dites-moi, jeune FitzHugh, vous allez devoir l'épouser maintenant, bien qu'elle ne soit pas mon héritière. Si je vous avais rattrapé avant la nuit, j'aurais encore pu la sauver, mais à présent qu'elle a dormi avec vous, quoi que vous ayez fait – ou pas fait –, je dois imaginer le pire.

— Mes hommes étaient avec moi, mon seigneur, et Roger aussi. Ils jureront qu'il ne s'est rien passé.

— Ce n'est pas moi que vous devez convaincre. Je ne pourrai jamais trouver un autre mari pour ma fille, à présent, et je pense que vous conviendrez qu'Averil est bien trop belle pour finir ses jours dans un couvent. Je suis prêt à me montrer généreux, malgré ce que vous avez fait.

— Pourquoi le seriez-vous? demanda Rhys, soudain méfiant.

Ces Gallois étaient des roublards. Peut-être la fille n'était-elle pas aussi pure qu'elle le paraissait?

— Je préfère entrer au couvent plutôt que d'épouser ce pitre! cria-t-elle. Ramène-moi à la maison, père.

— Tais-toi, Averil. Cette affaire ne te concerne pas.

— Comment? Mais c'est de ma vie dont vous êtes en train de décider comme si je n'étais pas là! Crois-tu que ma mère t'approuverait?

— Ta mère a la sagesse de se fier toujours à mon jugement. Maintenant, silence! ajouta-t-il plus durement.

Il aimait sa fille, mais il n'avait pas l'intention de la laisser lui parler sur ce ton devant des étrangers.

— Qui vois-je ici? lança soudain une voix puissante.

Toutes les têtes se tournèrent à l'entrée de lord Mortimer dans la grande salle, suivi de ses hommes.

— Merin! Vieux diable gallois! C'est bon de te revoir.

Le Dragon Lord se leva, descendit de l'estrade et s'avança vers son ami, les bras tendus.

— Edmund! Vieux démon anglais! Moi aussi, je suis content de te voir. Savais-tu que ton fils et le jeune FitzHugh ici présents avaient franchi la frontière du pays de Galles pour enlever ma fille?

— Quoi? s'exclama lord Mortimer, feignant la surprise. Je suis choqué, Merin! Très choqué! Si je comprends bien, jeune Rhys, vous n'avez plus qu'à épouser l'héritière du seigneur Pendragon.

— Je n'ai pas enlevé la bonne, mon seigneur. C'est la cadette que j'aurais dû emmener.

— Regrettable erreur de votre part, jeune homme, répondit lord Mortimer en se retenant d'éclater de rire. Comment avez-vous pu oublier que Pendragon avait deux charmantes concubines, à qui il ne s'était pas privé de faire des enfants? Quoi qu'il en soit, l'honneur de la jeune fille doit être sauvé, Rhys Fitz-Hugh.

— Rien ne s'est passé entre nous, mon seigneur. Roger et les autres pourront en témoigner! Accepte-riez-vous d'intercéder en ma faveur?

— Oh, non, mon jeune ami. Il ne vous reste qu'une chose à faire, il n'y a pas à discuter.

— Allons voir le prince Llywelyn, décida le Dragon Lord. Je lui exposerai la situation, puis j'offrirai ma fille et sa dot à quiconque serait intéressé. Si quelqu'un veut bien d'elle malgré cette mésaventure, je l'accepterai. Mais si personne ne se présente, je la donnerai à Rhys FitzHugh. Je ne peux être plus juste, non ?

— C'est une offre très généreuse, convint lord Mortimer.

— Et moi je serai vendue comme une vulgaire génisse ! cria Averil. Je veux entrer au couvent !

— Voyons, mon enfant, ce serait un crime de vous cloîtrer, jolie comme vous l'êtes.

— Nous n'avons pas de temps à perdre si nous voulons nous rendre chez le prince Llywelyn, insista le Dragon Lord.

— Nous accompagnez-vous ? demanda Rhys à lord Mortimer.

— Oui, je préfère vous empêcher de commettre une nouvelle bévue, mon garçon, répliqua-t-il avec un petit sourire.

— Donnez-nous à manger, jeune FitzHugh, et nous nous mettrons en route, dit le Dragon Lord.

— Vous devriez passer la nuit à Everleigh, mes seigneurs, car il est déjà tard, proposa Rhys. Rhawn, va chercher ta maîtresse et dis-lui de venir accueillir ses hôtes.

— Je suis là, Rhys, déclara Mary en sortant de l'ombre.

C'était une très jolie petite fille. Deux longues nattes brunes paraient son visage angélique, éclairé par de grands yeux d'un bleu limpide. Elle portait une tunique jaune pâle sur une robe d'un ton plus soutenu.

— J'attendais que vous ayez terminé de régler vos affaires. Bienvenus à Everleigh, mes seigneurs, milady, dit-elle en s'inclinant dans une gracieuse révérence.

Vous pouvez passer à table. Le repas va être servi. Lord Pendragon, venez vous asseoir à ma droite; lord Mortimer, à ma gauche. Lady Averil, prenez place entre votre père et mon frère. Roger Mortimer, près de votre père.

Merin Pendragon fut immédiatement conquis par la petite fille aux manières irréprochables et déjà très consciente de ses devoirs de châtelaine, malgré son jeune âge. Et si elle venait à mourir, son frère hériterait du domaine, malgré sa naissance.

On leur servit un repas simple composé d'épaisses tranches de pain trempées dans un ragoût à base de lapin agrémenté d'oignons et de carottes, suivi d'un fromage au goût très fort. Les domestiques veillèrent à ce que les verres soient toujours remplis d'une excellente bière.

— Je vous félicite pour votre table, lady Mary, approuva Merin Pendragon.

— Rhawn, ma nourrice et gouvernante du château, m'a transmis son savoir, mon seigneur. Mais j'ai encore beaucoup à apprendre.

Après le repas, Mary salua ses invités, prit Averil par la main et l'emmena dans l'escalier qui menait au premier.

— Je garde un feu allumé dans ma chambre. Il brûle presque toute l'année. Nous y serons confortablement installées pour la nuit. Les hommes se mettront à l'aise dans la grande salle où leur seront installées des couches. Ils sont habitués aux conditions plus rudes.

— Votre frère m'a obligée à dormir dans une étable en ruine, hier soir, maugréa Averil.

— C'est qu'il ne devait pas avoir de meilleur endroit à vous proposer, répondit calmement Mary. Mon frère est un homme d'honneur, mademoiselle.

Une fois dans ses appartements, la petite fille se tourna vers elle.

— Allez-vous l'épouser ?

Averil ravala la réplique bien sentie qui lui venait aux lèvres.

— Je ne sais pas. Ce sont les hommes qui décideront, mon père, votre frère et notre prince.

— Oui, et je me demande ce qui va en résulter.

— Moi aussi… J'ai une petite sœur un peu plus âgée que vous, ajouta-t-elle plus doucement. Elle s'appelle Junia.

— Est-ce qu'elle vous ressemble ? Vous êtes la plus belle jeune fille que j'aie jamais vue.

— Junia est brune, comme vous, mais ses yeux sont verts. Mes sœurs et moi avons toutes les trois les yeux verts. Maia est rousse, et notre frère Brynn est brun aux yeux marron. Lui et Maia ont la même mère. Notre père a une femme et deux concubines.

— Mais c'est immoral !

— Non, c'est une question de nécessité. Lady Argel n'était toujours pas enceinte après plusieurs années de mariage. Mon père a alors pris une concubine, ma mère, Gorawen. Ensuite, lady Argel eut ma sœur Maia, mais comme de nouveau aucun autre enfant ne suivait, mon père a pris une seconde concubine, Ysbail. Junia est née de cette union, puis Argel lui a enfin donné le fils tant espéré. Votre frère est un bâtard, je crois.

— Oui, répondit distraitement la fillette avant de revenir à ce qui la préoccupait. Vivez-vous tous ensemble ?

— Oui, et nous nous entendons bien.

— Je n'ai jamais rien entendu de tel, mais on dit que les Gallois sont des barbares…

— Certainement pas ! Croyez-vous que les Anglais n'ont pas d'enfants illégitimes ?

— Je ne voulais pas vous offenser.

— Je sais, mais vous avez une façon directe d'exprimer votre pensée qu'il vous faudrait moduler un peu. Vous êtes encore très jeune.

— J'aimerais bien avoir une sœur comme vous, avoua Mary. Est-ce vous qui avez brodé votre tunique ?

— Oui.

— Pourriez-vous m'apprendre comment l'on peut réussir un point aussi fin ?

— Peut-être, mais demain, nous partons à la cour du prince Llywelyn, à Aberffraw.

— Alors vous m'apprendrez quand vous aurez épousé mon frère ?

— Si je dois l'épouser, d'accord.

Mais j'espère bien qu'il n'en sera rien, ajouta Averil pour elle-même. Rhys FitzHugh était l'homme le plus ennuyeux qu'elle eût rencontré. De plus, il avait semblé réellement déçu de s'être trompé d'héritière, et cela ne plaidait pas en sa faveur. Elle n'avait plus qu'à espérer qu'un homme de la cour du prince veuille bien d'elle. N'importe qui serait préférable à cet Anglais arrogant !

Le lendemain, ils partirent donc pour Aberffraw. La route était longue et la présence de Mary n'étant pas nécessaire, elle fut dispensée de ce long voyage. Ils arrivèrent à la cour du prince la veille du solstice d'été, après avoir traversé le Menai Strait jusqu'à l'île d'Anglesey, dans la mer d'Irlande. Une brume rosée flottait sur le paysage verdoyant de l'île.

Merin avait raconté à sa fille que les anciens druides avaient élu domicile dans ce pays avant d'être massacrés par les Romains, mais on disait que l'île était toujours hantée par des forces magiques. Des oiseaux sauvages peuplaient ses marais. Ses verts pâturages entretenaient un bétail bien gras, et quelques maisons protégées par des haies s'élevaient le long des chemins sur lesquels ils chevauchaient. Parfois, ils traversaient de petites forêts, mais la plupart du temps, ils parcouraient de grandes étendues planes et vertes.

Le château du prince Llywelyn, entouré d'un modeste village où s'élevait une église, n'impressionna pas Averil. Celui de son père était plus grand. En revanche, elle eut la surprise d'apprendre que le prince avait épousé Joan, la fille du roi John.

Le souverain avait décidé d'entendre le cas d'Averil le soir même, avant la fête prévue pour célébrer l'été. Pour se présenter dignement devant lui, Averil demanda à prendre un bain. Ses cheveux étaient ternis par la poussière mais il n'y avait pas assez d'eau pour les laver. Elle dut se contenter de les brosser longuement jusqu'à ce qu'ils retrouvent leur brillant. Elle choisit ensuite une robe de brocart vert sombre à manches longues et col rond, brodée de fils d'or. Par-dessus, elle revêtit une tunique assortie. Une chaîne en or piquée de fleurs fraîches fut tressée dans sa chevelure, et elle se chaussa de cuir souple. Pour tout bijou, elle mit le pendentif en or incrusté d'un dragon en rubis qui représentait l'insigne de sa famille.

Une fois prête, Averil rejoignit son père et les autres, et ils s'attablèrent dans la salle du trône où un repas leur fut servi. La jeune fille fut impressionnée par la variété des plats, sans doute un effet de l'influence anglaise de Joan. Elle décida de s'inspirer de ce savoir-vivre raffiné.

À la fin du dîner, le majordome demanda le silence.

— Lord Merin, issu de l'ancienne et honorable famille des Pendragon, descendant d'Arthur, roi des Bretons, est venu se présenter au prince pour que soit jugée la question de l'honneur de sa fille. Approchez-vous, Merin Pendragon, et dites ce que vous avez à dire. Tous ceux qui sont concernés par cette affaire s'exprimeront ensuite.

Merin Pendragon s'inclina devant le prince et sa femme.

— Mon seigneur… commença-t-il.

Et il exposa calmement les événements qui l'avaient amené devant lui, l'enlèvement, l'erreur sur la personne, la nécessité de réparer l'outrage, la colère de sa fille qu'il aimait tendrement…

Le prince Llywelyn se tourna alors vers la jeune fille.

— Averil Pendragon, qu'avez-vous à dire ?

— Mon seigneur, j'accepterai votre décision, répondit-elle d'une voix à peine audible.

Regarder le prince dans les yeux était considéré comme un manque de politesse, mais Averil soutint son regard sans ciller, après s'être toutefois inclinée devant lui et sa femme avec le respect qui convenait.

Impressionné par sa beauté, le prince approuva de la tête.

— Si un autre homme acceptait de la prendre pour femme, Rhys FitzHugh serait absous de son crime, déclara Merin.

— Quelle dot comptez-vous lui donner ? s'enquit le prince.

— Un troupeau de six jeunes génisses et un mâle en pleine santé. Un autre de vingt-quatre brebis avec leurs moutons et un bélier reproducteur. Elle possède en outre un beau cheval, deux coffres de linge et un autre de vaisselle. Elle emportera également son métier à tisser dont elle se sert à merveille. En outre, j'ai mis de côté quinze livres d'argent, une pièce par année de sa vie. Averil est une très bonne maîtresse de maison et elle réussit les plus belles broderies que j'aie jamais vues. Elle sait lire et écrire son nom, parle anglais et français aussi couramment que notre langue.

— Elle n'a pas de terres ?

— Non, mon seigneur. Ma fille Maia, la seule qui soit légitime, héritera d'une parcelle, car le reste de mes terres ira à mon fils, expliqua Merin Pendragon.

Le prince hocha de nouveau la tête.

— La fille a une jolie dot, cependant.

Averil regarda autour d'elle et prit soudain conscience qu'elle était très loin de chez elle. La foule était composée d'un grand nombre d'inconnus. Des hommes étranges, au physique rude. Et Dieu seul savait où ils pouvaient bien habiter. Au moins, le château de Rhys FitzHugh n'était qu'à deux jours de Dragon's Lair et de sa famille. Pourquoi s'était-elle aussi farouchement obstinée à refuser de l'épouser ? Et comment allait-elle maintenant éviter de lier son sort à un parfait étranger ? Elle se mordit les lèvres.

Joan d'Angleterre se pencha vers son mari et lui murmura quelque chose à l'oreille.

— Averil Pendragon, reprit alors le prince, avez-vous été agressée, de quelque manière que ce soit, par Rhys FitzHugh ?

Elle comprit aussitôt ce que sa question impliquait. Il lui suffisait de saisir la balle au bond, ce qu'elle décida de faire pour se sortir du pétrin dans lequel elle s'était mise. Ses joues pâles s'empourprèrent, elle baissa la tête et garda le silence. Elle n'osait mentir de vive voix, mais elle savait ce qu'elle laissait entendre en se taisant.

Les hommes de l'assistance se regardèrent les uns les autres, certains secouant la tête et murmurant des mots de regret. Un homme désirait avant tout une femme vierge, quelle que soit sa dot. Or le doute planait sur la pureté de cette belle jeune fille, et on ne serait fixé que lors de sa nuit de noces. En outre, même si elle était intacte, personne ne le croirait, étant donné les circonstances publiquement évoquées. Et ce silence n'arrangeait rien.

— Il ne s'est rien passé entre nous ! s'écria Rhys FitzHugh.

— Averil Pendragon, n'allez-vous rien nous dire ? l'encouragea le prince d'une voix douce.

Il pensait que la pauvre fille était morte de honte. Averil baissa la tête encore plus bas et se mit à trembler.

— Bon sang, espèce de petite peste, dites-leur la vérité! insista Rhys, furieux.

Il comprenait son jeu: elle avait décidé de le choisir pour mari. Eh bien, elle le regretterait!

Averil se réfugia contre son père en tremblant de plus belle, comme pour chercher sa protection. Merin Pendragon parvint à garder son sérieux, mais... comme il avait envie de rire! Après leur avoir fait traverser le pays de Galles, sa fille semblait avoir finalement décidé d'accepter Rhys FitzHugh. Par quel mystère avait-elle changé d'avis? Entrant dans le jeu, il l'entoura de son bras.

Le Grand Llywelyn secoua sa tête grisonnante.

— Malgré sa dot généreuse et sa grande beauté, vous ne pouvez la proposer à un autre, Merin Pendragon. Rhys FitzHugh, vous avez enlevé Averil Pendragon. Afin de lui restituer son honneur et de retrouver le vôtre, vous devez l'épouser. Telle est ma décision. Edmund Mortimer, vous êtes un homme de confiance. Veillerez-vous à ce que votre vassal fasse son devoir?

— J'y veillerai, mon seigneur.

— Qu'on fasse venir un prêtre! Ce jeune couple doit être uni sur-le-champ, ordonna le prince.

Sainte Mère de Dieu! songea Averil, prenant pleinement conscience de ce qu'elle venait de faire. En voulant éviter que n'importe qui l'épouse, elle se retrouvait contrainte de devenir la femme de Rhys FitzHugh sans délai! Plus moyen d'y échapper. Elle lui coula un regard en coin. Il semblait très en colère. Sans doute allait-il la battre pour le mauvais tour qu'elle lui avait joué. À cette idée, Averil frissonna, ce qu'il ne manqua pas de remarquer. Elle le toisa avec ironie. «Tu vas regretter ta perfidie, espèce de petite garce!» semblait-il lui dire.

— Oh, mon prince! lança-t-elle alors de sa voix la plus doucereuse. Ne pouvons-nous retourner d'abord à Dragon's Lair ? J'aimerais tant que ma mère, mes sœurs et mon frère soient présents à mon mariage !

Le Grand Llywelyn réfléchit à la question, mais Merin Pendragon s'interposa.

— Ma fille est toujours très sentimentale quand il s'agit de ses proches, mon prince, mais je crois qu'il vaudrait mieux la marier tout de suite. Rhys Fitz-Hugh pourra alors l'emmener à Everleigh et nous rejoindre à Dragon's Lair avec sa sœur Mary pour célébrer l'événement.

— Eh bien, soit ! décida le prince. Où est le prêtre ?

Averil se tourna vivement vers son père.

— Pourquoi fais-tu cela ? murmura-t-elle.

— Crois-tu que je ne te connais pas, Averil ? Si je te laissais rentrer à la maison avant de te marier, tu trouverais un moyen de t'y soustraire. Sache, ma fille, que tu n'as plus le choix.

— Mais je ne suis pour rien dans ce qui s'est passé ! Et je te jure devant notre Sainte Mère que je suis toujours une vraie jeune fille !

— D'accord, mais personne d'autre que moi ne te croira, tant que le drap taché de ta nuit de noces ne sera pas exposé publiquement.

— Père, je t'en prie ! le supplia-t-elle, ses yeux verts pleins de larmes. Ne m'oblige pas à dormir avec lui cette nuit ! Pas ici, dans cette maison étrangère !

— Je vais lui parler, d'accord. Je suis sûr que Rhys FitzHugh n'est pas plus pressé que toi de consommer votre union. Mais le moment viendra, ma fille, n'en doute pas.

Sur ce, il se tourna vers le jeune homme.

— Vous allez l'épouser, lui dit-il, mais vous ne la forcerez pas tant qu'elle ne sera pas prête. Est-ce que vous me comprenez ? Elle a beaucoup de tempérament, mais elle est jeune et totalement inexpérimentée. Sa mère n'est pas là pour la réconforter, et elle a peur, bien qu'elle n'en ait pas l'air.

— Je ne suis pas un rustre, mon seigneur. Je sais bien que je suis le seul responsable de cette situation. Je regrette sincèrement d'avoir écouté mon père et d'avoir agi dans la précipitation, sans réfléchir.

— Je crois que vous allez me plaire, Rhys FitzHugh. Je vais vous donner un conseil que vous seriez avisé de suivre. Averil est têtue comme une mule et elle a un caractère de cochon, mais c'est une bonne fille et elle a du cœur. Soyez gentil et patient avec elle, et elle vous sera loyale.

Rhys FitzHugh hocha la tête.

— Merci de ce conseil, mon seigneur. J'en tiendrai compte, mais quelque chose me dit que votre fille ne me facilitera pas la tâche.

— Sans doute pas! admit Merin Pendragon avec un petit rire. Mais elle est comme sa mère, croyez-moi. Elle vaut le coup que l'on se batte pour elle.

Le prêtre arriva à ce moment-là. Il écouta d'abord le Grand Llywelyn, son maître, puis se tourna vers le Dragon Lord et les siens.

— Que les futurs mariés s'avancent. Il n'y a pas d'obstacle à ce mariage?

— Aucun, dit Merin.

— La dot est acceptée, et les deux partis sont consentants?

— Oui, mon père.

— Alors ils peuvent être unis selon les rites de notre Sainte Église.

Il se tourna vers l'assemblée et ajouta plus fort:

— Silence! Je vais prononcer un saint sacrement, vous célébrerez l'été ensuite.

Une fois le calme revenu, Averil Pendragon et Rhys FitzHugh s'agenouillèrent devant le prêtre et prononcèrent leurs vœux devant Merin, Edmund et Roger Mortimer, Llywelyn, prince de Galles, Joan d'Angleterre et sa cour.

Dès que les festivités reprirent, Averil se sentit un peu perdue. Elle ne savait pas quoi dire à son mari, elle qui avait la langue si bien pendue, d'ordinaire.

— Vous auriez dû accepter tout de suite, au lieu de me faire traverser le pays de Galles pour arriver au même résultat, remarqua Rhys. Qu'est-ce qui vous a fait changer d'avis, Averil ?

— J'ai regardé les hommes rassemblés ici et j'ai trouvé qu'aucun ne convenait aussi bien que vous, mon seigneur.

Il se mit à rire.

— Alors je suppose que ce long voyage en valait la peine !

Averil s'empourpra.

— Je suis désolée de ne pas être l'héritière que vous espériez.

— Moi aussi, mais votre dot n'est pas négligeable, alors nous nous en contenterons.

— Pourquoi ne m'avez-vous pas violée, la première nuit ? s'enquit-elle.

— Quoi que vous pensiez de moi, je suis un homme honorable et… patient. Ce n'est ni l'endroit ni le moment de nous accoupler. Nous en reparlerons lorsque nous serons rentrés à Everleigh.

Incapable de s'en empêcher, la jeune femme posa sa petite main sur celle beaucoup plus grande de celui qui venait de devenir son mari. Il était vraiment très séduisant, d'une beauté différente de celle de Roger Mortimer.

— Merci, répondit-elle doucement.

— Vous avez les yeux verts, remarqua-t-il en esquissant un sourire.

— Comme toutes mes sœurs. Mais ceux de Maia ont une pointe d'émeraude, alors que ceux de Junia sont plus soutenus. Les vôtres sont bleu argenté. Ils sont très beaux, ajouta-t-elle en rougissant.

— D'après votre père, votre cœur est généreux mais vous n'avez pas toujours un caractère facile.

— C'est vrai. Mais j'essaie d'être juste.

— Bien. Voulez-vous vous joindre à la fête ?

— Le temps de partager un verre de vin avec vous, mon seigneur. Mais ensuite, j'irai me coucher. J'ai envie de dormir dans un vrai lit, avant d'entreprendre le voyage de retour durant lequel nous devrons de nouveau dormir à même le sol.

— D'accord.

L'instant d'après, un serviteur leur apportait une grande coupe de vin mélangé à de l'hydromel et sucré avec un miel très parfumé. Le breuvage était fort et à son grand embarras, Averil sentit très vite la tête lui tourner et ses jambes faiblir. Rhys le perçut. Il la souleva aussitôt dans ses bras et elle s'étonna d'en concevoir un certain trouble.

Un domestique le conduisit jusqu'à la chambre qui avait été attribuée à la jeune femme pour la nuit, tout en haut d'un étroit escalier. Averil avait déjà fermé les yeux.

Elle est vraiment belle, songea Rhys en la contemplant. Peut-être n'avait-il pas fait une si mauvaise affaire, tout compte fait. Avec l'argent de sa dot, il pourrait s'acheter des terres qu'il ferait fructifier grâce au bétail que son père lui avait légué. S'il arrivait à s'entendre avec elle, il y avait une chance pour que l'avenir ne soit pas aussi sombre qu'il le craignait.

Dans la chambre, une servante cousait, assise près du feu.

— La dame est indisposée. Où puis-je l'étendre ? demanda-t-il.

— Ah, c'est la fille du Dragon Lord. Mettez-la sur le petit lit, près de son bagage. De quoi souffre-t-elle ?

— Elle a bu deux gorgées de vin à l'hydromel. Elle est très fatiguée. Nous avons fait un long voyage et nous repartons demain.

Il l'allongea sur le lit, retira la petite couronne de fleurs qui ornait toujours les cheveux d'Averil et la posa près d'elle.

— Pauvre petite. Je vais m'occuper d'elle, mon seigneur.

Rhys prit une pièce dans sa bourse.

— Merci, dit-il en la lui tendant, avant de sortir.

Quand Averil se réveilla, le jour était levé. Des femmes parlaient dans la pièce. On lui avait retiré sa robe et ses chaussures. Elle avait la bouche sèche, mais elle n'eut pas le temps de se redresser que déjà, une servante lui tendait une tasse.

— Buvez tout, petite. C'est une potion qui devrait vous remettre sur pied.

— Ai-je dormi longtemps ?

— Toute la nuit et une partie de la matinée. La première messe a déjà été dite, et ils sont en train de déjeuner dans la grande salle.

— Je dois me lever ! Nous partons aujourd'hui.

— Vous devriez vous reposer, vous êtes très pâle.

— Je suis toujours pâle, répondit Averil en reposant la tasse.

— Venez-vous du Royaume enchanté ?

— Il paraît que l'une de mes ancêtres était une fée.

— On dit que la lignée refait surface au bout de quelques générations… Bon, venez, je vais vous aider.

Pendant qu'on allait lui chercher de l'eau pour sa toilette, Averil sortit une robe, une tunique et des bottines en cuir confortables de son sac. Après s'être lavé le corps et les dents, elle noua ses longs cheveux en une seule natte et fixa sur son crâne un voile de couleur crème avec un bandeau de soie brodé de fils d'or.

— Je descendrai vos bagages, milady, lui dit la jeune servante, éblouie par sa beauté.

— Oh, mais je n'ai pas de pièce à vous donner…

— Votre mari s'en est chargé hier soir. Il a été très généreux.

Votre mari… songea Averil en descendant retrouver les hommes. Elle ne parvenait pas encore à croire qu'elle était une femme mariée. Rhys s'était montré obligeant, la veille au soir. Combien de temps le resterait-il ?

Ce fut son père qui l'accueillit.

— Dépêche-toi de déjeuner, ma fille. J'aimerais avoir quitté l'île avant midi. Où est ton mari ?

— Je ne sais pas. Il m'a laissée dans ma chambre, hier soir, et je ne l'ai pas revu depuis.

Averil s'assit à table et on lui apporta une bouillie d'avoine et du pain beurré avec un gobelet de vin. Elle mangea pendant que son père allait rassembler les autres.

— Avez-vous bien dormi ? lui demanda soudain Rhys.

Elle ne l'avait pas vu se glisser sur le banc, à côté d'elle.

— Oui, mon seigneur, merci.

— Bien ! Nous partirons dès que vous aurez terminé.

— Et vous, mon seigneur ? Avez-vous passé une bonne nuit ?

Rhys sourit.

— Je me suis un peu enivré avec Roger et je me suis réveillé ce matin dans une prairie, à l'extérieur du château.

Averil retira une herbe restée piquée dans les cheveux bruns du jeune homme.

— Je pense que mon lit a été plus confortable que le vôtre, mon seigneur.

— Le mien l'aurait été, si vous vous y étiez trouvée… murmura-t-il.

— Vous avez promis ! s'écria-t-elle en s'empourprant.

— Et je tiendrai ma promesse. Je voulais seulement dire qu'un homme dort mieux avec une femme à son côté.

— C'est possible… mais j'ignore tout de ces choses. Je n'ai même jamais embrassé un homme.

— Je suis heureux de l'apprendre !

— Jusqu'ici, vous m'avez seulement accordé un bref baiser sur le front, mon seigneur.

Rhys fixa les belles lèvres de la jeune femme.

— Je me ferai un plaisir de vous embrasser, Averil, si vous me le demandez.

— Je préférerais ne pas avoir à vous le demander… Bien, j'ai terminé, enchaîna-t-elle en se levant. Je suis prête à partir.

— Nous chevaucherons côte à côte, aujourd'hui. Cela nous permettra de faire connaissance tout en voyageant, déclara-t-il en lui prenant la main pour l'entraîner dehors.

4

Le voyage de retour leur parut infiniment plus long que l'aller. Ils montaient un camp chaque nuit, et Averil dormait près de son mari. Pourtant, pas une fois il ne la toucha ou ne l'embrassa. Durant la journée, ils chevauchaient ensemble et apprenaient à se connaître, comme Rhys en avait émis le souhait. Il lui parlait de son père avec admiration, de son amour pour Everleigh. Il lui raconta qu'il avait huit ans quand, à la surprise de tout le monde, Godwine était tombé amoureux de la fille d'un ami lointain qui lui avait été confiée, après s'être retrouvée orpheline. Il l'avait épousée et, neuf mois plus tard, Mary était née. Toutefois, sa mère, une femme de constitution délicate, n'avait pas survécu à la naissance.

— Votre belle-mère a-t-elle été bonne envers vous ? lui demanda Averil.

— Oui, toujours. Quand Rosellen est arrivée à Everleigh, j'ai d'abord pensé que mon père voulait la marier avec moi car il n'y avait pas une grande différence d'âge entre nous. Elle avait seize ans. Mais il était tombé amoureux d'elle au premier regard, et elle de lui. Il était naturel qu'ils se marient, et elle m'a toujours montré de l'affection.

— Est-ce pour cela que vous aimez autant Mary ?

— Peut-être... mais vous l'aimerez aussi. Elle est adorable de nature, et très douce.

— Comme ma sœur Junia. En revanche, Maia est plus déterminée que moi. Peut-être est-ce parce qu'elle est l'héritière légitime de mon père, bien qu'il n'ait jamais fait de différence entre nous. Nous sommes toutes, au même titre, les filles du Dragon Lord.

— Et vos mères s'entendent bien ?

— Ma mère, Gorawen, et lady Argel sont très amies. Ysbail, la seconde concubine, est une femme gentille mais un peu susceptible. Elle veille de près à ce que Junia ne soit jamais dédaignée, comme si c'était le cas.

— Vous aimez vos sœurs, remarqua-t-il.

— Oh, oui ! Et mon petit frère aussi, Brynn. Il aura bientôt neuf ans et ressemble à papa comme deux gouttes d'eau. Cela nous amuse toujours de les voir l'un à côté de l'autre. Il est très fier de descendre du roi Arthur, et il est incollable sur l'histoire de notre famille.

— Une famille qui va vous manquer.

— Oui, mais vous ne leur interdirez pas de venir me voir à Everleigh, n'est-ce pas ?

— Bien sûr que non. Les portes leur seront toujours ouvertes.

— Si votre sœur est la maîtresse du château, qu'aurai-je à faire, moi ? Je ne suis pas d'une nature oisive.

— Il y a un cottage pour le régisseur. Nous pourrons y vivre, si vous préférez, mais il n'est pas habité depuis des années. Le dernier occupant était un cousin de mon père, le dernier régisseur. Il est mort sans enfant quand j'avais seize ans, aussi ai-je hérité de sa fonction et du cottage.

— Si votre sœur et moi parvenons à coexister en bonne entente, nous vivrons au château, mais si Mary doit s'occuper de tout, je rénoverai le cottage pour que nous puissions y vivre. En attendant, j'installerai mon métier à tisser chez vous, mon seigneur. Cela vous convient-il ?

— Oui, cela me paraît sage. Mary ne nous demandera jamais de partir, mais quand elle sera mariée, nous ferons peut-être bien de la laisser avec son mari. Enfin, nous avons le temps, d'ici là.

Ainsi bavardèrent-ils chaque jour, si bien qu'Averil finit par se dire qu'elle n'avait pas fait un mauvais choix, même si Rhys FitzHugh n'était pas un grand seigneur. Ses sœurs ne manqueraient pas de se moquer d'elle, à ce propos…

Lorsqu'ils arrivèrent à Dragon's Lair, Gorawen se précipita et prit sa fille dans ses bras.

— Je suis mariée, mère.

— A-t-il été doux ? s'inquiéta-t-elle aussitôt.

— Il n'en a pas eu l'opportunité, murmura Averil.

— Dieu merci ! Tu as tellement à apprendre, ma fille, des choses que je dois t'enseigner avant que tu ne partages son lit. Je lui dirai qu'il devra patienter.

— Je me demande s'il me désire, mère. Il ne m'a même pas embrassée une seule fois, tu te rends compte !

— Peut-être est-il timide ?

— Il ne l'a pas été pour me kidnapper !

— Avez-vous parlé ensemble, au moins ?

— Oui, beaucoup.

Gorawen sembla soulagée.

— Bien. Je pense que ton mari te laisse le temps de t'habituer à lui. Il n'a pas montré d'animosité en se voyant contraint de t'épouser ?

— Non. Rhys FitzHugh est un homme d'honneur, mère, même s'il a obtenu ma main en transgressant les règles.

— Mais il s'est trompé en t'enlevant plutôt que Maia. Il pourrait te faire porter le poids de son erreur. Cela arrive souvent, avec les hommes.

— Pas avec lui. Je crois qu'il assume sa méprise, et il s'est toujours montré aimable à mon endroit.

— Bon ! commenta Gorawen, favorablement impressionnée, songeant que ce jeune homme devait gagner à être connu, si Averil avait vu juste.

Mais sa fille n'avait pas encore l'expérience des hommes, aussi devrait-elle se faire sa propre opinion.

Après avoir embrassé sa mère, Averil s'inclina devant la femme légitime de son père.

— Bienvenue à la maison, lui dit Argel. Je suis heureuse que tout se soit bien passé.

— Merci. Maintenant, Maia peut songer à se marier, mais essayez de lui trouver quelqu'un de la région, s'il vous plaît, pour que nous puissions continuer à nous voir souvent.

— Ma fille aussi doit être mariée, intervint sèchement Ysbail.

— Junia n'aura pas l'âge requis avant quelques années, remarqua Merin.

— Mais son mari devra être aussi bien choisi que celui de Maia. Pas question de la donner à quelque pauvre régisseur, comme celui d'Averil, bien que je doive admettre qu'il est bel homme.

— Oui, oui, répondit le Dragon Lord avec impatience.

C'était au tour des sœurs d'Averil de l'accueillir et la féliciter, ce qu'elles firent avec effusion.

— Alors ? C'était comment ? s'enquit Maia.

— Ce n'est pas le lieu de parler de ces choses, répondit Averil, répugnant à avouer à ses sœurs qu'elle était toujours vierge.

— Ma mère dit qu'il est très séduisant, commenta Junia.

— Ah ? Eh bien, elle doit avoir raison, admit Averil en se tournant vers Rhys.

— Tu ne l'avais pas remarqué ? s'étonna Junia.

— Il ne faut jamais dire à un homme qu'on le trouve beau, répondit Averil en souriant. Ils sont suffisamment orgueilleux comme cela !

— Je me demande si le mien sera aussi beau, dit Junia en soupirant.

— Ton mari devra posséder des biens et être issu d'une bonne famille, lui rappela Maia. La beauté est accessoire. N'oublie jamais que tu descends du grand Arthur, sœurette, même si tu n'es pas une enfant légitime.

— Mais... Averil voulait épouser un grand seigneur et Rhys FitzHugh est tout juste... régisseur.

— Oui, mais régisseur d'un grand domaine.

Maia s'irritait de voir Junia relever que leur aînée, et la plus belle des trois, avait fait un mariage en dessous de sa condition. La pauvre Averil n'y était pour rien. Et si elle n'avait pas voulu les protéger ce jour-là, c'eût été elle, Maia, qui se serait retrouvée épouse d'un régisseur. Cette idée la fit frissonner.

— Rhys m'a dit que nous pourrions vivre dans le cottage du régisseur, raconta Averil.

— Mais... tu as vécu dans un château toute ta vie, répliqua Junia. Un cottage te semblera petit !

— Il s'agit peut-être d'un grand cottage, glissa Maia en jetant un regard noir à sa sœur.

Ne pouvait-elle se taire, à la fin ? Ne comprenait-elle pas l'affreuse vérité ?

Averil eut alors un petit rire.

— Il deviendra peut-être un grand seigneur, un jour, dit-elle gaiement.

— Oh, je suis désolée, ma sœur... s'excusa Maia.

— Tu ne devrais pas. J'ai eu le temps de réfléchir, durant notre long voyage à Aberffraw. Rhys est un homme honorable, et il sera bon envers moi et les enfants que je lui donnerai. Il a un toit, une position respectable, et je doute qu'il perde tout cela par une conduite inconsidérée.

— Tu as acquis une certaine sagesse, depuis que tu nous as quittées, remarqua Maia. C'est comme si tu avais brusquement mûri.

— Je ne sais pas s'il s'agit de sagesse ou de la simple acceptation de l'irrémédiable, admit Averil en souriant.

— En tout cas, s'il n'est pas un grand seigneur ou un homme très riche, il est rudement beau ! intervint Junia.

Ses deux sœurs éclatèrent de rire.

— C'est cela que tu privilégieras chez ton futur mari ? La beauté ? lui demanda Averil en prenant le visage de sa cadette entre ses mains.

— C'est plus facile à trouver qu'un grand seigneur ! plaisanta Junia.

— La petite futée ! Elle a peut-être raison, dit Maia.

— J'ai besoin de prendre un bain, lança Averil. J'empeste le cheval !

Lady Argel se tourna vers Rhys.

— Je suppose que vous désirez aussi un bain, mon seigneur. Je m'en occupe. Votre femme s'occupera de votre toilette.

Averil s'empourpra sous le regard amusé de ses sœurs.

— Bien sûr, je… je vous retrouve dans la salle de bains.

Dès qu'elle eut quitté la grande salle, lord Mortimer se tourna vers Rhys.

— Vous vous êtes comporté beaucoup mieux que je ne l'aurais imaginé, jeune FitzHugh, déclara-t-il avant de se tourner vers lady Argel. Nous vous remercions de nous offrir l'hospitalité cette nuit, milady.

— Vous et votre fils êtes les bienvenus chez nous, mon seigneur. Voulez-vous également vous baigner ? Mes filles s'occuperont de vous…

Cette idée souleva l'enthousiasme de Roger, mais son père le fit déchanter.

— Nous attendrons d'être rentrés chez nous pour prendre un bain, milady. Merci.

Lady Argel s'inclina gracieusement.

— Je vais voir le cuisinier pour veiller au repas, dit-elle. Gorawen, occupe-toi d'Averil. Ysbail, viens m'aider. Maia et Junia, vous pouvez aller vous reposer dans votre chambre. Nous laisserons la grande salle aux hommes à partir de maintenant…

— Si ceux qui traitent les Gallois de barbares t'avaient rendu visite, ils ne tiendraient plus ce langage, Merin Pendragon, remarqua lord Mortimer. Ta femme est un vrai trésor, tout comme tes deux concubines ! Je t'admire d'avoir réussi à les faire vivre en paix sous le même toit.

— Chacune a sa place dans ma maison et dans mon cœur, répliqua le Dragon Lord. Elles le savent, et cela les aide à coexister dans la sérénité.

— J'ai pourtant l'impression que tu as un penchant particulier pour Gorawen, mon ami…

Un léger sourire flotta sur les lèvres du Dragon Lord.

Gorawen, songea Rhys FitzHugh. La mère de sa femme. Il savait maintenant d'où Averil tenait sa grande beauté, à l'exception de ses yeux verts.

— Voulez-vous que nous envoyions chercher votre sœur, jeune FitzHugh ? demanda le Dragon Lord. Nous célébrerons votre mariage avec ma fille dans les jours qui viennent.

— Je préfère, si cela ne vous ennuie pas, que nous fêtions l'événement à Everleigh. Ce serait un trop long voyage pour Mary, qui est encore jeune et fragile.

— D'accord, acquiesça Merin, compréhensif. Je vous accompagnerai avec mon fils, ce sera une expérience intéressante pour Brynn. Vous ne l'avez pas encore rencontré. C'est un bon garçon, vous verrez, fort et courageux. Peut-être pourrons-nous envisager de le marier avec Mary, un de ces jours.

Malin, le vieux diable, songea Edmund Mortimer. Les terres des Pendragon s'étendraient alors du pays de Galles à l'Angleterre…

— Mary est encore trop jeune pour songer au mariage, mon seigneur, répondit Rhys.

— Réfléchissez, elle deviendrait la châtelaine de Dragon's Lair. Son mari aurait ses propres terres et son propre bétail.

— Ma sœur est la châtelaine d'Everleigh. Elle possède déjà des terres et des bêtes. Mais nous en reparlerons plus tard, mon seigneur, quand elle aura l'âge d'y penser. Je ne vous promets rien, toutefois.

— Bien répondu, jeune FitzHugh! intervint Edmund Mortimer, songeant que la petite Mary ferait une épouse parfaite pour son benjamin, John.

Un homme devait mettre tous les atouts de son côté, surtout quand il n'avait pas, comme lui, la richesse et le pouvoir des autres membres de sa famille qui vivaient à la cour.

De son côté, Merin Pendragon, qui connaissait bien son vieil ami Edmund, devinait qu'il constituerait un rival pour l'alliance avec Mary FitzHugh. Il ne concevait pas pour autant d'animosité à son endroit. Dès l'instant où elle épouserait un membre de l'une des deux familles, et pas un étranger, Averil et son mari pourraient vivre tranquillement.

Pendant ce temps, dans la salle de bains du château, les domestiques apportaient de grands baquets d'eau chaude qu'ils vidaient dans une vaste baignoire en pierre grise. Gorawen y ajouta une petite fiole de parfum et, bientôt, la pièce embauma la lavande. Un feu ardent brûlait dans la cheminée. Averil avait déjà relevé ses cheveux et ôté ses vêtements. Elle était en chemise.

— Tu veux bien m'aider, mère?

— Pour quoi faire? Je t'ai appris à baigner un homme. Comme il s'agit de ton mari, tu devras entrer dans la baignoire avec lui. Tu as besoin de te laver, toi aussi, et cela encouragera Rhys à devenir plus familier avec toi. Il faut bien consommer ce mariage, ma fille, et le plus tôt sera le mieux.

— Mais je croyais que tu avais encore certaines choses à m'apprendre, remarqua Averil, un peu inquiète à l'idée de se baigner seule avec Rhys FitzHugh.

— Oui, mais il me semble préférable d'attendre que tu ne sois plus vierge. Il serait dommage que ton mari te croie moins innocente que tu ne l'es. Quand tu ne le seras plus, je t'expliquerai comment un homme et une femme peuvent se donner de nombreux plaisirs. Rhys ne sera pas malheureux en mariage, ma fille… Bien, je vais le chercher. Qu'attends-tu pour mettre les serviettes près du feu ? As-tu déjà oublié ce que je t'ai appris ?

Une fois seule, la jeune femme vérifia que tout était prêt. Elle plaça les petites marches en chêne près de la baignoire ronde, vérifia la température de l'eau, et s'assurait que les gants, les brosses et le savon étaient bien à leur place lorsque Rhys entra, l'air surpris.

— Vous avez une pièce réservée au bain ? s'étonna-t-il.

— Pas vous ?

— Non. Nous possédons une cuve en bois que nous faisons monter, ou bien nous nous lavons dans la rivière, près de la maison.

— Et c'est vous, les Anglais, qui traitez les Gallois de barbares !

— Toutes les demeures galloises ne sont pas comme celle-ci.

— Peut-être pas, mon seigneur, mais moi j'ai été élevée ici. Asseyez-vous sur ce tabouret. Je vais vous enlever vos bottes et vos vêtements, ajouta Averil, paraissant beaucoup plus brave qu'elle ne l'était en réalité.

Quand elle l'eut déchaussé, elle lui ôta sa cotte puis sa tunique, qu'elle secoua et disposa sur une chaise.

De ses doigts fins et agiles, elle dénoua les lacets de sa chemise. Elle s'interrompit en découvrant son torse nu, dans l'échancrure. Sa peau, dépourvue de poils, semblait lisse et douce. Elle ne put s'empêcher de l'effleurer du bout des doigts. Comme elle hésitait à continuer de le dévêtir, car il se retrouverait alors presque nu, il prit ses mains et les maintint contre lui.

— Il est temps que nous fassions plus ample connaissance, Averil, dit-il doucement. Touchez-moi, il n'y a pas de mal à ça, et j'en éprouverai du plaisir.

Averil sentit ses joues s'enflammer.

— Je... Il se trouve que... je suis vierge, murmura-t-elle les yeux baissés.

Rhys lui releva la tête pour l'obliger à le regarder.

— Je sais, répondit-il dans un souffle, avant d'effleurer ses lèvres des siennes.

— Oh...

Il sourit.

— Vous n'avez donc jamais été embrassée.

— Bien sûr que non! s'indigna-t-elle. J'étais destinée à devenir la femme d'un grand seigneur. Comment aurais-je pu me déshonorer alors que j'allais entrer dans une grande famille?

— J'ai donc de la chance que vous ayez gardé votre chasteté pour moi.

— Oui, comme vous dites! Car pour me récompenser de ma bonne conduite, on m'a mariée à un régisseur qui n'a rien d'autre à me donner que son nom et un cottage! Qu'avez-vous eu besoin de m'enlever?

— J'avais besoin d'une femme, et avant de mourir, mon père m'a conseillé de m'y prendre ainsi. De kidnapper une riche héritière.

— Eh bien, vous avez été trompé sur la marchandise!

— Non, Averil. Vous n'êtes peut-être pas l'héritière que je croyais, mais vous êtes fort bien dotée pour une enfant bâtarde. Et vous êtes incroyablement belle.

Beaucoup d'hommes vous désireront, et parmi eux de grands seigneurs, sûrement, mais vous êtes ma femme et je sais que votre sens de l'honneur vous interdira de me trahir et de salir mon nom. Car mon père m'a donné son nom, et nos enfants seront légitimes.

Il lui sourit et ajouta :

— J'aime sentir vos mains sur moi.

Averil s'empourpra de plus belle et acheva de lui enlever sa chemise.

— Allez dans la baignoire avant que l'eau ne refroidisse, lui dit-elle.

Mais elle ne parvenait plus à détacher ses yeux de lui, et il ne put s'empêcher de rire.

— Vous ne venez pas ? la taquina-t-il.

— Je n'ai pas besoin d'entrer dans la baignoire pour vous laver, répliqua-t-elle.

— Peut-être, mais je suis votre mari et je veux que vous vous baigniez avec moi.

Et, sans lui laisser le temps de réagir, il la souleva dans ses bras puissants et bronzés, monta les marches et entra avec elle dans le bassin.

— Lâchez-moi ! s'écria inutilement Averil, suffoquée.

Il lui obéit et la mit dans l'eau.

— Je veux être lavé soigneusement, femme.

— Vous le serez, mon cher mari, répondit-elle en s'emparant rageusement du savon et de la brosse de chiendent.

— Non, commencez par les cheveux.

— Comme vous voudrez.

Elle se mit à l'œuvre avec une telle énergie qu'il s'écria :

— Hé ! Vous allez m'arracher les cheveux, si vous continuez !

— Ils sont emmêlés. Fermez les yeux !

Elle vida de l'eau sur sa tête, refit mousser du savon et continua.

— J'embaumerai les fleurs quand vous aurez ter-miné, protesta-t-il. Je vais attirer toutes les abeilles de la région !

— Vous vous sentirez beaucoup mieux avec les che-veux propres.

— Oh, oh, mais vous avez de ravissants petits seins, femme... dit-il lorsqu'elle l'eut rincé.

— Que... Comment ?

— La façon dont votre chemise mouillée les moule, les rend très provocants.

Averil baissa les yeux et retint son souffle en voyant son buste tout entier apparaître en transparence à travers le voile blanc.

— Enlevez-la.

— Mais, je...

— Enlevez votre chemise ou je la déchire, Averil. Je veux vous voir nue.

— Sûrement pas !

— Je suis votre mari, lui rappela-t-il.

Il était terriblement excité à présent, mais il devait se montrer patient, ne pas oublier qu'elle était totale-ment novice, malgré la famille assez peu convention-nelle où elle avait grandi.

— Vous voulez dire que... nous devons nous mettre nus l'un devant l'autre ?

— Bien sûr.

Averil s'enfonça dans l'eau et se déshabilla.

— Je... je dois continuer de vous laver, et me laver ensuite, murmura-t-elle, le cœur battant.

Elle était pudique, cela ne lui déplaisait pas, et il aurait tout le temps de la contempler quand ils sorti-raient de cette baignoire.

— Je vais vous laver les cheveux, décida-t-il.

— Vous ?

— Ils sont magnifiques, Averil, mais ils ont besoin d'un bon savonnage, comme les miens, pour retrou-ver leur brillance.

— Bon, d'accord, céda-t-elle après une hésitation.

Il attendit qu'elle eût ôté les épingles qui retenaient ses cheveux et se mit à l'ouvrage avec des gestes doux. Lorsqu'il eut terminé, Averil les essora et les rassembla en une torsade sur le haut du crâne.

— Au moins, je ne serai pas le seul à attirer les abeilles ! plaisanta-t-il.

Elle sourit.

— Je dois finir de vous laver, Rhys, s'enhardit-elle.

S'emparant d'une brosse, elle lui savonna le dos, puis elle prit un gant et plongea ses mains sous l'eau pour continuer. Quand elle eut terminé, elle changea de gant pour lui laver le visage et le cou.

— Vous n'avez pas fini, Averil.

— Je sais. Ma mère m'a appris comment laver un invité, jusqu'à ses parties privées, mais…

— Je ne suis pas un invité, je suis votre mari, alors vous allez terminer comme il se doit, sinon je me verrai dans l'obligation de dire à vos parents que je suis déçu. À ce propos, à partir de maintenant, vous ne laverez plus jamais un autre homme que moi.

Averil déglutit avec peine. S'armant de courage, elle prit un gant très fin, l'enduisit de savon et le fit glisser sur le ventre de Rhys, puis plus bas. Doucement, elle lui lava le sexe qu'elle trouva long et dur. Très dur.

— Voilà, j'ai fini, décréta-t-elle soudain pour commencer à se laver elle-même.

— J'ai envie de vous, dit-il d'une voix rauque, en posant ses lèvres sur la nuque mouillée de la jeune femme.

Il lui prit le gant des mains et le passa sur ses seins.

— Vous êtes tellement attirante, Averil. Je ne suis pas mécontent de ne pas avoir enlevé la bonne, vous savez, ajouta-t-il en glissant un bras autour de sa taille pour l'attirer contre lui. Vous est-il venu à l'esprit que vous pourriez perdre votre virginité dans une baignoire, ma belle épouse ?

— Vous n'allez pas faire ça! s'écria-t-elle. Vous voulez me couvrir de honte?

— Pourquoi dites-vous cela?

Il avait lâché le gant et lui caressait les seins sans le barrage du tissu, faisant durcir les petites pointes roses en les pinçant doucement.

— Il n'y aura pas de drap à exhiber! Les gens en déduiront que vous m'avez violée quand vous m'avez enlevée, ou bien que je n'étais pas vierge et ils se demanderont quel amant j'aurais pu avoir avant vous. Je vous en prie, Rhys FitzHugh, pas ici! Pas maintenant! Si l'on doute de ma vertu, mes sœurs en souffriront elles aussi.

Il se reprit tant bien que mal. Elle était tellement désirable que, l'espace d'un instant, il avait oublié qu'elle était vierge.

— Sortez de l'eau et enveloppez-vous dans une serviette.

— Mais je dois vous sécher d'abord…

— Si vous posez un seul doigt sur moi, je ne réponds plus de rien. Et si vous voulez que ce drap témoin de votre innocence soit exposé à la tour du château, obéissez-moi!

Averil sortit de la baignoire et se sécha en lui tournant le dos. Elle avait l'impression que son sang bouillait, que sa peau était anormalement réceptive, surtout au niveau des seins. Il l'avait à peine embrassée, à peine caressée, mais elle se sentait prête à s'accoupler avec lui. Elle ne l'aimait peut-être pas encore mais elle le désirait, c'était indéniable.

— Venez, mon mari, lui dit-elle alors. Je vais vous sécher, rien de plus.

— D'accord, acquiesça-t-il en la rejoignant. Je me suis un peu calmé, mais pas pour longtemps. Nous devons consommer notre union sans tarder, Averil.

Pour sa part, elle trouvait que son érection n'était pas moins impressionnante, bien qu'il prétendît s'être «calmé».

— Oui, murmura-t-elle d'une voix à peine audible en épongeant doucement son corps athlétique.

Jusqu'ici, les seuls hommes qu'elle avait côtoyés étaient son père, son frère, les domestiques du château et les hommes d'armes. Aucun ne l'avait jamais regardée avec désir. Et même si Rhys l'avait enlevée et qu'elle lui en voulait encore, elle devait reconnaître que l'infime aperçu qu'il lui avait donné de ce qui les attendait au lit l'excitait terriblement.

Il lui prit la serviette des mains et s'essuya le visage.

— À quoi pensez-vous ? demanda-t-il, intrigué.

Surprise dans sa rêverie, elle sursauta.

— Vous devriez vous raser, Rhys FitzHugh. Vous ressemblez à un homme des cavernes ! Vous trouverez tout ce dont vous aurez besoin sur cette étagère. Je dois aller m'habiller. Ma mère vous apportera des vêtements propres.

Elle s'empressa de quitter la pièce et tomba sur Gorawen, un peu plus loin dans le couloir.

— Où vas-tu ?

— Je vais m'habiller, mère.

— Tes affaires ne sont plus dans la chambre que tu partageais avec tes sœurs. Tu dormiras dans celle de la tour ouest, avec ton mari. Je l'ai fait préparer à votre intention. Tes vêtements sont là-bas. Quand vous serez prêts, tous les deux, vous nous rejoindrez dans la grande salle où nous donnons une fête pour célébrer votre mariage.

Averil se contenta de hocher la tête et suivit la direction que lui indiquait sa mère. Je suis une femme mariée, se répétait-elle, incapable de prendre vraiment conscience de sa nouvelle situation.

Dans la petite chambre de la tour, elle trouva une chemise propre et une robe de soie vert olive à manches longues et moulantes. Par-dessus, elle enfila une tunique assortie, brodée de fils d'or. Ces vêtements lui étaient inconnus, mais elle savait qu'il s'agissait d'un présent de sa mère, pour son mariage. Gorawen avait un goût exquis et elle était connue pour sa générosité.

Elle s'assit sur le lit et détacha ses cheveux, qu'elle brossa longuement devant le feu de cheminée jusqu'à ce qu'ils soient secs. Après les avoir noués en deux tresses, elle les enroula autour de sa tête et les fixa avec des épingles en bois verni. C'était la première fois qu'elle se coiffait ainsi, cette coiffure étant réservée aux femmes mariées. Elle chercha ensuite les vêtements de Rhys et, n'en voyant aucun, elle se précipita hors de la chambre à la recherche de sa mère.

— Il n'a pas d'habits propres, lui expliqua peu après Gorawen. N'avais-tu pas remarqué qu'il ne s'était pas changé depuis que vous avez quitté Aberffraw ? Tu es sa femme, Averil. C'est à toi de veiller à ce genre de détail.

— J'espère qu'il a une chemise et des chausses de rechange, sinon je l'aurai baigné pour rien !

— Tu as raison. J'ai des vêtements qui appartenaient à ton père quand il était jeune. Nous les gardons pour Brynn, mais nous pouvons les prêter à Rhys. Viens, allons les chercher.

— Attends, je dois le prévenir avant qu'il ne remette ses vêtements sales.

— D'accord, je vous envoie un valet avec les propres.

Averil se précipita dans la salle de bains où son mari achevait de se raser. Il ne vit aucune objection à ce que lui proposait Gorawen et, peu après, sa jeune épouse le contemplait tandis qu'il s'habillait, une fois de plus éblouie par sa beauté.

— Votre mère est très belle, Averil, déclara-t-il en enfilant ses braies. Vous lui ressemblez beaucoup, sauf pour la couleur des yeux. Est-ce qu'elle descend des Tewydr ?

— Oui. Mes origines sont nobles, vous n'aurez pas à rougir de moi, bien que vous n'ayez pas enlevé l'héritière que vous convoitiez. D'ailleurs, et cela devra rester entre nous, les origines de Maia ne valent pas les miennes.

Une servante arriva à ce moment-là avec les bottes et la tunique de Rhys, nettoyées et dépoussiérées.

— Votre casaque est bleue, remarqua alors Averil, la poussière en ayant jusqu'ici caché la couleur. Mais très élimée… Aurai-je le matériel nécessaire à Everleigh pour vous en confectionner une autre ? Vous êtes le régisseur d'un beau domaine, vous ne pouvez aller vêtu comme un pauvre hère.

— Everleigh appartient à ma sœur. Je suis pauvre, Averil.

— Vous l'étiez. Grâce à ma dot, vous ne l'êtes plus et vous avez besoin d'une nouvelle tunique.

Rhys se mit à rire.

— Je suis agréablement surpris, ma chère épouse. Apparemment, vous n'êtes pas seulement belle, mais vous saurez prendre soin de moi et de nos enfants. Vous n'êtes ni prétentieuse ni arrogante, et vous serez très utile à Mary. Vous lui apprendrez à devenir une lady, ce qui dépasse les compétences de Rhawn, sa vieille gouvernante.

— Détrompez-vous. Je suis arrogante, mais seulement quand les circonstances l'exigent.

Il rit de nouveau et lissa sa tunique. Averil avait raison, elle était usée jusqu'à la trame. Une neuve ne serait pas du luxe.

— Nous avons du tissu à revendre, à Everleigh, ma douce Galloise. Lorsque vous serez enceinte de notre premier enfant, cet hiver, vous aurez tout le temps de m'en confectionner une.

— Je suis peut-être vierge, mais je sais qu'il faut parfois plus de temps pour concevoir un bébé.

Il l'attira dans ses bras et l'embrassa avec fougue.

— Nous nous y mettrons dès cette nuit, Averil, ma femme. Pour l'instant, rejoignons votre famille. Ils nous attendent pour célébrer notre union.

Les joues rouges, Averil mit sa main dans celle que son mari lui tendait avec le sentiment que, tout compte fait, il ne serait peut-être pas si désagréable d'être marié avec lui. S'il n'était pas un grand seigneur, il était charmant. Vraiment charmant...

5

Quand Averil et son mari entrèrent dans la grande salle du château du Dragon Lord, toute la famille y était réunie. En temps normal, le repas principal était servi à midi, mais un messager était accouru pour prévenir de l'arrivée imminente du maître des lieux et lady Argel avait fait différer le service. Il fallait en effet prévoir beaucoup plus à manger pour les hommes. S'étant chargée du plan de table, elle avait placé Averil et Rhys, les invités d'honneur, à gauche et à droite du Dragon Lord. Elle-même devait s'installer à gauche de la mariée, suivie par Roger Mortimer, Maia et Ysbail. À côté du marié se trouvaient Gorawen, lord Mortimer, Brynn Pendragon et Junia.

Aucun moine cistercien n'ayant demandé l'hospitalité pour la nuit, comme cela arrivait parfois, Merin se chargea lui-même de bénir les mariés et le repas. Rhys FitzHugh s'étonna quand les domestiques apportèrent des plats en étain poli et des cuillères assorties. Chaque préparation culinaire était présentée dans des plats en argent. Il n'avait jamais vu pareille vaisselle.

On leur servit des truites rôties sur un lit de cresson, du chapon, du chevreuil, une tourte au lapin accompagnée d'une sauce au vin et de petits pois. À peine sorti du four, le pain était encore chaud. Des beurriers étaient disposés devant chaque invité. Durant tout le repas, les serviteurs veillèrent à ce que les verres soient toujours remplis de vin. Après un immense plateau de

fromages, des poires, de la gelée de fruits et des gaufrettes furent proposées en dessert.

Les invités se lavèrent ensuite les mains dans des
écuelles d'eau parfumée, pendant que les servantes
recueillaient les tranches de pain restant pour les
donner aux quelques pauvres rassemblés devant
les grilles du château. Lord Mortimer fut impressionné par le sens de l'hospitalité de son ami Merin
qui se révélait, tout compte fait, aussi raffiné que les
Anglais et peut-être encore plus que certains.

Après le repas, une fois la nuit tombée, les filles du
Dragon Lord prirent leurs instruments de musique.
Averil se mit à la harpe celtique, Maia à la flûte et
Junia aux percussions, passant alternativement du
tambourin aux cymbales et aux grelots. La cadette
était la plus musicienne des trois.

Une fois que les tables furent débarrassées et
appuyées contre les murs, les bancs disposés au-dessus,
on balaya les feuillages qui recouvraient le sol. Les
hommes se rassemblèrent alors pour parler entre eux,
pendant que les chiens de garde somnolaient devant la
cheminée où un grand feu crépitait pour réchauffer l'at-
mosphère froide et humide de la nuit.

Gorawen se glissa discrètement auprès de sa fille.

— Il est temps que je t'accompagne jusqu'à ton lit,
Averil. Continuez de jouer, dit-elle aux autres filles.

La jeune mariée pinça un dernier accord et se leva
tandis que ses sœurs enchaînaient par un morceau
plus vif, afin de distraire l'attention de son départ.

— Je suppose que tu m'emmènes dans la chambre
de la tour, dit-elle peu après à sa mère.

— Bien sûr. Lady Argel et moi l'avons préparée
pour toi et ton mari, cet après-midi, afin que vous
jouissiez d'intimité pour votre nuit de noces.

— Mais, où dormiront lord Mortimer et son fils ?

— Dans la grande salle. Un espace a été réservé à cet
effet. Ils auront des lits propres et seront aussi confor-

tablement installés que dans la chambre d'amis. Il est normal que nous te la réservions, à toi et à Rhys. Votre union doit être consommée sans délai, c'est impératif. Merin n'acceptera pas que tu repartes tant qu'il n'en aura pas l'assurance. Il ne veut pas que Rhys FitzHugh puisse invoquer une excuse pour te répudier.

— Il ne ferait pas une chose pareille, mère. Rhys est un homme d'honneur.

— Les véritables hommes d'honneur n'enlèvent pas des jeunes filles innocentes, répliqua sèchement Gorawen.

— Mais ils peuvent faire des erreurs. S'ils s'en repentent, retrouvent-ils leur honneur ?

Sa mère sourit.

— Je vois que tu le défends. Cet homme qui est ton mari commencerait-il à te plaire ?

— Qu'il me plaise ou non, je dois vivre avec lui jusqu'à ce que la mort nous sépare.

— Écoute, il est séduisant, jeune et vigoureux. Il ne devrait pas être désagréable de partager son lit. Tu as le droit d'essayer de prendre les choses du bon côté.

Elles se trouvaient maintenant en haut de la tour. Gorawen ouvrit la porte de la chambre et sa fille entra.

— Je vais t'aider à te déshabiller.

Lorsque Averil fut en chemise, sa mère lui montra une bassine remplie d'eau chaude parfumée que l'on avait placée devant le feu de cheminée.

— Lave-toi d'abord les dents. Tu te serviras ensuite de l'eau pour ta toilette intime.

Quand ce fut fait, Gorawen l'invita à enlever sa chemise.

— Est-ce qu'il sera nu lui aussi, mère ? s'enquit nerveusement la jeune femme.

— Nous y veillerons, ma fille, répondit-elle avec un sourire. J'ai toujours pensé que les amants devaient être égaux sur ce plan, mais ce genre d'opinion n'est pas communément admise.

Averil se glissa nue entre les draps du lit qui occupait presque tout l'espace de la chambre.

— Je suis prête, dit-elle.

— Non. Détache tes cheveux. Voilà, maintenant tu es prête, approuva Gorawen en arrangeant la toison d'or de sa fille autour de son visage et de ses épaules. Puis elle se pencha et l'embrassa sur le front.

— Tu n'auras qu'à faire ce qu'il te dit, ma fille, et n'aie pas peur. Nous parlerons de cette nuit demain et je t'apprendrai tout ce que tu as besoin de savoir. Ce soir, tu dois rester la jeune fille innocente que tu es.

Sur ces paroles, Gorawen laissa une Averil à la fois excitée et tremblante attendre Rhys FitzHugh. Que savait-elle de ce qui allait se passer ? Qu'il allait se coucher sur elle, introduire son membre en elle, entre ses jambes. On disait que c'était douloureux, la première fois... Plus consciente que jamais de sa nudité, Averil remonta la couverture encore plus haut. C'est alors que le bruit d'un rire lointain lui parvint. Il provenait de l'escalier de la tour et allait en s'amplifiant. Puis elle entendit Rhys protester et d'autres rires s'élevèrent, mais elle ne parvenait pas à comprendre ce qui se disait. Il y eut ensuite un bruit de pas sonores, la porte s'ouvrit, et Rhys fut poussé à l'intérieur de la chambre.

Totalement nu.

— Le voilà, madame ! lança Roger Mortimer en coulant à Averil un regard brillant.

Il était ivre.

— Nous l'avons déshabillé à votre intention, mais vous devrez faire le reste ! précisa-t-il en essayant d'apercevoir les seins de la jeune épouse qui se félicita de s'être si bien couverte.

Rhys FitzHugh attrapa son ami et le propulsa dehors avant de fermer la porte à double tour. Des rires leur parvinrent de l'extérieur, puis ils décrurent et le silence revint.

— Venez vous coucher, murmura alors la jeune femme.

— Vous êtes impatiente ?

— Vous risquez d'attraper froid, et je n'ai pas envie de me retrouver veuve prématurément.

Il s'approcha du lit en souriant, souleva les couvertures et s'installa à califourchon sur elle, pour la contempler.

— Magnifique, dit-il en refermant les mains sur ses seins ronds.

Il n'y allait pas par quatre chemins, songea-t-elle, le cœur battant.

— Vous… vous m'écrasez !

— Mais non, Averil. Je veux voir votre… ton visage quand je te touche. J'aime quand tes yeux s'agrandissent de surprise.

Ce disant, il lui pinçait doucement les tétons, souriant de la voir rougir.

— Souvenez-vous que je suis vierge…

— Souviens-toi, rectifia-t-il. Je sais, ne t'inquiète pas.

Il se pencha, posa ses lèvres sur les siennes et y promena sa langue.

— Prends mon sexe dans ta main, chuchota-t-il contre sa bouche. Prends-le, Averil, et caresse-le. Dès qu'il sera mouillé de désir, j'entrerai en toi. N'aie pas peur, je vais te donner du plaisir et t'apprendre comment m'en donner.

— Ma mère m'a dit qu'elle m'enseignerait certaines choses, demain…

— Je ne m'y opposerai pas. Ton père a l'air d'un homme satisfait et il la regarde avec amour. Je crois qu'elle est sa préférée.

— Oui, c'est vrai, murmura-t-elle en posant une main sur son membre.

Elle le caressa doucement jusqu'à ce qu'il durcisse encore et que quelques gouttes chaudes s'en échappent. Avec un gémissement de plaisir, il saisit le bout d'un sein entre ses lèvres et le mordilla en aspirant.

— Tu aimes, Averil ?

Incapable d'émettre un son, elle se contenta de hocher la tête. Des sensations inconnues et brûlantes naissaient en elle, de plus en plus ardentes, et c'était bon… Elle avait l'impression d'avoir peur, mais n'en était pas sûre.

Il roula soudain sur le dos et l'entraîna avec lui, de sorte qu'elle se retrouve sur lui. Puis il l'enlaça et se mit à l'embrasser passionnément.

Prise de vertige, Averil sentait son sexe pressé contre son entrejambe. Il était chaud et palpitant, mais elle devinait qu'il ne voulait pas la brusquer. Pourtant, l'anticipation commençait à l'emporter sur la peur. Tremblante, elle frotta son ventre contre le sien.

— Ouvre les yeux. Je veux voir ce que tu éprouves.

Elle lui obéit, surprise de les avoir fermés sans s'en être rendu compte. Ses baisers, son étreinte l'avaient enivrée.

— Je commence à comprendre pourquoi ma mère aime mon père, avoua-t-elle en se noyant dans son regard bleu nuit.

— Pour l'instant, il s'agit de désir plutôt que d'amour entre nous, mais c'est un début.

Il entoura sa taille fine de ses grandes mains, l'attira vers lui et enfouit son visage entre ses seins. Elle sentit son souffle chaud, puis sa langue sur les tétons si sensibles.

— Oh, j'aime ça ! dit-elle dans un souffle.

Un bout de sein disparut dans la bouche de Rhys. Averil frissonna de plaisir. L'autre sein subit le même sort, et elle gémit.

— Cela me fait comme un fourmillement entre les jambes, avoua-t-elle innocemment.

— Ah, oui ? Voyons cela…

Il la renversa sur le dos et revint sur elle. Pendant qu'il s'emparait de sa bouche, il glissa un doigt entre ses cuisses, dans sa moiteur frémissante, constatant avec satisfaction qu'elle était trempée. Son majeur se concentra sur le point érectile, au cœur de son sexe, et le titilla doucement, ce qui la fit haleter, pousser de petits cris.

— Tu aimes ça ? lui murmura-t-il à l'oreille avant d'y plonger la langue.

— Oh… oui !

Elle avait de nouveau fermé les yeux, mais à l'expression de son visage, il comprit qu'elle n'avait plus peur. Du moins pour l'instant. Alors, son doigt glissa un peu plus bas, entra en elle et entama un petit va-et-vient.

— Et ça ? Tu aimes ?

— Hmm… oui… oui !

Le moment était venu. Il lui écarta les jambes sans rencontrer de résistance, se réjouissant de la découvrir aussi ardente. Pressant le bout de son membre au creux de son ventre, il la pénétra de quelques centimètres. Affolée par cette invasion, elle voulut se dérober, se débattre, mais il l'immobilisa.

— Non, laisse-toi faire.

— Mais… tu es si… gros.

— Tu n'en auras que plus de plaisir. Et je vais t'en donner, promit-il en avançant encore un peu.

Il sentit le voile de sa virginité. Averil prit peur, certaine qu'il allait la déchirer. Alors il donna un coup de reins et força le passage, en lui arrachant un cri provoqué davantage par la surprise que par la douleur. Sans lui laisser le temps de reprendre son souffle, il s'empara de ses lèvres avec passion et se mit à aller et venir lentement en elle, jusqu'à ce qu'elle commence à gémir de plaisir.

Des vagues sublimes roulaient en elle. C'était tellement bon qu'elle ne savait plus si elle avait envie de pleurer ou de rire de bonheur.

— Oh, mon Dieu… exhala-t-elle d'une voix rauque.

Il s'immobilisa.

— Ne t'arrête pas !

— J'essaie seulement de faire durer le plaisir.

— Non, continue ! Continue ! l'implora-t-elle tandis qu'une spirale décuplait ses sensations.

Elle ne savait pas où elle allait, ne comprenait pas ce qui lui arrivait, mais pour rien au monde elle n'aurait voulu que cela cesse. Des spasmes divins la secouèrent, la propulsant dans une extase indicible.

— Oooh ! Rhys !

Incapable de se retenir plus longtemps, il s'envola avec elle au septième ciel, répandant sa semence dans son jardin secret en tremblant de tout son être sous l'effet d'un orgasme dont la violence l'étourdit.

Il dut s'allonger à son côté pour parvenir à reprendre son souffle.

— Oh, Averil ! Quelle petite vierge surprenante et passionnée tu es…

— Je ne suis plus vierge… Je… je ne suis plus une jeune fille non plus, dit-elle en se mettant soudain à pleurer.

Il l'attira dans ses bras et la blottit contre lui.

— Non, tu es ma femme, maintenant. Ma femme…

— C'était merveilleux ! sanglota-t-elle.

Il se retint pour ne pas rire de bonheur et d'émotion. Baissant les yeux, il vit le drap taché sous eux.

— Ton père sera fier, demain matin.

Elle se redressa et, suivant son regard, s'empourpra.

— Repose-toi maintenant, lui dit-il. Tu as été très courageuse.

— Nous ne le faisons qu'une fois par nuit ? demanda-t-elle en toute innocence.

— Rien ne nous oblige à ne le faire que la nuit, Averil. Et pour répondre à ta question, nous pouvons recommencer plus d'une fois. Mais nous nous arrêterons là, pour le moment. Dors.

— Cela m'a plu. J'aimerais recommencer.

— J'ai aussi besoin de me reposer, si tu veux que je retrouve ma vigueur. Ta nature passionnée a eu raison de moi, regarde…

Il lui prit la main et la posa sur son sexe sans force.

— Demain matin, il sera frais et dispos et adorera revenir en toi.

Sur ce, il l'embrassa et rabattit les couvertures sur eux. À son grand plaisir, elle se nicha contre lui et s'endormit presque tout de suite.

Elle se réveilla aux premières lueurs du jour. À son côté, Rhys dormait, étendu sur le dos. Elle l'observa attentivement. Il était vraiment sculptural, encore plus grand et plus fort que son père. Se souvenant de leurs étreintes nocturnes, elle se dit que son mari était aussi un homme doux et prévenant. Certes, il avait brisé ses rêves en l'enlevant pour l'épouser, mais elle devait reconnaître qu'elle avait adoré faire l'amour avec lui.

Elle se demanda quelle vie l'attendait à Everleigh. Elle n'en serait pas la maîtresse, puisque cette place était celle de Mary. S'entendraient-elles ? Comment l'accueillerait sa gouvernante, Rhawn ? Comme une rivale ?

Quoi qu'il en soit, elle devait quitter Dragon's Lair. Elle n'avait pas le choix.

Dehors, une alouette chanta comme les premiers rayons du soleil rougeoyaient. Averil se leva et remit du bois dans la cheminée presque éteinte. Avec la cruche restée dans les cendres pour garder l'eau chaude, elle remplit une cuvette et fit sa toilette. Elle pouvait à peine toucher son sexe, tant il était échauffé, alors elle décida de s'habiller.

Vêtue d'une robe vert émeraude et d'une tunique brune sans manches, elle se chaussa, remit de l'eau dans la cruche et réveilla son mari.

Il ouvrit les yeux et, s'il s'étonna de la découvrir près du lit, tout habillée, il ne dit rien.

— C'est déjà le matin, femme ?

— Oui. J'aimerais partir pour Everleigh aujourd'hui. Nous avons fait notre devoir et tu es resté longtemps absent. Il est temps de moissonner. En tant que régisseur, tu dois superviser le travail.

Il fut impressionné par son esprit de décision et par ses connaissances. Selon lui, une fille élevée dans l'idée de faire un grand mariage ne s'intéressait pas aux exigences d'un domaine.

Il se leva, enleva le drap taché et le lui tendit.

— Va le donner à ton père. Nous avons fait notre devoir, Averil.

— Il y a de l'eau dans la cuvette, lui dit-elle avant d'ouvrir la porte.

Ils se sourirent, restèrent un instant happés par ce sourire, puis elle sortit.

Déjà levé, Merin était en train de déjeuner dans la grande salle. Averil s'avança fièrement vers lui, monta sur l'estrade et lui tendit le drap.

— C'est fait, père.

Merin Pendragon se leva et déplia le drap devant lui.

— En effet, tu as fait ton devoir, ma fille. Et cela n'a pas dû être facile, car tu espérais un meilleur mariage.

— Je pensais être destinée à un homme de haut rang, mais le destin en a décidé autrement. Il est inutile de se lamenter, à présent. Autant faire au mieux avec ce que la Providence m'a donné, conclut-elle avec un sourire rêveur.

— Tu as l'esprit pratique de ta mère. Bon, cela aurait pu être pire. Au moins, il a une situation. Et ne possède-t-il pas un petit cottage à moitié en ruine ?

— Oui, en effet.

— Au printemps prochain, j'enverrai mes meilleurs serfs à Everleigh et ils vous le remettront en état. Je ne veux pas que ma fille vive dans une masure ! Restez au château aussi longtemps que possible. Je ne pense pas que la cohabitation avec la petite Mary pose un problème. C'est plutôt sa vieille gouvernante dont je me méfierais. Elle est habituée à faire la pluie et le beau temps, là-bas, et à régenter la maisonnée.

— Je sais que je ne serai pas la châtelaine d'Everleigh, père, mais je ne permettrai jamais à une servante de me dicter ma conduite. Mon mari m'a demandé d'apprendre à sa sœur les bonnes manières, ce dont Rhawn est incapable, étant donné sa condition.

— Elle sera jalouse de toi et t'en voudra... Ah, mon Dieu, j'aurais dû tuer Rhys FitzHugh !

— J'aurais été déshonorée de toute façon, père, répondit sagement Averil. Et mon honneur est sauf, maintenant. Nous ne pouvons revenir en arrière, alors j'aimerai partir à Everleigh dès aujourd'hui, si cela ne t'ennuie pas. Il faut moissonner et Rhys doit s'en occuper.

— C'est vrai. Mais ta mère ne sera pas contente. Elle voulait t'apprendre certaines choses, je crois.

— Je n'en doute pas, mais Rhys doit rentrer et mon devoir est de l'accompagner.

— L'accompagner où ? intervint Gorawen qui venait d'entrer dans la salle.

Elle fixa le drap sans mot dire, pendant que sa fille lui exposait les raisons de son départ.

— Dans ce cas, je pars avec toi, décréta Gorawen avant de se tourner vers Merin. Ce voyage, sous bonne escorte, me permettra d'expliquer à notre fille ce qu'une femme doit savoir si elle veut satisfaire son mari comme j'ai su le faire avec toi, durant toutes ces années.

— C'est vrai que tu as su me rendre heureux, Gorawen, et si Rhys FitzHugh peut bénéficier de tes connaissances par l'intermédiaire de notre fille, tant mieux pour lui! Je pars avec toi! Nous n'arriverons pas avant demain, nous passerons quelques jours à Everleigh puis nous rentrerons. Cela te laissera-t-il suffisamment de temps?

— Oui, Merin.

— Parfait. Viens déjeuner. Tu iras ensuite prévenir ma femme de nos projets. Argel ne sautera pas au plafond, j'en ai peur. Elle n'apprécie que modérément la compagnie d'Ysbail.

Merin Pendragon se leva et sortit en emportant le drap ensanglanté.

Gorawen posa sa main sur celle de sa fille.

— Tout va bien, Averil? s'inquiéta-t-elle.

— C'était... merveilleux, lui confia-t-elle en rougissant. Mais... j'ai un peu mal, ce matin.

— J'ai quelque chose qui devrait te soulager.

— Je suis contente que tu nous accompagnes.

— Ta nouvelle demeure te paraîtra moins étrangère si je suis là, le premier jour. Et puis, tu vas devoir affronter cette gouvernante qui a veillé sur la sœur de ton mari depuis sa tendre enfance. Tu es jeune et inexpérimentée. Mon aide te sera précieuse.

— Je ne voudrais pas m'en faire une ennemie.

— Bien sûr, mais elle doit comprendre que la châtelaine d'Everleigh doit être guidée par une égale, non par une servante. Cette femme est-elle serve ou vilaine?

— Je ne sais pas, mère.

— C'est important. Il faudra s'informer.

Rhys FitzHugh arriva à ce moment-là. Il salua Gorawen et embrassa sa femme sur le front, avant de s'asseoir pour déjeuner à son tour. Averil lui remplit son verre, lui coupa son fromage et écala son œuf.

— J'ai parlé à ton père, lui dit-il. Nous partons dès que j'aurai mangé. J'ai appris que vous nous accompagniez, madame? ajouta-t-il à l'adresse de Gorawen.

— Je tiens à veiller à ce que ma fille, ma seule enfant, soit bien installée. Le seigneur Mortimer et son fils seront du voyage, eux aussi. Bien, je dois voir Argel avant de partir, ajouta-t-elle en se levant. Elle a prévu de te laisser Dilys, ma fille. Elle estime que tu ne dois pas quitter la maison de ton père sans ta femme de chambre personnelle.

— Oh, j'aime beaucoup Dilys!

— Tant mieux, acquiesça Gorawen en s'en allant.

— Je dois envoyer un messager pour prévenir ma sœur de notre arrivée, de sorte que Rhawn organise l'accueil de nos invités, annonça Rhys.

— Rhawn est-elle une serve? s'enquit Averil. Elle me semble tellement sûre d'elle…

Son mari se mit à rire.

— C'est une serve, mais je crois qu'elle tient son assurance de la confiance totale que lui accordait mon père. Il disait toujours qu'elle était une femme de bon sens, obéissante et attentive à bien faire son travail.

— En quoi consiste-t-il, exactement?

— Eh bien, elle est responsable de la bonne tenue de la maison et prend soin de ma sœur.

— Alors que me restera-t-il à faire? Il me semble t'avoir déjà dit que je n'avais pas l'intention de faire figure d'ornement uniquement destinée à veiller à ton plaisir, Rhys. J'ai besoin d'avoir un objectif dans la vie.

— Quel était-il, ici? C'est lady Argel qui est responsable de la maison, non?

— Je devais apprendre à devenir une épouse, notamment à m'occuper d'un intérieur. Si nous attendons que Mary se marie pour quitter le château, nous en avons encore pour des années, et nous ne pouvons pas tout de suite nous installer dans le cottage puisqu'il faut le remettre en état. Sache que je n'ai pas l'intention de rester assise à Everleigh, à faire de la tapisserie, pendant que Rhawn s'occupe de tout. J'aimerais qu'elle me mette au courant et me laisse cette responsabilité jusqu'à ce que Mary me relaie. Cette serve devra se contenter de servir sa maîtresse, quand je ne m'en occuperai pas moi-même pour lui apprendre ce que je sais.

— Elle l'aime beaucoup, tu sais.

— C'est bien, mais le rôle de châtelaine d'Everleigh me revient en second, après Mary. Tu ne voudrais tout de même pas que je rende des comptes à une serve ?

— Je n'ai pas pensé à ce problème, avoua Rhys.

— Parce que tu m'as enlevée sans réfléchir et sans savoir qui j'étais. N'oublie pas que je suis la fille d'un haut dignitaire, descendant d'un grand roi. La famille de ma mère est de sang noble et respectée. Tu ne peux pas me demander de céder devant une serve, même si elle fait preuve d'une loyauté exemplaire. Entendons-nous bien, je ne te demande pas de la renvoyer, mais simplement de la remettre à la place qui lui revient afin que je puisse prendre la mienne. Si cela te paraît impossible, je resterai chez mon père, car je n'accepterai pas d'être humiliée.

Rhys secoua la tête.

— Rhawn est une femme de valeur. Mary sera perdue, sans elle. Et je ne la renverrai pas.

— Ce n'est pas ce que je te demande, je viens de te le dire, rétorqua Averil d'un ton irrité.

— Écoute, nous résoudrons ce problème une fois à Everleigh.

L'arrivée de Gorawen empêcha Averil de poursuivre.

— Viens, ma fille. Il est temps de faire tes adieux à tes sœurs, à lady Argel et à Ysbail.

Agenouillée devant Argel, Averil reçut sa bénédiction.

— Que Dieu te garde, mon enfant. Tu quittes la maison de ton père avec tout mon amour et tous mes vœux. Que le Seigneur Jésus et sa Sainte Mère Marie te bénissent, toi, ton mari et les enfants que vous aurez.

— Merci, Argel. Tu me manqueras et ta famille aussi. Et merci de me céder Dilys.

— J'ai hâte de connaître tes enfants, Averil. Sache que toi et les tiens serez toujours les bienvenus ici.

Elle embrassa la jeune fille qui se releva et se tourna vers Ysbail.

— Au revoir, Ysbail.

— Au revoir, Averil. Tu aurais pu tomber plus mal, finalement, dit-elle avec son manque de tact habituel. Tu vas manquer à Junia. J'espère que tu l'inviteras à Everleigh.

— Bien sûr.

— Que Dieu vous bénisse, toi et les tiens, Averil Pendragon.

La jeune femme s'approcha ensuite de ses sœurs.

— Je serais restée plus longtemps, mais Rhys doit être de retour pour la moisson, expliqua-t-elle.

— Le drap est suspendu en haut de la tour, lui apprit Maia, les yeux brillants de curiosité. Alors, c'était comment ? Horrible ou merveilleux ?

— Les deux. Cela fait mal, mais seulement la première fois, paraît-il.

— Tu l'as fait plus d'une fois ?

Averil secoua la tête en riant.

— Non, Maia Pendragon, je ne parlerai pas de ces choses avec une pucelle. De plus, Junia est trop jeune pour entendre de telles conversations.

— Ce n'est pas vrai ! protesta la benjamine.

— Seras-tu heureuse avec cet homme ? demanda doucement Maia.

— Je pense, oui.

— Et si tu ne l'étais pas ? s'inquiéta Junia.

— J'essaierai de le devenir, petite sœur. Tel est mon devoir. Je suis l'aînée du Dragon Lord, je ne jetterai pas la honte sur notre famille. Le devoir d'une femme est de se marier, de partager le lit de son mari et de s'en contenter.

— Mais tu étais destinée à un grand seigneur, ajouta Junia, les larmes aux yeux.

— Je le pensais aussi, mais le destin en a décidé autrement. Rhys FitzHugh est un homme généreux, je crois. Je m'efforcerai d'être une bonne épouse, comme nous le devons toutes.

— Moi, je choisirai mon mari, décréta Junia.

— Moi aussi, renchérit Maia.

— J'entends les chevaux, en bas, les interrompit Gorawen. Il est temps de partir, ma fille.

La jeune femme étreignit ses sœurs, qui parvinrent tant bien que mal à retenir leurs larmes jusqu'à ce que les voyageurs se mettent en route. Leurs sanglots résonnèrent alors dans tout le château.

6

Mary FitzHugh se précipita à la rencontre de son frère et de ses compagnons. Les yeux fixés sur la superbe créature blonde qui chevauchait au côté de Rhys, Rhawn la suivait plus lentement, s'efforçant sans grand résultat de dissimuler sa colère. Il avait donc épousé la Galloise... Eh bien, cette espèce de sauvageonne ne prendrait jamais la place de sa petite protégée, elle y veillerait personnellement ! Rhawn aperçut alors une seconde femme qui ressemblait étonnamment à la première. Sa mère, peut-être ? Soit ! Il fallait plus de deux Galloises pour l'impressionner ! Elle protégerait sa précieuse maîtresse bec et ongles contre ces intruses.

— Mon frère ! s'écria Mary en se jetant dans ses bras dès qu'il fut descendu de cheval.

Il la souleva de terre et la fit tournoyer.

— Ma petite châtelaine ! dit-il en riant avant de la serrer contre lui.

Mary l'embrassa affectueusement et tourna ses grands yeux bleus vers Averil.

— Tu as donc ramené une épouse ?

— Oui, répondit-il en regardant Averil s'approcher de sa jeune belle-sœur.

— Je vous remercie de m'accorder l'hospitalité, milady Mary, dit-elle en s'inclinant en une révérence.

— Oh, pas de lady entre nous, Averil. Nous sommes sœurs, maintenant. Appelez-moi simplement Mary.

La petite fille remarqua alors Gorawen qui attendait en retrait.

— Et cette dame est votre mère, de toute évidence. Je vois d'où vous tenez votre beauté.

— Vous promettez de l'être aussi, mon enfant, déclara Gorawen en souriant.

— Rhys, pose-moi par terre, veux-tu ?

— Oh, bien sûr !

La fillette souhaita la bienvenue aux nouveaux arrivants, puis son regard se fixa sur Brynn qui se tenait derrière Merin Pendragon. Son père lui fit signe d'avancer.

— Mary FitzHugh, je vous présente mon héritier, Brynn Pendragon. Il a tenu à accompagner sa sœur afin de faire votre connaissance.

Brynn s'inclina élégamment vers la petite fille, qui répondit à son salut par une révérence.

— Vous ressemblez à votre père, dit-elle, devinant les raisons de sa présence.

Merin Pendragon la considérait comme une future épouse potentielle pour son fils.

— Il paraît, en effet, répondit Brynn, trouvant cette jeune personne dont Merin lui avait parlé aussi jolie qu'avenante.

— Entrons, voulez-vous ? proposa-t-elle en les invitant à la suivre à l'intérieur.

Ils s'installèrent dans la grande salle, devant le feu, où on leur servit du vin. Après s'être occupée des hommes d'armes, Rhawn se hâta de rejoindre les convives pour les observer. Jamais elle ne laisserait cette fille prendre la place de sa maîtresse, se promit-elle en secret. Jamais !

— Rhys, tu dois occuper la chambre du maître, maintenant, disait Mary à son frère. Elle est contiguë à cette pièce, grande et confortable, ajouta-t-elle à l'adresse d'Averil.

— Mais vous, Mary ? Où dormirez-vous ? Vous êtes la châtelaine, cette chambre ne vous revient-elle pas ?

— Elle est conçue pour un couple, Averil. Moi je dors à l'étage, avec Rhawn. Quand je me marierai, je m'y installerai avec mon mari. Pour l'instant, c'est à vous que revient ce privilège. Je vois que vous avez amené une femme de chambre. On lui fera une place avec nous.

— Je vous remercie, répondit Averil en remarquant le regard hostile que Rhawn lui jetait.

Ses rapports avec cette femme n'auguraient rien de bon, devina-t-elle, d'autant plus que Rhys ne semblait pas disposé à trancher la question en sa faveur…

Peu après, on leur servit un dîner composé d'un pâté de gibier en croûte, d'anguille fumée, de jambon, de fromage, de pain et de beurre. À la fin du repas, on leur apporta une compote de pommes au miel accompagnée de gaufrettes et de vin épicé.

— Il n'y a rien à redire, tant sur la qualité de la nourriture que sur le service, glissa Gorawen à sa fille. Cette Rhawn remplit bien ses fonctions, mais je n'aime pas la façon dont elle te regarde.

— Elle craint que je ne convoite la place de Mary dont elle protège jalousement la position, mère. Mais je n'ai pas l'intention de rester là à ne rien faire. J'en ai parlé à Rhys, mais il semble très attaché à cette serve, lui aussi.

— C'est donc une serve! s'exclama tout bas Gorawen, outrée. Enfin, Averil, tu es sa femme! Je ne permettrai pas que tu sois insultée. J'en parlerai à ton père.

— Attends, mère, s'il te plaît. J'ai une petite idée sur la façon de régler ce problème, mais je dois y réfléchir, et avant toute chose, je compte mettre en application certains conseils que tu m'as donnés hier soir, durant le voyage. Je n'ai pas de point de référence, mais je crois que mon mari est un homme sensuel. Si je sais le contenter, il accédera peut-être à ma demande.

— Ne te précipite pas. Demain, pendant qu'il sera aux champs, je t'apprendrai certaines choses qui

113

devraient le ranger à ta cause pour toujours, ma fille, chuchota Gorawen avec un petit sourire entendu.

— Mais, puis-je tester mes nouvelles connaissances sur lui dès cette nuit, mère ? Nous n'avons fait l'amour qu'une seule fois, jusqu'ici, et je suppose qu'il est impatient de recommencer.

— Bien sûr que tu dois lui donner du plaisir, répondit sa mère en se demandant quel plan sa fille avait bien pu fomenter.

Averil était intelligente, mais elle devrait impérativement écarter cette serve arrogante si elle voulait s'imposer...

Quand la nuit tomba, Mary invita Gorawen à partager son lit dans la chambre où dormiraient aussi Rhawn et Dilys. Merin Pendragon et son fils passeraient la nuit dans la grande salle. Les murs étaient pourvus de petites alcôves, meublées de confortables literies destinées aux hôtes de passage.

Rhys prit la main de sa femme et l'emmena dans la chambre du maître. Il donna deux tours de clé et se tourna vers Averil.

— Nous voilà dans notre petit nid d'amour, femme. Nous aurons notre intimité ici, dit-il en plaçant une grosse bûche dans l'âtre.

Un grand lit, au pied duquel était placé un coffre en bois, s'appuyait contre un mur percé de deux étroites fenêtres. Un divan se trouvait près de la cheminée. Une table et une armoire composaient le reste du mobilier. À part la lueur du feu, il n'y avait pas d'autre lumière dans la pièce. Le chandelier posé sur la table de nuit n'était pas allumé. Plusieurs nattes tissées recouvraient le sol dallé de pierre.

Remarquant que les fenêtres étaient pourvues de volets mais pas de rideaux, Averil décida d'en confectionner au plus vite. Ils isoleraient davantage la pièce contre le froid. Par ailleurs, les tentures du baldaquin avaient besoin d'être changées. Elle s'y emploierait également.

— Je n'ai jamais dormi dans cette chambre. C'était celle de mon père, expliqua Rhys.

— Ta sœur s'installera ici quand elle sera mariée, mais en attendant, quelques rénovations s'imposent, mon cher mari. Cela sent le moisi et d'après l'aspect du matelas, j'ai l'impression qu'il n'a pas été changé une seule fois du vivant de ton père. Bon, nous nous en contenterons le temps d'en faire faire un autre.

Elle ouvrit les portes de l'armoire : elle était vide.

— Je rangerai mes vêtements ici et tu te serviras du coffre, d'accord ? ajouta-t-elle en enlevant sa tunique qu'elle plia et posa sur une étagère.

Il s'approcha d'elle et commença à défaire le lacet qui fermait sa robe dans le dos.

— D'accord, répondit-il en glissant un bras autour de sa taille.

Il s'attaqua ensuite aux rubans de sa chemise, laissant la soie glisser entre ses doigts. Puis il insinua une main dans l'échancrure et cueillit un sein rond et ferme, tout en posant ses lèvres chaudes sur sa nuque.

Sentant le sexe dur de son mari contre ses reins, Averil se cambra et se mit à onduler doucement en le frottant. Il retint son souffle et elle sourit.

— Hmm, murmura-t-elle comme il continuait de lui caresser les seins.

Il s'interrompit brièvement pour enlever sa cotte, tandis qu'Averil s'empressait de se débarrasser de sa chemise avant de s'attaquer à celle de son mari. L'instant d'après, elle pressait son jeune corps contre le sien et il grogna au contact de sa peau de velours.

— Comme tu es sensuelle et... audacieuse, femme...

— Aurais-tu préféré que je pleurniche, que je m'effarouche ou que je crie ? Si c'est cela que tu veux,

Rhys, je peux pleurer, me lamenter… dit-elle dans un souffle en se léchant les lèvres.

— Alors comme ça, tu es en feu, prête à jouer aux jeux de l'amour avec moi, murmura-t-il d'une voix rauque en lui mordillant le lobe de l'oreille.

— Oui, répliqua-t-elle en se baissant hardiment pour prendre son sexe entre ses mains.

— Tu t'es enfuie, le matin du lendemain de notre première nuit, lui rappela-t-il. Pourtant, tu avais eu l'air d'apprécier.

— Si nous avions recommencé à notre réveil, je n'aurais pas été capable de quitter Dragon's Lair de la journée, répondit-elle en guise d'excuse. J'ai préféré partir et attendre que nous soyons tous les deux dans notre lit.

Il immobilisa la main qu'elle promenait sur son pénis et s'agenouilla devant elle. Le nez entre ses jambes, il écarta les lèvres de son sexe du bout des doigts et se mit à lécher la petite crête qu'il venait d'exposer.

D'abord choquée, Averil se raidit, puis, à sa grande honte, elle découvrit qu'elle aimait ce qu'il lui faisait. Elle adorait ça ! Du bout de la langue, il titillait son point sensible sans relâche de haut en bas, de droite à gauche… jusqu'à ce qu'elle se mette à trembler de plaisir.

— Oh, oui ! s'exclama-t-elle, ivre de volupté.

Il se releva, la souleva de terre et la plaqua contre le mur, ses deux mains sous ses fesses. D'un coup de reins, il la pénétra.

— Dieu du ciel ! dit-elle, suffoquée.

Leurs regards se happèrent. Celui d'Averil reflétait un ravissement intégral. Celui de Rhys, un désir sauvage. Elle s'accrocha à lui et enroula ses jambes autour de ses reins.

— Alors, ma fougueuse petite Galloise, tu croyais que l'on ne pouvait s'accoupler que dans un lit ?

— Oui... parvint-elle à articuler avec l'impression qu'un brasier l'incendiait.

Son membre palpitant s'avançait lentement en elle, se retirait, revenait... suivant ce rythme incroyable qui l'avait rendue folle d'excitation, la veille. Hypnotisée par le regard d'azur, par ces sensations indescriptibles, elle se dit qu'elle n'avait jamais rien vécu d'aussi puissant. Jamais elle n'avait connu une telle fusion vertigineuse. Son cœur battait à tout rompre, sa peau luisait de la moiteur du désir.

— Je te prendrai quand je le voudrai, où je le voudrai, affirma-t-il d'une voix rauque. Dans notre lit. Dans les écuries, dans le foin. Sur la colline. Sur la table de la grande salle, en guettant l'irruption d'un domestique... Devant la cheminée. Averil...

Il allait et venait lentement, appuyant délibérément le plus loin qu'il pouvait, au cœur de son ventre, là où cela la rendait folle.

— Et tu te donneras à moi sans discussion parce que je suis ton mari. Et surtout, surtout, parce que tu en brûles d'envie autant que moi. Ce n'est pas vrai ? Tu es la femme la plus passionnément sensuelle que j'aie connue.

— Oui... oui, j'en ai envie, mon seigneur et maître. Et chaque fois que je te caresserai comme ça, dit-elle en passant sa main sur sa nuque, puis sur son oreille, tu penseras à ce moment et tu me désireras. Mais tu devras attendre, parce que je viendrai t'exciter en des circonstances où il te sera impossible d'éteindre l'incendie que j'aurai allumé en toi.

Elle s'empara de ses lèvres et y frotta sa langue avec délectation.

— Quels secrets ta mère t'a-t-elle transmis ? grogna-t-il avant de s'enfoncer encore plus loin.

— Elle m'a appris comment te rendre fou de plaisir, dit-elle avant de fermer les yeux. Oui ! Oh, oui ! C'est tellement bon, Rhys ! Ne t'arrête pas ! Ne t'arrête jamais !

Il contractait les fessiers, les relâchait, les contractait jusqu'au moment où, incapable de se contenir plus longtemps, il se répandit en elle en exhalant une longue plainte. Son corps aux muscles d'acier vibra longtemps sous l'effet d'une extase totale.

De son côté, Averil avait l'impression qu'une pluie d'étoiles crépitantes s'abattait sur elle et la faisait fourmiller de plaisir de la tête au pied. Quand elle sentit sa semence en elle, elle s'accrocha à lui en dénouant ses jambes devenues toutes faibles, tout à coup, et elle blottit sa tête au creux de son épaule comme il la portait sur leur lit.

Une fois allongé près d'elle, il lui prit la main et ils se reposèrent en silence.

— Quand je suis en toi, je n'ai pas envie de sortir, avoua-t-il au bout d'un moment.

— Et moi, j'ai envie de te garder en moi.

— Bon, nous savons déjà que nous nous entendons bien, physiquement. Pour le reste, nous verrons.

— Je crois que le respect est indispensable, dans la vie commune. Mon père aime beaucoup sa femme. Il aime passionnément ma mère et tolère Ysbail avec un certain amusement. Mais il les considère toutes pour ce qu'elles sont, ce qu'elles font pour lui et les enfants qu'elles lui ont donnés. Cette estime qu'il leur manifeste est d'ailleurs réciproque. J'espère que nous partagerons nous aussi un respect mutuel, Rhys FitzHugh.

Il opina en faisant courir ses doigts le long de sa hanche.

— M'aimeras-tu, Averil Pendragon ?

— Et toi, Rhys FitzHugh ? M'aimeras-tu ?

Il était tellement beau avec ses cheveux noirs épais et ondulés, ses yeux bleus irrésistibles… Mais pouvait-elle aimer l'homme qui lui avait volé ses rêves et ses espoirs ? C'était trop tôt pour le dire.

Pendant qu'elle se posait ces questions, il lui souriait.

— Pour l'instant, contentons-nous de nous donner du plaisir, d'accord? dit-il comme s'il avait lu dans ses pensées. Nous verrons bien ce qu'il en résultera.

— Pour l'instant, oui, d'accord.

Averil décida qu'il valait mieux attendre pour lui expliquer comment elle comptait résoudre le problème de Rhawn.

Toutefois, le lendemain, elle fit part de ses intentions à sa mère, quand elles se retrouvèrent dans la grande salle et que Gorawen lui demanda ce qu'elle comptait faire au sujet de la serve.

— Je proposerai à mon mari d'affranchir Rhawn en remerciement des années de loyauté qu'elle a consacrées aux FitzHugh, et de lui offrir un petit cottage. Il n'acceptera pas de s'en séparer sans lui accorder des contreparties suffisantes. Je compte également expliquer à cette femme que je ne peux concevoir de vivre dans l'oisiveté et je lui demanderai de m'aider à prendre sa suite, aussi bien pour diriger Everleigh que pour m'occuper de Mary.

— Ce n'est pas idiot, admit Gorawen. Tu as des chances de réussir, ma fille. J'ai toujours pensé que tu étais intelligente.

— Et elle ne dormira plus ici, continua Averil en reposant sa tasse de thé. Je mettrai une jeune femme au service de ma petite belle-sœur. Rhawn est trop sévère, trop possessive et trop triste pour convenir à une petite fille. Mary a besoin de jeunesse, d'éclats de rire et de gaieté autour d'elle.

— Je ne suis pas sûre que ta suggestion plaise à Rhawn, mais l'idée de lui rendre sa liberté est un trait de génie, ma fille! Assure-toi néanmoins que Rhys comprenne bien qu'elle devra vivre ailleurs, et pas seulement se retirer dans son cottage de temps en temps.

— Oui, mère, acquiesça la jeune femme avant de changer de sujet. J'ai l'impression que Mary aime bien Brynn. Je pourrais peut-être inviter mon petit frère à passer quelques jours ici ?

— Ton père envisage de les marier, si toutefois il parvient à supplanter lord Mortimer. Tu nous diras ce qu'en pense ton mari.

— Mary est trop jeune pour se marier, mais je sais que certains aimeraient décider de son avenir dès maintenant. Ce n'est pas le cas de Rhys.

— Tant mieux ! Ton père espère étendre ses terres des deux côtés des Marches, lui confia Gorawen.

Pendant les trois jours qui suivirent, la mère et la fille passèrent la plus grande partie de leurs journées ensemble, ce qui permit à Averil d'enrichir ses connaissances dans l'art des plaisirs amoureux. Gorawen lui fit part de pratiques que la jeune femme n'aurait jamais imaginées, et lui transmit le secret de certaines potions et lotions capables de redonner de l'entrain à un amant fatigué, de décupler son excitation et son plaisir. Lorsque Merin décida de rentrer, Averil avait eu le temps d'acquérir un savoir non négligeable.

— Il existe encore d'autres méthodes mais je t'en parlerai plus tard, conclut sa mère. Pour l'instant, tu en sais suffisamment pour assurer le bonheur de Rhys FitzHugh sur ce plan.

Le jour du départ arriva et quand Averil regarda ses parents et son frère s'éloigner du château, sur leurs chevaux, et disparaître au loin, elle se sentit submergée de tristesse. Jusqu'ici, elle ne s'était jamais séparée de façon permanente de sa famille, et elle réalisa soudain combien ses sœurs lui manquaient.

— Dragon's Lair me manquera à moi aussi, lui confia Dilys en posant une main sur les siennes. J'étais chez moi, là-bas.

— Désormais, c'est ici chez toi, Dilys.

— Vous savez, maîtresse, Rhawn parle de vous comme si vous étiez une intruse, s'indigna la servante. C'est qu'elle ne se prend pas pour n'importe qui, cette vieille pie !

— Ne fais pas attention à elle. Elle n'est qu'une serve, comme toi, mais les responsabilités qu'elle assure lui ont fait tourner la tête. Toutefois, je te demande de ne pas cancaner avec les autres domestiques, Dilys. Contente-toi d'ouvrir grands tes yeux et tes oreilles, et de m'informer de ce que tu apprends, d'accord ?

— Oui, maîtresse. Lady Argel m'avait dit ce que j'aurais à faire, avant de partir...

Les jours suivants, Averil exprima plusieurs fois à Rhawn son intention d'entreprendre l'éducation de Mary concernant l'art d'être une lady, ce dont une serve ne pouvait se charger. Chaque fois, la domestique trouva une excuse pour l'en empêcher. Averil prit donc l'habitude de se réfugier derrière son métier à tisser où elle passait une bonne partie de ses journées, quand elle n'allait pas cueillir des fleurs pour composer des bouquets, ou des herbes pour préparer ses potions.

Un jour, elle décida de confectionner des savons parfumés, un procédé dont Rhawn ignorait tout.

— C'est une technique que Mary se doit de connaître, dit Averil à Rhys, qui en convint.

Cette fois, Rhawn ne put empêcher Averil de montrer à la petite fille comment faire bouillir l'huile végétale avant de la faire épaissir, de la mélanger à des cendres, et enfin à diverses essences. Il fallait ensuite placer l'amalgame dans des pierres creuses et attendre qu'il durcisse pendant plusieurs mois.

Mary préférait les fragrances des roses et des violettes, Averil, celles du chèvrefeuille sauvage. Lorsque ces activités les eurent occupées plusieurs jours, la jeune femme suggéra à sa belle-sœur d'apprendre à monter à cheval convenablement, chose dont Rhawn était non seulement incapable mais qu'elle défendait à sa protégée.

— Une dame doit savoir se tenir en selle, décréta Averil quand la serve tenta de s'opposer à ce qu'elle considérait comme une «lubie» dangereuse. De plus, l'exercice et le grand air feront le plus grand bien à Mary. Ne vous inquiétez pas, nous serons de retour pour le dîner! ajouta-t-elle avec son plus beau sourire, avant de prendre la fillette par la main et de l'emmener avec elle.

— Vous avez eu le courage de ne pas céder devant Rhawn, commenta Mary comme elles traversaient la cour en direction des écuries. Personne ne s'avise jamais de contredire ses décisions.

— Rhawn est certainement pleine de bonnes intentions, Mary, mais elle n'est qu'une serve. La maîtresse, ici, c'est vous. D'ailleurs, je pense que Rhys devrait l'affranchir. Je crois savoir qu'elle est acerbe à ses heures… mais elle vous a été fidèle et mérite une récompense.

— Oh, Averil, comme vous êtes avisée! Je sais que Rhawn est parfois acariâtre, mais elle m'aime beaucoup, même si par moments cet amour me pèse, je le reconnais.

— Elle s'occupe de vous depuis que vous êtes née, Mary chérie, et cela l'a rendue un peu trop possessive à votre égard.

Un garçon d'écurie s'avança vers elles avec leurs montures: un poney blanc à la crinière noire pour Mary, et une jument baie pour Averil.

Peu après, les deux cavalières chevauchaient à travers champs et vergers, où la cueillette des pommes et des poires avait commencé. Elles aperçurent Rhys et lui firent signe. Heureux de voir son épouse et sa petite sœur ensemble, il leur répondit avec un grand sourire…

Ce soir-là, étendu près d'elle dans leur lit, il confia à sa femme le plaisir que cette rencontre lui avait procuré.

— Je suis surpris que Rhawn ait autorisé ma sœur à s'éloigner ainsi de la maison, ajouta-t-il.

Averil saisit la balle au bond.

— Cette bonne Rhawn, si attentive à protéger Mary… Tu n'as pas su lui montrer ta reconnaissance comme tu l'aurais dû, si je puis me permettre, mon cher époux.

Elle se redressa pour l'embrasser.

— Que veux-tu dire ? s'étonna-t-il.

— Pourquoi ne lui redonnes-tu pas sa liberté ? Elle la mériterait, après ces nombreuses années de loyaux services rendus aux FitzHugh. Je suis sûre que si tu lui octroyais en outre un petit cottage, elle serait la plus heureuse des femmes. J'aurais encore besoin de son aide, bien sûr, car elle mène cette maison à merveille et je dois prendre exemple sur elle, mais la maîtresse d'Everleigh doit prétendre à autre chose qu'une serve à ses côtés. Il lui faut quelqu'un de plus jeune, Rhys, et de plus raffiné.

Il hocha lentement la tête.

— Tu as raison, Averil, j'en ai conscience, mais je ne veux pas me montrer ingrat envers Rhawn.

— Tu oublies qu'elle n'est pas ton égale. Et tu ne seras pas ingrat si tu l'affranchis et lui offres une maison. Je sais que c'est une décision difficile à prendre pour toi, mais je dois avoir ma place ici, moi aussi. Particulièrement maintenant.

— Pourquoi maintenant ?

— Il y a de grandes chances que j'attende un enfant.

— Déjà ? s'écria-t-il, les yeux brillants. Eh bien, ma belle épouse, tu es un champ fertile !

— Et toi un laboureur diligent, mon beau mari, plaisanta-t-elle en l'embrassant de nouveau avant de lui mordiller l'oreille.

Il sentit immédiatement son désir s'éveiller.

— Tu crois vraiment que tu pourrais être enceinte, Averil ? murmura-t-il avec émotion, tout en insinuant une main entre ses cuisses. Tu me rends insatiable, tu le sais ? M'aurais-tu ensorcelé ?

— Je suis heureuse que tu aies toujours autant envie de moi, après trois mois de mariage, répondit-elle contre ses lèvres. Je suis en train de m'habituer à toi, Rhys. Il se pourrait même que je finisse par t'aimer.

— Je l'espère bien, Averil, parce que de mon côté, c'est déjà fait, lui révéla-t-il, à sa grande surprise.

Puis il l'embrassa avec une lenteur sensuelle jusqu'à ce qu'elle s'ouvre à lui, ivre de désir, en lui murmurant :

— Je veux que tu m'aimes, Rhys. Je veux que tu aies envie de moi, que tu me fasses confiance, que tu respectes ce que je peux t'offrir. Peu importe la façon dont les choses ont commencé entre nous, nous sommes mari et femme. Je ne veux pas que nous soyons malheureux.

Elle s'arc-bouta et accueillit son sexe en elle avec un soupir de plaisir et la joie nouvelle de savoir qu'il l'aimait. Quand l'extase les propulsa au septième ciel, quelque chose céda en elle et elle cria le nom de Rhys avec un bonheur sans mélange. Puis elle pleura, comme la première fois, et il la serra tendrement contre lui.

— Je suis si heureuse, avoua-t-elle en reniflant.

— Pourquoi ? Parce que tu sais que je t'aime ?

Il lui caressa les cheveux, s'émerveillant une fois de plus de leur douceur, de leur blondeur extraordinaire.

— Oui, et parce que je viens de comprendre que je t'aime aussi.

De nouvelles larmes ruisselèrent sur ses joues et il la serra plus fort, avec un petit sourire qu'elle ne vit pas. Cet aveu faisait de lui le plus heureux des hommes.

Il se demanda si son père avait jamais éprouvé une telle plénitude.

— Je suis content que tu m'aimes, Averil. Plus que tu ne pourrais l'imaginer.

Le lendemain, ils partirent à cheval ensemble et emmenèrent Mary visiter ce qui serait le cottage de Rhawn. Un vieux manant était mort récemment et, n'ayant pas d'héritiers, son habitation était revenue au manoir. Il s'agissait d'une petite bâtisse en pierre, couverte d'un toit de chaume. Elle comportait une pièce principale munie d'une cheminée bien entretenue, d'un vaisselier, d'une table avec deux chaises, et un tabouret. Pour le repos, un divan était placé près du feu et il y avait un grand lit, au fond de la pièce, dont on avait enlevé le matelas.

— C'est très bien ! s'enthousiasma Mary.

— Et tout près du village. Il y a aussi un petit jardin à l'arrière, précisa Rhys.

— Et un banc, près de la porte. Rhawn va adorer s'asseoir là pour bavarder avec ses voisines ! renchérit Mary. C'est parfait, non ?

— Tu es donc prête à te débarrasser de ta vieille nounou ? la taquina son frère.

— Oui ! Je l'aime beaucoup, et elle me le rend bien, mais elle me laisse rarement faire un pas sans elle. Elle ne veut pas que je monte à cheval et qu'Averil achève mon éducation parce qu'elle est jalouse, je m'en suis bien rendu compte. Mais je suis la châtelaine, et je dois apprendre les règles élémentaires des convenances ainsi que les usages inhérents à mon rang. Je te trouve très astucieux de songer à lui rendre sa liberté en lui cédant ce cottage, Rhys.

— J'aimerais qu'elle vienne m'aider, certains jours, s'empressa d'ajouter Averil. J'espère que vous ne la mettrez pas complètement à l'écart.

— Elle vous aidera autant que vous le voudrez, répondit Mary. Je suis peut-être une enfant, mais j'ai bien remarqué qu'elle outrepassait ses droits. Je vous serai reconnaissante de vous charger de mes responsabilités jusqu'à ce que je sois prête à les assumer, Averil. Je suis encore trop petite pour être la maîtresse du château.

— Pourtant, vous vous en sortez bien, Mary. Mais si vous avez envie de rester une petite fille quelque temps encore, je me ferai un plaisir de vous aider.

— Eh bien, marché conclu ! dit Rhys.

De retour au château, ils demandèrent à Rhawn de les rejoindre dans la grande salle pour l'informer de leur décision. Au lieu de se mettre en colère, comme ils s'y attendaient plus ou moins, la vieille dame éclata en sanglots.

— Mais je dois protéger mon enfant de la Galloise ! s'écria-t-elle.

— De quoi veux-tu me protéger, Rhawn ? demanda Mary.

— Elle veut Everleigh !

— Non, pas du tout, intervint Averil. Everleigh appartient à Mary FitzHugh. Je ne suis que la femme de son frère, le régisseur.

— Vous, les Gallois, vous êtes connus pour voler tout ce qui passe à votre portée !

— Everleigh appartient à Mary, Rhawn, déclara calmement Rhys. Tu sais que j'aime ma sœur et que je ne lui ferai jamais de mal. Si je voulais m'emparer du manoir, je la mettrais au couvent.

— Cette fille vous a ensorcelé !

— C'est vrai, admit-il avec un sourire, à la grande stupeur de la vieille femme. Mais ma sœur n'est plus un bébé. Elle a besoin de sortir tous les jours, de monter à cheval, de connaître ses gens. Il faut qu'elle apprenne à devenir une lady, et seule Averil peut lui transmettre ce savoir. Tu n'as pas le droit de t'approprier Mary comme tu le fais, Rhawn. Ce n'est pas lui rendre service. Nous sommes heureux de t'offrir ce cottage, mais nous ne voulons pas te mettre à l'écart. Ma femme aura besoin de ton aide pour assurer le relais, le temps que Mary grandisse. Tu vis à Everleigh depuis toujours, tu connais ses règles, pas elle.

— Je suis d'accord avec mon frère, ma très chère Rhawn, dit Mary.

— Mon seul souci est de vous protéger, de faire en sorte que rien de fâcheux ne vous arrive, répondit Rhawn en pleurant.

— Je sais.

— Où est ce cottage ? demanda finalement la vieille dame.

— Je suis sûre qu'il te plaira ! La cheminée tire bien, il est solidement bâti et le toit de chaume vient d'être refait. Il est tout près du village. Veux-tu le visiter maintenant ? Ce n'est pas loin, nous pouvons y aller à pied, proposa Mary en lui tendant la main.

— D'accord, acquiesça la servante en se tournant vers Averil. Vous me jurez sur notre Sainte Mère que vous ne ferez jamais de mal à ma petite ? Que vous ne lui nuirez jamais ?

— Oui, je le jure, répliqua Averil en la regardant droit dans les yeux.

— Et moi aussi, renchérit Rhys.

La vieille dame hocha la tête et, pour la première fois, Averil vit un sourire se dessiner sur ses lèvres.

— Très bien, mon seigneur. J'accepte ce que vous m'octroyez si généreusement.

Se tournant vers Mary, elle ajouta :

— Viens vite me montrer mon nouveau logis, mon petit, avant que je ne change d'avis.

Dès qu'ils se retrouvèrent seuls, Averil et Rhys éclatèrent de rire.

— Je crois que cette décision s'imposait, Rhys !

— Oui. Veille à lui faire fabriquer un matelas au plus vite. Il faut également lui donner de la vaisselle et tout ce dont elle aura besoin. Comme elle le dit si bien, mieux vaut qu'elle s'installe là-bas avant de revenir sur sa décision.

Il souleva sa femme et la fit tournoyer.

— Pose-moi par terre, espèce de fou !

Il obéit, mais sans la lâcher pour autant.

— Quand notre enfant naîtra-t-il ? lui demanda-t-il doucement, au creux de l'oreille.

— En mai, je pense. Mais n'en parle à personne pour le moment, cela nous porterait malheur.

— Tu es sûre d'être enceinte ?

— Oui, mais... peut-être devrions-nous envoyer chercher ma mère ? Elle saura me le confirmer.

Rhys accepta et, quelques jours plus tard, Gorawen arriva sous bonne escorte.

— Le bébé est en bonne voie, annonça-t-elle à Rhys après avoir examiné sa fille. Votre semence est riche et le ventre d'Averil, un havre de paix. La naissance est prévue pour le mois de mai.

— Formidable ! s'exclama le jeune homme.

— Parle-moi de mes sœurs, demanda Averil à sa mère, impatiente d'avoir de leurs nouvelles.

Une ombre légère assombrit le regard de Gorawen.

— Maia a plusieurs prétendants, mais aucun ne l'intéresse pour le moment. Elle aura quinze ans l'an prochain, espérons qu'elle se décidera d'ici là.

— Qu'y a-t-il, mère ? s'inquiéta Averil. Tu ne me dis pas tout.

— Ton père la trouve trop difficile, il n'est pas content.

— Elle n'est simplement pas prête à devenir femme, je pense.

— Mais il est temps de la marier, Merin a raison.

— Ne soyez pas trop pressés, intervint Rhys, Maia choisira en temps voulu. Pensez plutôt que vous aurez bientôt votre premier petit-fils... ou petite-fille.

— Ne suis-je pas trop jeune pour être grand-mère ? plaisanta-t-elle.

Rhys en convint avec diplomatie et Gorawen repartit quelques heures plus tard, sous prétexte que Merin n'aimait pas qu'elle s'éloigne de lui trop longtemps.

À la surprise générale, Rhawn s'habitua très vite à sa nouvelle situation et se plut tout de suite dans son cottage. Elle venait au château tous les jours, mais quand les rigueurs de l'hiver se firent sentir, elle espaça de plus en plus ses visites. Elle n'aimait pas marcher sous le vent, sous la pluie, et encore moins sous la neige.

Par une journée glaciale, Mary vint la voir à cheval et trouva sa vieille gouvernante installée près du feu, en train de coudre.

— Tu n'es pas venue au château depuis plusieurs jours, Rhawn. Tu me manquais et je m'inquiétais, lui dit Mary avant d'éternuer.

— Voilà ! Tu vas attraper la fièvre, avec tes imprudences !

— Mais non, ce n'est rien, répondit Mary en riant.

— Ton manteau est mouillé.

Elles le mirent à sécher devant l'âtre et passèrent plus d'une heure ensemble, avant que la fillette ne prenne le chemin du retour. Une fois au château, elle éternua de nouveau et Averil lui tâta le front.

— Vous êtes chaude ! Quelle idée aussi d'être sortie par ce temps ! Vous vous êtes bien gardée de me demander mon avis, car vous saviez que j'aurais dit non.

Avec l'aide de Dilys, Averil déshabilla Mary, lui enfila une chemise sèche et la mit au lit.

— Veille à ce que le feu ne faiblisse pas, Dilys. Je vais préparer une potion.

Durant la nuit, l'état de Mary FitzHugh empira. Comme elle toussait de plus en plus, Averil la frictionna avec une pommade à base de graisse de mouton et de camphre, sur laquelle elle appliqua ensuite un linge de flanelle. Mais sa température ne cessait de monter. La jeune femme prépara alors du sirop d'orgeat sucré et confectionna un antitussif à base de vinaigre, de miel et de réglisse. La fièvre continuait de s'élever. Une nouvelle décoction d'eau de source et d'orge s'avéra sans effet…

Frustrée de voir ses efforts inopérants, Averil se mit à pleurer. Rhys enfourcha son étalon et partit chercher Rhawn.

Lorsqu'elle vit l'enfant brûlante de fièvre, la vieille femme secoua la tête.

— Que lui avez-vous donné ? demanda-t-elle à Averil.

Celle-ci lui décrivit les remèdes qu'elle avait administrés à Mary.

— C'est parfait, approuva la gouvernante. Mais c'est ma faute ! Si je ne l'avais pas abandonnée, elle ne serait pas sortie sous cette pluie glaciale pour venir me voir ! Pauvre de moi !

Averil passa un bras réconfortant autour de ses épaules en demandant à son mari d'aller chercher le frère Kevin. Rhys repartit à cheval dans la nuit.

Les sanglots de Rhawn redoublèrent lorsqu'elle vit le prêtre.

— Mary FitzHugh, lui dit-il doucement. Ouvrez les yeux et dites-moi que vous avez confessé tous vos péchés.

— Oui, murmura-t-elle.

Quand le frère Kevyn traça un signe de croix sur sa poitrine, elle lui saisit la manche.

— Qu'y a-t-il, mon enfant ? Vous êtes pardonnée, si c'est ce qui vous inquiète. Aujourd'hui, vous entrerez au paradis où vous retrouverez votre mère, votre père, notre Seigneur et notre Sainte Marie qui vous a donné son nom.

— Mon frère... parvint-elle à articuler.

— Votre frère ?

— Everleigh est à lui, maintenant. Jurez-moi d'y veiller.

Une violente quinte de toux empêcha Mary de continuer.

— Vous voulez dire que le château et tous vos biens reviennent à votre frère, Rhys FitzHugh ? C'est cela, mon enfant ?

— Oui ! dit Mary dans un souffle.

Et, visiblement soulagée, elle exhala son dernier soupir.

Tout était arrivé si vite... La veille, Mary était encore en pleine forme et voilà qu'elle n'était plus de ce monde. Dehors, le vent se levait avec de longues plaintes, comme s'il pleurait lui aussi.

— Je n'aurais pas dû l'abandonner, répétait Rhawn entre deux sanglots dans la grande salle, près du feu.

Anéantis par la soudaineté de cette disparition, Averil et Rhys étaient prostrés. La gouvernante finit par se lever, avança vers la jeune femme et lui tendit la main.

— Nous devons la préparer, madame.

Averil se leva lentement en hochant la tête.

— Je sais.

— Je vous aiderai, car vous ne devez pas vous fatiguer, maintenant que vous portez le futur héritier d'Everleigh.

— Nous devrions lui épargner la moindre tension, protesta Rhys, les yeux brillants de larmes.

— Mary était la châtelaine d'Everleigh, Rhys. Elle m'a accueillie à bras ouverts et m'a aimée, parce que j'étais ta femme. Mais je l'aimais aussi. L'enfant que je porte est robuste, et je suis sûre qu'il voudrait que je prépare sa tante pour sa dernière demeure.

Rhys hocha la tête, et Rhawn posa sur la jeune femme un regard nouveau. Peut-être cette Galloise n'est-elle pas si mauvaise que cela, finalement, se dit-elle.

— M'aiderez-vous à accoucher, Rhawn, le moment venu ?

— Oui, milady. Mais je dois conserver ma liberté et mon cottage, car c'était la volonté de ma petite maîtresse.

— Je ne vous demanderai jamais d'y renoncer.

Les deux femmes s'engagèrent dans l'escalier qui menait à la chambre de Mary.

Rhys les regarda s'éloigner en secouant la tête. Son père était mort un an plus tôt, jour pour jour, et quand il lui avait conseillé d'enlever la fille du Dragon Lord, jamais il n'aurait imaginé que tant de choses se passeraient en l'espace de quelques mois. Il se retrouvait seigneur du château et serait père au printemps. Hélas, il avait perdu sa petite sœur.

La tête dans les mains, il se mit à pleurer.

Et il pleura encore au cimetière, devant sa sépulture. Chaque jour, il se rendait sur la tombe de Mary et la remerciait de lui avoir légué Everleigh.

Quand le printemps arriva, il se sentait moins triste, mais il savait que jamais il ne l'oublierait.

Peu après, aidée par Rhawn, Averil mit au monde un garçon. Lorsqu'il vit son fils, Rhys sourit pour la première fois depuis des mois. Il contempla sa femme avec un regard heureux : le passé était désormais derrière eux.

— Mon héritier est drôlement vigoureux, dit-il en caressant la joue du bébé. Comment allons-nous l'appeler ?

— Rhys, comme toi. Et dans quelque temps, si Dieu le veut, nous lui donnerons une sœur que nous appellerons Mary.

— Tu en es sûre, femme ?

— Absolument, répondit-elle, songeant qu'un an plus tôt, il l'avait enlevée…

Rhys FitzHugh n'était peut-être pas un grand seigneur, mais il était son mari, son ami et son amour. Et elle se moquait bien maintenant de ce que sa vie aurait pu être. Pour rien au monde elle n'en changerait.

DEUXIÈME PARTIE

Maia

7

Le Dragon Lord observait les jeunes hommes respectables venus se présenter dans l'intention d'obtenir la main de Maia. Parmi eux se trouvait l'un des fils illégitimes du Grand Llywelyn, celui d'un cousin de Gorawen et, à la surprise du Dragon Lord, trois jeunes hommes issus des familles frontalières anglaises : Roger Mortimer, Robert FitzWarren et John Ashley.

Chacun d'entre eux aurait fait un parti plus qu'acceptable, mais Maia ne leur manifestait pas le moindre intérêt. Merin Pendragon commençait à se désespérer, cependant il ne la forcerait pas à se marier. La mésaventure d'Averil, son aînée, l'avait suffisamment marqué, même si tout s'était fort bien terminé au bout du compte. Il veillerait à ce que Maia et Junia fassent leur choix, quoi qu'en pensent les gens.

— Cette fille est idiote, marmonna Ysbail, sa deuxième concubine. Que cherche-t-elle, pour l'amour du Ciel ? Ils sont tous d'excellente famille et en pleine santé, ces jeunes gens. Elle pourrait se décider !

— Ma fille veut se marier par amour, lui rappela calmement Argel.

— Bah ! L'amour ! Que vient-il faire là-dedans ? Et qu'est-ce que c'est, l'amour ? Des sottises, rien d'autre. Ne me regardez pas comme cela, Gorawen. J'ai le droit d'avoir mes opinions.

— N'aimez-vous pas notre seigneur Merin ?

— Est-ce qu'il m'aime, lui ? riposta Ysbail. Non, pas du tout ! Il m'a prise comme concubine parce qu'il espérait avoir un fils, c'est tout. Je l'apprécie, je le respecte, cela suffit bien !

L'été s'étirait, et les prétendants de Maia finirent par repartir, déçus. Le dernier à renoncer fut Roger Mortimer.

— Vous êtes certaine que je n'ai aucune chance de parvenir un jour à faire battre votre cœur, Maia ? lui demanda-t-il avec un air de regret. Je vous assure pourtant que je ferais un très bon mari.

— Je suis désolée, Roger. Je vous aime bien, mais cela ne suffit pas. Celui que j'épouserai, je veux l'aimer d'amour, de toute mon âme, de tout mon être ! Je n'envisage pas les choses autrement, sinon je préfère mourir.

— Eh bien ! s'exclama-t-il, l'œil taquin. Moi qui pensais vous enlever…

— Méfiez-vous ! Je suis toujours armée, et je serais obligée de vous tuer si vous tentiez quoi que ce soit de ce genre. Ce qui m'attristerait, dans la mesure où vous êtes le meilleur ami de mon beau-frère…

Il éclata de rire.

— Si vous savez aussi bien viser que votre sœur, je n'ai pas à m'inquiéter.

— Contrairement à Averil, je sais manier une dague.

Roger Mortimer saisit ses mains et les effleura de ses lèvres.

— Soit, lady Maia. Je vous salue, à mon grand regret. J'espère que vous trouverez bientôt l'âme sœur et que vous vivrez toujours entourée d'amour.

— Vous savez choisir les mots qu'il faut, admit-elle, sincèrement touchée.

Elle le regarda partir sur son cheval en songeant qu'il était bien dommage qu'elle ne puisse l'épouser. Mais c'était impossible, elle le savait, puisqu'elle aimait l'homme sans visage qui hantait ses nuits depuis qu'elle avait eu quinze ans. Qui était-il? Et pourquoi ne se matérialisait-il pas?

La première fois qu'il était apparu dans ses rêves, elle s'était effrayée, mais sa voix grave et mélodieuse l'avait réconfortée et elle avait compris qu'il ne lui voulait aucun mal.

Alors il lui avait pris la main et ils s'étaient envolés au-dessus de la campagne, jusqu'à un magnifique château situé sur une île, au milieu d'un lac.

C'était là qu'ils vivraient quand elle serait à lui, disait-il, dans ce château qui ne ressemblait à rien de ce qu'elle avait vu jusqu'ici. Ses tours rondes s'élançaient vers un ciel d'encre parsemé d'étoiles. Les roses s'épanouissaient à profusion dans les jardins, parmi une variété de fleurs des plus délicates.

Chaque nuit, son mystérieux amant revenait, lui prenait la main et l'emmenait par la voie des airs vers ce château merveilleux. Ses baisers et ses caresses lui faisaient tourner la tête. Il s'était acquis son cœur innocent dès l'instant où il avait surgi dans sa vie.

— Pourquoi n'allez-vous pas voir mon père pour obtenir ma main? lui avait-elle demandé, une nuit.

— Je le ferai, mon amour, lorsque vous serez sûre que nul autre que moi ne pourra vous séduire. Si vous m'aimez, Maia, je serai le seul, l'unique. De cela, je dois avoir la certitude.

— Mais je ne suis même pas sûre que tout cela soit réel!

Elle n'avait pas vu son sourire, car son visage restait toujours dans l'ombre, même quand il l'embrassait. De même, elle n'avait pas perçu la gaieté dans sa voix lorsqu'il lui avait répondu:

— Quand vous vous réveillerez demain matin, mon amour, vous trouverez la preuve de ma réalité sur votre oreiller.

Le lendemain matin, Maia avait découvert une minuscule réplique du château merveilleux sur son oreiller. Ciselé en or et en argent, le bijou suspendu à une chaîne était enchâssé dans un saphir. Sa beauté presque surnaturelle lui avait arraché un cri de plaisir.

Sans hésiter, elle l'avait noué autour de son cou et caché sous sa chemise. Il s'agissait de magie, et ses parents auraient été bouleversés s'ils l'avaient découvert.

Qui pouvait bien être cet homme énigmatique qui venait l'enlever toutes les nuits ? Pour lui, elle s'était débarrassée de tous ses prétendants. Il était aussi réel que son pendentif et elle ne doutait pas qu'il se matérialiserait bientôt, même s'il avait surgi de ses songes.

Un jour, Maia se retrouva contrainte de montrer son bijou aux siens, car il n'avait pas échappé au regard affûté d'Ysbail…

— Si tu demandais à ta fille d'où elle tient ce superbe pendentif qu'elle porte depuis quelques jours ? suggéra la concubine à Argel.

Lorsque Argel vit le bijou, le trouble l'envahit.

— D'où tiens-tu cela, ma fille ?

— C'est un cadeau, mère.

— De qui ?

— De l'homme que je vais épouser. Il ne tardera pas à venir, et ce sera lui ou personne.

— Qui est-ce ? Et comment as-tu pu le rencontrer sans nous ?

— Je l'ignore, avoua Maia. Il vient me voir toutes les nuits, dans mes rêves, et il m'emmène dans son château situé sur un lac de toute beauté. Quand je lui ai demandé s'il était réel, il m'a répondu qu'il m'en fournirait la preuve. Le lendemain, à mon réveil, j'ai trouvé ce pendentif sur mon oreiller.

Argel parut stupéfaite. Gorawen se précipita vers elle et lui prit la main.

— C'est de la magie, dit-elle. De la grande magie.

— Je l'aime, murmura la jeune fille.

— Elle est ensorcelée! s'écria Ysbail en se signant, le teint blême. Je n'ai plus qu'à espérer que ce sorcier n'ait pas fait de mal à ma Junia qui dort près de sa sœur!

Les autres femmes se tournèrent vers Junia.

— Ces phénomènes t'ont-ils affectée, mon enfant? As-tu pris part aux rêves de Maia, d'une façon ou d'une autre?

— Je m'endors dès que je pose la tête sur l'oreiller et je ne me réveille qu'au matin sans même avoir rêvé. Je n'avais jamais entendu parler du songe de Maia jusqu'ici. J'aimerais bien en faire de semblables! Ce doit être excitant...

Ysbail bondit de son siège et gifla sa fille.

— Espèce d'idiote! Ne tente pas le diable, comme l'a fait cette inconsciente.

Une main sur sa joue cramoisie, Junia se mit à pleurer.

— Assieds-toi, Ysbail, intervint Argel d'un ton ferme. Tu n'aurais pas dû gifler Junia, elle n'a rien fait de mal. Tu oublies qu'elle n'est qu'une enfant. Maia, emmène ta sœur au jardin, veux-tu? Je dois parler avec votre père. Je vous appellerai plus tard.

Dès que les deux sœurs furent sorties, Argel fit signe à un serf.

— Va dire à ton maître que je voudrais le voir le plus vite possible.

— Je me demande qui peut être ce magicien, reprit Ysbail.

— Et moi, je me demande quand il viendra la chercher... remarqua Gorawen.

— Pourrons-nous lui résister? s'enquit Argel.

— J'en doute. Il me semble puissant. D'ailleurs, Maia n'a pas peur de lui alors que son visage reste dans l'ombre.

— Il est sûrement horriblement défiguré, dit Ysbail.

— Ou d'une beauté sans pareille, rétorqua Gorawen.

141

— Pourquoi se cacherait-il, dans ce cas?

— Pour être aimé pour ce qu'il est, non pour son apparence, suggéra Argel.

— Nous devrions bientôt avoir la réponse à nos questions, dit Gorawen. La fin de l'année approche, il voudra certainement se marier avant l'hiver.

Sur ces entrefaites, Merin Pendragon arriva. Ses femmes se levèrent pour le saluer et l'installer près de la cheminée. Il venait de dompter un jeune cheval. Ses cheveux gris et sa chemise étaient encore humides de ses efforts.

— Rafe m'a dit que tu semblais pressée de me voir, femme. Que se passe-t-il? Cette petite interruption ne me déplaît pas, remarque. Cet animal est du genre coriace!

Argel lui raconta calmement ce que Maia venait de leur confier.

— Je pense que cela explique qu'aucun prétendant n'ait trouvé grâce à ses yeux, conclut-elle.

— Es-tu certaine que Junia et elle ne s'amusent pas à tes dépens?

— Où aurait-elle trouvé ce pendentif, si c'était le cas?

— Tu l'as vu? Ce n'est pas une fantaisie quelconque?

— Non.

Il se tourna vers Gorawen.

— C'est aussi ton avis?

— Oui. La chaîne est particulièrement ouvragée. Quant au pendentif, seul un magicien pourrait représenter un château miniature aussi parfait dans un rubis. Si elle ne le tenait pas de lui, où aurait-elle pu se le procurer?

Pendragon hocha lentement la tête.

— Cet homme a-t-il de bonnes intentions, ou est-il acoquiné avec le diable?

— Nous le saurons quand nous le verrons, répliqua Gorawen.

142

— Et elle ne veut se marier qu'avec lui ?

— Elle est catégorique.

— Peut-être n'est-il intéressé que par sa dot et ses terres ?

— Il possède un château, lui rappela Gorawen.

— Tout au moins l'a-t-il fait croire à cette petite écervelée, jeta sèchement Ysbail. S'il détient les pouvoirs que vous lui prêtez, il se pourrait que ce château ne soit qu'une illusion.

Argel et Gorawen échangèrent un bref regard.

— Je ne crois pas, dit le Dragon Lord. Je m'en assurerai, de toute façon, avant de prendre une décision.

Maia et Junia revinrent à ce moment-là.

— Il commence à faire nuit, annonça Maia.

— Et le vent se lève.

— Venez près du feu, les invita Merin.

Il prit Junia sur ses genoux et sourit quand elle blottit sa tête au creux de son épaule.

— Alors, Maia, continua-t-il. Ce que ta mère vient de me raconter n'est pas une plaisanterie ?

— Non, père. C'est la vérité.

— Comment peux-tu aimer un homme dont tu n'as jamais vu le visage ?

Elle haussa les épaules.

— Je ne le sais pas moi-même, mais sa voix et ses manières m'ont conquise. Ses gens lui semblent très attachés et ses chiens accourent vers lui dès qu'ils l'entendent. Il est gentil et tendre avec moi. Je n'épouserai pas un homme qui n'aurait pas de sentiments pour moi, père, je te l'ai dit. Je crois qu'il m'aime.

— Tu *crois*, ma fille. Toute la question est là. Est-il vraiment un homme, ou quelque esprit malin qui viendrait te hanter à des fins scélérates ?

— Je m'en moque. Je l'aime, c'est tout ce qui importe.

— Dans ce cas, je veux le rencontrer.

— Il a dit qu'il ne tarderait pas à venir.

— Bien !

En vérité, Merin était troublé. Quel genre d'homme fallait-il être pour s'insinuer dans les rêves d'une jeune fille afin de la séduire?

Cette nuit-là, lorsque Maia entra dans le jardin du château de son amant, elle lui dit doucement:

— Montre-moi ton visage. Comment te reconnaîtrai-je, sinon, quand tu viendras demander ma main à mon père?

— Tu me reconnaîtras, mon amour. Ton cœur innocent m'a fait confiance sans que tu voies mes traits, jusqu'ici.

— Mais quand viendras-tu? le pressa-t-elle. J'aimerais être avec toi tout le temps, pas seulement la nuit!

— Je ne tarderai plus, je te le promets. Et tu le sais, puisque tu as porté le pendentif devant tout le monde, aujourd'hui.

Il se pencha et posa ses lèvres sur les siennes.

La nuit suivante, Maia ne rêva pas de lui. Au matin, elle se réveilla en pleurant, dans un état d'agitation extrême. Personne ne put la calmer jusqu'à ce qu'un domestique accoure dans la grande salle, annonçant l'arrivée d'un cavalier.

Maia sauta immédiatement sur ses pieds en s'essuyant les yeux.

— C'est lui! Il est venu! s'écria-t-elle en s'élançant dehors, ses longs cheveux de feu ondulant derrière elle comme une flamme.

Toute sa famille lui emboîta le pas.

— Comment sait-elle que c'est lui? jeta Ysbail. Junia! Reste près de moi.

Un grand étalon noir s'arrêta dans la cour du château et son cavalier sauta à terre avec souplesse. Élancé, il avait des cheveux noirs ondulés coupés court, des yeux gris ardoise et des traits parfaits.

C'est l'homme le plus séduisant que j'aie jamais vu, songea Gorawen.

À la surprise générale, Maia émit un petit cri et se jeta à son cou.

— Tu es venu me chercher ! dit-elle, le contemplant d'un air émerveillé.

Il l'enveloppa dans ses bras, les yeux brillants de plaisir.

— Oui, Maia, mais je ne t'emmènerai qu'avec la permission de tes parents, répondit-il en posant un baiser sur son front.

L'écartant, il s'inclina devant Merin Pendragon.

— J'ai l'honneur de vous demander la main de votre fille, mon seigneur.

— Nous en discuterons en privé, répliqua Merin. Nous voulons d'abord connaître votre nom.

— Je m'appelle Emrys Llyn.

— Le Seigneur du Lac ! s'exclama Gorawen.

— Lui-même, madame.

— Ce seigneur descend de Lancelot du Lac, le chevalier du roi Arthur, et de la Dame du Lac. N'est-ce pas, mon seigneur ? dit Gorawen.

— En effet, leur sang coule dans mes veines.

— Mais Lancelot n'a-t-il pas trahi le roi Arthur en séduisant la reine ? demanda Ysbail, revenue de sa stupeur.

— C'est vrai, admit Emrys Llyn. Et ce faisant, il a brisé le cœur de la Dame du Lac, sa femme aimante. On raconte que l'une des demi-sœurs d'Arthur avait jeté un sort à Lancelot et Guenièvre pour qu'ils trahissent le roi en devenant amants. Ensuite Mordret, le fils d'Arthur, tira parti de la situation, entraînant la chute de Camelot et, finalement, la mort de son père. Ce fut une terrible tragédie.

Il posa son regard sombre sur le Dragon Lord.

— Votre ancêtre ne fut pas impliqué dans tout cela, n'est-ce pas ?

— Non. Merlin décida qu'il devait rester dans l'ombre afin que la lignée d'Arthur continue. Arthur n'a jamais rencontré ses trois demi-sœurs avant d'être couronné. Comme l'Enchanteur le lui avait recommandé, il a tenu secrète l'existence du fils qu'il avait eu avec Lynior et grâce à cela, mon ancêtre a eu la vie sauve. Mais comment connaissez-vous mon histoire, Emrys Llyn ?

— La Dame du Lac était l'une des rares à partager les secrets de Merlin. C'est elle qui garda l'épée du roi, Excalibur, avant que Merlin n'apprenne la véritable identité d'Arthur. À la mort de ce dernier, Lancelot rendit l'épée à la Dame du Lac. On dit qu'elle la conserve précieusement et qu'une union entre nos familles effacerait la trahison de Lancelot envers Arthur. Cela n'a pas été possible, jusqu'ici.

— Hmm… marmonna Merin en hochant la tête. Avant de vous donner ma fille en mariage, j'aimerais vous connaître un peu mieux, Emrys Llyn. Maia m'est très chère, et elle est ma seule fille légitime. Elle aura des terres en plus de sa dot.

— Je n'ai pas besoin de vos terres, Merin Pendragon, répondit fermement le Seigneur du Lac. J'accepterai l'autre partie de sa dot, mais je l'épouserais même si elle n'en possédait pas. Je l'aime.

— Mes seigneurs, allons nous installer dans la grande salle, intervint Argel. Nous nous désaltérerons tout en discutant de l'avenir de ma fille.

Peu après, les hommes prenaient place dans les fauteuils d'honneur situés près du feu. Argel servit du vin doux dans ses plus belles timbales en argent et invita les femmes à s'asseoir sur les bancs.

— Comment avez-vous connu Maia ? demanda le Dragon Lord à Emrys Llyn.

Le Seigneur du Lac sourit.

— J'ai hérité des pouvoirs magiques de ma famille et je me suis informé. Je savais que vous aviez trois filles, dont deux en âge de se marier. En consultant les astres, j'ai appris que votre aînée avait suivi un chemin différent et que de toute façon, nos caractères n'étaient pas compatibles. J'ai ensuite découvert que le thème de Maia était tout à fait conciliable au mien, et j'ai décidé de la choisir pour femme. Toutefois, je devais d'abord faire sa connaissance, car la concordance des étoiles ne suffit pas toujours. Mais je l'ai aimée au premier regard.

— Dans ce cas, pourquoi lui avez-vous caché votre visage ? s'étonna Merin.

— Parce que, très souvent, les jeunes filles innocentes tombent amoureuses d'un visage séduisant. Je ne ferai pas de fausse modestie en prétendant ignorer que la nature m'a gâté. Je suis beau et je le sais. Mais je veux être aimé pour ce que je suis, pas pour mon apparence. Or, votre fille m'a reconnu instantanément, alors qu'elle n'avait pas vu mes traits.

Le cœur de Maia fit un bond.

— Père ! Laisse-nous nous marier, aujourd'hui !

— Non. Je tiens à connaître un peu mieux cet homme avant de te confier à lui.

— J'en mourrais si je ne pouvais l'épouser !

— Écoute ton père, mon amour. Il agit dans ton intérêt. Il ne s'oppose pas à notre union, il a seulement besoin d'un peu de temps, ce qui est compréhensible.

— Lord Emrys, vous nous ferez un grand honneur en acceptant notre hospitalité, intervint Argel pour calmer à la fois son mari et sa fille, connus pour leur caractère explosif. Maia et Junia, allez préparer la chambre de la tour pour notre invité, voulez-vous ?

Les deux sœurs se levèrent aussitôt et quittèrent la pièce.

Argel se tourna alors vers Emrys Llyn.

— Dites-moi, mon seigneur, ce château dont nous a parlé Maia, où vous pensez vous installer une fois mariés, est-il bien situé au milieu de ce lac légendaire ?

— Oui. Ce fut la demeure de la gardienne d'Excalibur. Elle la fit construire pour y vivre avec son mari, Lancelot. D'immenses jardins qu'elle entretenait elle-même l'entourent. Certains prétendent l'y apercevoir parfois, au clair de lune, car comme tous les êtres de l'Autre Monde, elle est immortelle, expliqua-t-il à son auditoire fasciné.

— Hmm… voilà qui est très romanesque, mais ne nous éclaire pas sur l'endroit où se situe ce château, remarqua Merin Pendragon.

— Il n'est pas très loin d'ici, mon seigneur, au nord-ouest, dans une vallée cachée entre des montagnes, juste avant d'arriver en bordure de mer. Pour vous prouver que je ne mens pas, je suis prêt à vous y emmener quand vous le voudrez. Il y en a pour deux jours de voyage. Bien sûr, nous irions plus vite si j'usais de la magie pour vous y conduire, mais si je recourais à un tel procédé, vous ne seriez pas convaincu de son existence, n'est-ce pas ? ajouta-t-il avec un sourire amusé.

À la surprise générale, le Dragon Lord se mit à rire.

— Non, admit-il en secouant la tête. Probablement pas.

— Permettez-moi de passer quelques jours ici, avec Maia, et je vous y emmènerai ensuite.

— C'est une bonne idée, messires, mais je crois, Emrys Llyn, que nous serions tous rassurés si vous nous promettiez de ne pas vous immiscer dans les rêves de Maia pendant votre séjour à Dragon's Lair, suggéra Gorawen. Qu'en penses-tu, Argel ?

Gorawen était douée de bon sens. Ayant remarqué que Merin et sa femme semblaient un peu décontenancés face au Seigneur du Lac, pour ne pas dire fascinés, elle avait jugé bon d'intervenir.

— Bien sûr, répondit l'épouse de Merin sans hésiter.

— Vous avez ma parole, déclara le jeune homme en croisant brièvement le regard de Gorawen.

Il détecta aussitôt qu'elle possédait certains pouvoirs magiques, et que le seigneur et sa femme la tenaient en haute estime. La demeure de Merin Pendragon lui paraissait à la fois intéressante et réconfortante.

Pendant qu'ils bavardaient, des serfs s'agitaient en silence dans la grande salle pour disposer le repas. Tout en remplissant les verres des hommes dès qu'ils se vidaient, Argel observait le Seigneur du Lac. C'était l'homme le plus séduisant qu'elle eût jamais vu. Il était courtois mais dégageait indéniablement un certain mystère, une impression indéfinissable qui la troublait.

Comme si elle avait deviné ses pensées, Gorawen l'entraîna à l'écart.

— Nous ne savons rien de lui, n'est-ce pas ? murmura-t-elle. Rien de ses parents non plus. Il semble connu, mais personne ne l'a vraiment côtoyé. Et d'où tient-il ses pouvoirs ?

— Du diable, si vous voulez mon avis ! dit tout bas Ysbail qui, refusant d'être exclue, s'était empressée de les suivre. Sa beauté est surnaturelle. Cette peau si claire, ces cheveux sombres, ces yeux de couleur changeante… est-il seulement humain ?

— Sans aucun doute, affirma Gorawen. Il a simplement des pouvoirs magiques. Je me demande si les enfants de Maia en hériteront.

Elle se mit soudain à rire et ajouta, sur le ton de la confidence :

— Averil adore son Rhys, mais je crois que lorsqu'elle apprendra que sa sœur s'apprête à épouser un grand seigneur, elle éprouvera un pincement de jalousie !

— Si toutefois notre seigneur Merin autorise ce mariage, précisa Ysbail. J'espère que Junia aura plus de jugeote et qu'elle choisira un parti intéressant, pourvu d'un grand château, de bonnes terres et d'une bourse bien remplie. Le mariage d'Averil a commencé par un drame, et celui de Maia ne s'annonce pas sous les meilleurs auspices. Je sais que notre seigneur veut laisser choisir ses filles, mais s'il décidait lui-même, il y aurait peut-être moins de problèmes. Il serait d'ailleurs préférable qu'il cesse de privilégier l'amour. C'est ridicule, et cela ne mène à rien !

Junia et Maia revinrent et s'inclinèrent devant Argel.

— La chambre de notre hôte est prête, mère, dit Maia.

— Dans ce cas, tu peux passer un moment avec Emrys Llyn, ma fille. Mais vous devrez rester dans la grande salle. S'il veut te courtiser, il le fera devant ta famille. Merin, ajouta-t-elle en revenant vers son mari, il est temps que tu laisses Emrys en tête à tête avec Maia.

Le Seigneur du Lac se leva aussitôt, s'approcha de sa bien-aimée et prit ses mains dans les siennes.

— Mon amour, dit-il doucement.

Maia le contemplait d'un regard lumineux, ses joues légèrement colorées sous l'effet de l'émotion.

— Mon seigneur... répondit-elle avec un sourire radieux.

Il lui offrit son bras et ils s'éloignèrent des autres.

Gorawen secoua la tête.

— Maia est amoureuse et elle n'aimera jamais un autre que lui. Regarde-la, Merin. Tu ne pourras pas l'empêcher d'accomplir son destin.

— Il y a quelque chose en lui qui me laisse perplexe, avoua-t-il.

— Je sais, moi aussi, et nous ne sommes pas les seuls à éprouver le même trouble, mais quoi qu'il en soit, c'est lui qu'elle veut. Il s'agit d'une passion qui ne s'éteindra pas, j'en ai peur.

— Cette petite idiote est ensorcelée ! commenta Ysbail. Je n'ai plus qu'à espérer que Junia se montrera plus avisée.

— Junia ira où son cœur la conduira, rétorqua Gorawen.

— Que notre Seigneur Jésus et sa Sainte Mère l'en gardent ! Je veux que ma fille épouse un homme pourvu de biens et de bonne réputation. Il est hors de question qu'elle devienne une concubine, comme moi. Elle sera une femme respectable, elle !

Gorawen et Argel préférèrent ne pas lui répondre. Elle pouvait dire ce qu'elle voulait, la petite Junia suivrait les élans de son cœur, des élans qui ne la mèneraient pas forcément vers un homme « pourvu de biens et de bonne réputation ». Et elles la soutiendraient, tout comme elles soutenaient Maia.

L'heure du repas venue, Argel les invita à passer à table.

— Nous mangeons simplement chez nous, mon seigneur, dit-elle au Seigneur du Lac qu'elle plaça à la droite de son mari, tandis qu'elle s'asseyait à sa gauche.

Une fois la bénédiction prononcée, Brynn fit irruption dans la pièce en s'excusant de son retard.

— Voici le prétendant de ta sœur, Emrys Llyn, le Seigneur du Lac, lui dit Merin.

— Alors le grand étalon noir qui est à l'écurie est à vous, mon seigneur ? demanda le garçon en prenant une tranche de pain.

— Oui, petit.

— Pourquoi ses sabots brillent-ils autant ?

— Parce que je les frotte avec de l'huile d'olive.

— Pourquoi ?

— Parce que cela le rend encore plus beau et qu'il aime ça.

— Oh, fit Brynn, stupéfait d'apprendre qu'un cheval pouvait se soucier de son apparence, surtout quand il s'agissait d'un puissant destrier.

— En graissant la corne, on l'empêche aussi de se fendiller ou de se casser.

— Ah, je vois, opina Brynn qui comprenait mieux ce genre d'argument.

Emrys se pencha vers Merin.

— Votre fils a l'esprit pratique, commenta-t-il en souriant. C'est une qualité que j'apprécie beaucoup.

— Il l'a héritée de sa mère tout autant que de moi.

On leur servit des truites fraîchement pêchées, des anguilles en saumure et de la morue salée, le tout accompagné d'une sauce à la crème. Suivirent un chapon, du mouton rôti, du jambon, une tourte au lapin et des légumes verts. Le repas s'acheva par du fromage et des poires. Pour les boissons, les dîneurs avaient le choix entre du cidre, de la bière ou du vin.

Emrys Llyn mangea de bon appétit et complimenta le Dragon Lord pour la qualité de sa table. Il s'adressa ensuite à Argel.

— Si votre repas était simple, madame, il n'en était pas moins délicieux. J'ose espérer que votre fille a hérité de vos qualités de maîtresse de maison.

— Merci pour le compliment, mon seigneur. Il me va droit au cœur. Maia est une excellente femme d'intérieur, n'en doutez pas.

Merin s'abstint de vanter les qualités de sa fille. Elle était amoureuse, mais il n'arrivait pas encore à s'y faire. Son gendre était mystérieux, même s'il ne lui déplaisait pas, au contraire. Sa lignée s'accordait parfaitement à celle de Maia. Un descendant de Lancelot du Lac avec une descendante du grand roi Arthur... n'était-ce pas prometteur ? Néanmoins, il gardait toujours une réserve, à cause de ce petit quelque chose sur lequel il ne parvenait pas à se prononcer.

Après le dîner, Brynn et Junia montèrent se coucher pendant que les plus vieux s'installaient devant le feu.

— Dites-moi, lord Emrys, comment se fait-il qu'un homme tel que vous ne se soit pas encore marié ?

demanda soudain Gorawen. Je vous avoue que nous nous interrogeons tous sur votre âge.

— J'ai vingt-cinq ans, madame, et j'ai déjà été marié deux fois, répondit-il sans détour. Mes deux premières femmes sont mortes.

— Avez-vous des enfants ?

— Non, hélas.

— De quoi sont mortes vos précédentes épouses, mon seigneur ? s'enquit Argel.

— Je ne peux pas vous répondre car je n'en sais rien. L'une comme l'autre se sont couchées, un soir, se sont endormies et ne se sont jamais réveillées. C'est très étonnant, je vous l'accorde.

— Étaient-elles malades ? questionna Gorawen.

— Pas à ma connaissance.

— Auriez-vous des ennemis qui auraient pu leur jeter un sort ?

— Je ne pense pas. Voyez-vous, nous autres magiciens ne faisons pas étalage de nos pouvoirs car cela effraie les gens, en général. Vous devez le savoir, madame, puisque vous-même en possédez certains.

— C'est vrai. Mais admettez qu'il est étrange qu'elles soient mortes toutes les deux, et dans les mêmes conditions.

Il en convint.

— Nous ne voudrions pas que Maia subisse le même sort, insista Argel. Elle est ma fille unique et je tiens à elle comme à la prunelle de mes yeux.

— Madame, si je pouvais vous promettre que rien de tel ne lui arrivera, je le ferais, mais cela m'est impossible, hélas, répliqua Emrys Llyn. La disparition de mes deux précédentes épouses n'a servi le dessein de personne, à ma connaissance. Ni l'une ni l'autre n'avait une dot importante ou une famille puissante. Personne n'avait de raison de les tuer, et il n'y avait aucune marque de violence sur leur corps.

— La magie ne laisse pas de trace, murmura Gorawen.

À ces mots, il pâlit et Gorawen comprit que, s'il n'était pas responsable de la mort des deux malheureuses, il en savait plus qu'il ne voulait l'admettre. Pourquoi refusait-il d'en dire davantage? Elle songea brièvement à confier ses soupçons à Merin et Argel, mais décida finalement d'attendre de mieux connaître cet homme avant de prendre une décision. Maia semblait très éprise, et rien ne la ferait changer d'avis.

— J'ignore qui pourrait avoir eu recours à un maléfice, madame, dit-il calmement. Peut-être ai-je un ennemi inconnu?

— Ce qui nous ramène au problème qui me préoccupe, intervint Merin Pendragon. Je crains pour la sécurité de ma fille, si je vous accorde sa main. Quand ces morts mystérieuses ont-elles eu lieu?

— J'ai épousé Rosyn, ma première femme, il y a cinq ans, et elle est morte quatre mois plus tard. Après avoir gardé le deuil pendant un an, j'ai songé à me remarier, ce que j'ai fait il y a deux ans. Le décès de Gwynth est survenu un mois après.

— Étaient-elles apparentées de près ou de loin? Avaient-elles un point commun quelconque?

Après tout, c'étaient peut-être elles qui étaient visées, plutôt que le Seigneur du Lac...

— Absolument pas. Rosyn était la fille d'un seigneur du Nord, alors que Gwynth était celle d'un riche négociant du Sud. Elles ne se ressemblaient pas et rien ne les liait.

— C'est très bizarre, remarqua Argel.

— Pourquoi insistez-vous tous de la sorte? s'écria soudain Maia. J'épouserai Emrys de toute façon. Nous sommes destinés l'un à l'autre et je ne laisserai personne se mettre en travers de notre chemin!

Le jeune homme s'approcha d'elle et lui prit la main.

— Ne t'inquiète pas, ma chérie. Il est normal que tes parents soient préoccupés, après ce qui est arrivé. Je le suis moi aussi, mais pour autant, je ne quitterai pas Dragon's Lair sans toi. Je sais que nous sommes faits l'un pour l'autre, je n'en doute pas un instant.

— Mais comment pourrais-je consentir à votre union, dans ces conditions ? dit le Dragon Lord.

Maia darda sur lui un regard déterminé.

— Si tu refuses de me laisser épouser le Seigneur du Lac, père, je m'enferme dans ma chambre et je cesse de m'alimenter et de boire jusqu'à ce que tu acceptes. Si tu tentes de défoncer la porte, je saute par la fenêtre de la tour.

Sur ce, elle s'élança hors de la pièce, prête à mettre sa menace à exécution. Ils en restèrent tous interdits.

— Elle est jeune et impulsive, commenta Merin Pendragon, d'une voix qui manquait toutefois de conviction. Demain matin, elle aura retrouvé la raison. Maia a toujours été une jeune fille sensée.

Les trois femmes échangèrent un regard sceptique.

— Venez, mon seigneur, je vais vous conduire à votre chambre, dit Argel en se levant.

— La nuit porte conseil, ajouta Gorawen, devant l'air soucieux d'Emrys Llyn. Nous y verrons plus clair demain.

— C'est toi qui dormiras avec le Dragon Lord, Gorawen, décida Argel avant de sortir. Il a besoin d'être apaisé.

Ysbail se leva, contrariée.

— Pourquoi s'adresse-t-elle toujours à elle dans ces cas-là ? se plaignit-elle. Moi aussi je m'y connais, en amour.

Merin Pendragon se mit à rire.

— Bien sûr, mais ensuite tu recommenceras à me harceler avec tes problèmes jusqu'à ce que je ne puisse plus te supporter. Gorawen sait s'y prendre pour me détendre, aussi bien physiquement que moralement.

Il se leva à son tour et embrassa Ysbail sur la bouche.

— Tu t'occuperas de moi une autre fois, quand je serai d'humeur à livrer bataille avec toi.

Sur ce, il sortit avec Gorawen, la femme qu'il aimait.

Ysbail haussa les épaules. Merin Pendragon était un homme honnête et franc, qui la traitait avec bonté. Elle n'avait pas de raison de se plaindre.

Après s'être versé un autre verre de vin, elle partit se coucher à son tour.

8

Le lendemain matin, quand Argel descendit après une nuit sans sommeil, elle découvrit Junia enroulée dans une couverture, devant la cheminée de la grande salle. Près d'elle se trouvait un panier avec ses vêtements et son visage portait des traces de larmes. Argel soupira. Maia ne se laisserait pas fléchir aisément. Très obstinée, elle revenait rarement sur ses décisions.

Elle se baissa, posa une main sur l'épaule de la jeune fille et la secoua doucement.

— Réveille-toi, mon enfant. Le jour est levé et la maisonnée ne va pas tarder à s'animer.

Junia ouvrit les yeux. Dès qu'elle vit Argel, elle se mit à pleurer.

— Maia m'a mise dehors et elle a dit qu'elle allait se laisser mourir! Oh, mon Dieu! J'ai tellement peur!

Argel sentit la moutarde lui monter au nez. Comment sa fille pouvait-elle effrayer sa petite sœur d'une façon aussi cruelle?

— Ne t'inquiète pas, Junia, la réconforta-t-elle en l'attirant dans ses bras. Ta sœur est obstinée, tu la connais. Elle a décidé d'obtenir ce qu'elle voulait à n'importe quel prix. Elle est amoureuse, et elle s'est enfermée dans la tour en refusant de se nourrir jusqu'à ce qu'elle puisse épouser le Seigneur du Lac. Ne t'inquiète pas, elle ne mettra pas sa menace à exécution. Elle essaie de nous intimider, voilà tout. Parfois, l'amour rend idiot, et elle est très amoureuse d'Emrys

Llyn. Mais ton père et moi sommes inquiets à cause de la mort mystérieuse de ses deux précédentes épouses. Nous devons nous assurer que Maia ne risque rien avant d'autoriser ce mariage. Ce qui nous étonne, c'est que malgré l'étendue de ses pouvoirs magiques, le Seigneur du Lac ne puisse expliquer ces étranges disparitions.

— Peut-être en ignore-t-il la raison? suggéra innocemment Junia.

— C'est ce qu'il prétend, en effet.

— J'aime bien le Seigneur du Lac, et je ne pense pas qu'il vous mentirait. Il aime profondément Maia.

— Je sais.

— Il a pourtant un regard si triste...

— Eh bien, mon enfant, tu es très observatrice! approuva Argel en la serrant contre elle, songeant que parfois, les jeunes filles innocentes étaient plus clairvoyantes que les adultes. Prends tes affaires et va t'installer dans la chambre de ta mère. Tu dormiras avec elle jusqu'à ce que le problème de Maia soit résolu.

— D'accord, s'inclina la jeune fille en lui obéissant sans discuter.

Gorawen sortit de l'ombre où elle était restée tapie.

— J'ai tout entendu, lança-t-elle à Argel. J'ignorais que cette petite était aussi avisée. Elle ne ressemble pas du tout à sa mère.

— Non, en effet. Heureusement, nous avons encore le temps avant de penser à son mariage. Après l'aventure d'Averil, l'an passé, et ce qui arrive maintenant à ma petite Maia, nous aurons besoin de souffler un peu!

Elle s'installa à table et invita Gorawen à la rejoindre.

— Merin dort encore. Il s'est endormi apaisé, mais je ne suis pas sûre qu'il accorde la main de sa fille au Seigneur du Lac si des doutes subsistent.

— Qu'en penses-tu, toi?

— D'un côté, je le comprends, mais Maia et Emrys Llyn sont visiblement très amoureux. Ce jeune homme ne me paraît ni mal intentionné ni dangereux. Sa lignée est irréprochable. Une union entre des descendants d'Arthur et de Lancelot me semble parfaite, et il ne pourrait en naître que des enfants d'exception !

— Reste le problème de la sécurité de ma fille, nota Argel.

— Je vais préparer un charme afin de la protéger de la magie noire, et pour le reste, Emrys veillera à sa sécurité. Tu connais ta fille, Gorawen. Elle est aussi têtue que son père ! Peut-être même plus... Elle est capable de se laisser mourir de faim si nous ne la laissons pas épouser l'homme qu'elle aime. Nous devons veiller à ce que Merin ne s'obstine pas à l'en empêcher.

Un petit sourire naquit sur ses lèvres et elle ajouta :

— Toutefois, cela ne fera pas de mal à cette petite entêtée de passer quelques jours à la diète. Il y a un pichet d'eau dans sa chambre, elle ne se laissera pas mourir, crois-moi.

— J'admire ta sérénité, Gorawen. Le calme avec lequel tu as accepté le mariage d'Averil m'avait déjà impressionnée.

— Averil n'avait pas le choix. Son destin était tracé dès sa naissance, quoi qu'elle en pense. Et Rhys Fitz-Hugh est le seigneur d'Everleigh, à présent, même s'il n'est pas un « grand » seigneur. Maia aussi suivra son étoile, ne t'inquiète pas.

Ysbail choisit cet instant pour faire irruption dans la grande salle, les joues en feu.

— Qu'est-ce que j'apprends ? Ta fille a chassé la mienne de sa chambre ? s'écria-t-elle. Je ne le tolérerai pas !

Argel soupira.

— Calme-toi. C'est seulement l'affaire de quelques jours. Maia boude, mais tout s'arrangera.

— Je me moque qu'elle épouse ce sorcier ou qu'elle se jette par la fenêtre ! affirma Ysbail en s'asseyant à sa place. Plus tôt Junia aura la chambre de la tour pour elle seule, mieux cela vaudra. Il est grand temps que ma fille obtienne enfin ce qui lui est dû !

Elle prit la miche de pain et s'en coupa un morceau.

— Tu as le cœur dur, Ysbail, remarqua Gorawen en buvant son thé. Le sort de Maia t'indiffère donc à ce point ?

— Maia est l'héritière du Dragon Lord. Elle a un prétendant et une dot de choix. Pourquoi la plaindrais-je ? Que restera-t-il à ma pauvre Junia, la benjamine ? Bien peu de choses, j'en ai peur. Vos filles n'auront pas défendu sa cause ! Averil a épousé un bâtard qui serait resté régisseur toute sa vie, si sa sœur n'était morte bien opportunément. Quant à Maia… elle s'est mis dans la tête d'épouser un homme de noble lignée, certes, mais de réputation fort douteuse. Cela risque de porter préjudice à ma fille !

— Merin veillera à ce que Junia soit aussi bien lotie que ses sœurs, n'en doute pas, jeta sèchement Argel.

— Pff ! Étant donné les circonstances, permets-moi d'en douter.

Elle prit un œuf dur et commença à l'écaler.

— Averil a été bien dotée malgré son illégitimité, déclara Gorawen. Du bétail et quinze livres d'argent.

— Des livres d'argent ? s'étonna Ysbail en ouvrant des yeux ronds.

— Merin a mis de côté une livre par année d'âge pour chacune de ses filles. Tu l'ignorais ? Junia a maintenant onze livres de dot. Si elle se marie à quinze ans, comme Averil, elle aura la même somme d'argent.

— Mais Maia en aura davantage, j'en suis sûre ! insista Ysbail.

— Non, elle aura quinze livres, comme les autres.

La seule chose qu'elle aura en plus de ses sœurs, ce sont les terres.

— Oui, bien sûr... mais je n'accepterai pas que Junia soit lésée sous prétexte qu'elle est la plus jeune !

— Il n'a jamais été question qu'elle le soit, et tu le constateras dans quelques années, car elle est encore loin d'avoir l'âge d'être mariée, lui rappela Argel.

— Bonjour, femmes ! lança Merin Pendragon en faisant son entrée, suivi par son invité. Où est Maia ?

— Elle a jeté Junia hors de sa chambre ! s'empressa de se plaindre Ysbail. Et elle s'y est enfermée à double tour !

— Comment ? Elle n'est donc pas revenue à la raison ? Argel, va dire à notre fille que je veux la voir immédiatement !

— Je crains que ce ne soit peine perdue, intervint Gorawen. Maia ne sortira pas de sa chambre tant que tu n'auras pas accepté de la marier à Emrys Llyn.

— Dans ce cas, je défoncerai sa porte à la hache !

— Non, pitié ! s'écria Argel. Maia se jetterait par la fenêtre de la tour !

— Mais non, voyons. Elle ne ferait jamais une chose pareille. Elle est têtue comme une mule, certes, mais pas idiote.

— Notre fille est amoureuse, et l'amour ne rend pas toujours intelligent. Si tu ne la crois pas capable de faire une bêtise, c'est que tu ne la connais pas, insista Argel.

— Quelle petite imbécile ! pesta le Dragon Lord.

— Déjeune, Merin, dit Gorawen en mélangeant du miel et de la crème à sa bouillie d'avoine.

Puis elle beurra une tranche de pain sur laquelle elle posa un morceau de fromage et un œuf dur coupé en tranches.

Les deux hommes mangèrent en silence tandis qu'Ysbail les servait en vin.

— En premier lieu, Emrys Llyn, j'aimerais avoir la certitude que ce château dont nous a parlé Maia est bien réel.

— Il l'est, mon seigneur, je vous en donne ma parole. Si vous tenez à vous en assurer, je propose de vous y emmener dès ce matin. Deux jours aller, deux jours retour, cela fera quatre jours de jeûne pour Maia. Et un de plus si vous voulez y passer une journée.

— Elle ne perd rien pour attendre, celle-ci !

Quand les deux hommes furent prêts à partir, le Seigneur du Lac se tourna vers Gorawen.

— Veillez sur Maia, ma sœur, lui dit-il avant de suivre Merin.

— Pourquoi t'a-t-il appelée « ma sœur » ? s'étonna Ysbail en pouffant.

— Parce que nous pratiquons tous les deux la magie et qu'un lien spécial nous unit. Nous appartenons un peu à la même famille.

— Que comptes-tu faire pour Maia ? s'enquit Argel.

— Attendre simplement qu'il soit midi, l'heure du déjeuner. Elle n'a jamais sauté de repas et elle sera affamée. Quand elle saura que son père est parti avec son fiancé pour inspecter son futur logis, elle descendra.

— À moins qu'elle ne reste sur ses positions, pour ne pas perdre la face.

— Vous êtes trop indulgente avec cette gamine ! jeta Ysbail. Enfin, si vous parvenez à lui faire entendre raison, Junia pourra au moins retrouver sa chambre.

Comme Gorawen l'avait prédit, Argel parvint à convaincre sa fille de renoncer à son plan. Elle les rejoignit à midi, dévora de bon appétit, puis aida sa sœur à rapporter ses affaires dans leur chambre.

— Je croyais que tu ne m'aimais plus depuis que tu aimais Emrys Llyn, lui confia Junia une fois de retour dans la grande salle, les yeux brillants de larmes.

— Mais non, voyons ! Ce n'est pas parce que l'on est amoureuse que l'on n'aime plus ceux qui nous sont chers !

— Comment voulais-tu que je sache de telles choses ? répliqua Junia sur un ton tellement semblable à celui de sa mère que toutes les femmes éclatèrent de rire, même Ysbail.

— Ah ! soupira ensuite Maia. Si j'avais su, je serais partie avec eux…

— C'est un long voyage, tout de même, nota Gorawen, songeant que Merin quittait rarement Dragon's Lair pour s'aventurer aussi loin.

Au même moment, Merin Pendragon se demandait avec regret pourquoi ses deux filles aînées n'avaient pas épousé un voisin proche. Averil habitait à une journée et demie de Dragon's Lair, et Maia s'apprêtait à vivre à deux jours du château. Heureusement, le paysage était magnifique et le temps plutôt clément, malgré la fraîcheur de l'automne. Il apprécia de dormir au sec, dans une petite grotte où ils allumèrent un feu près duquel ils s'installèrent pour dîner. Dans le panier qu'Argel avait fait préparer à leur intention, ils découvrirent du poulet rôti, des galettes d'avoine, du fromage et des pommes. Pour le vin, chacun possédait sa propre flasque.

— Nous devrions arriver chez moi en fin d'après-midi, annonça Emrys Llyn au moment de repartir, le lendemain matin.

— Comment s'appelle votre château ?

— L'Île du Lac. C'est Lancelot qui l'a baptisé ainsi.

Dans l'après-midi, au fur et à mesure qu'ils approchèrent de leur destination, la nature devint de plus en plus sauvage. Ils ne virent plus un seul cottage jusqu'au soir.

— À qui appartiennent ces terres désolées ? demanda Merin Pendragon au jeune homme.

Emrys Llyn haussa les épaules.

— Les grandes familles les revendiquent plus ou moins mais personne ne vient plus ici, mon seigneur, sauf pour chasser de temps à autre.

— Quand arriverons-nous ?

— Bientôt. Regardez, le soleil commence à décliner, au-dessus de cette colline.

— Tant mieux, parce que je ne suis plus tout jeune et même si je répugne à le reconnaître, je n'ai plus mon allant d'antan.

Une heure plus tard, ils amorçaient leur descente vers une petite vallée occupée par un lac magnifique aux eaux d'un bleu profond, entouré de collines boisées.

Ils s'arrêtèrent et Emrys Llyn souffla dans le cor qu'il portait à la ceinture. L'écho répercuta le son dans l'air transparent. Presque simultanément, une barge apparut sur le lac, se dirigeant vers le rivage bien qu'aucun passeur ne s'y trouvât.

Le Seigneur du Lac sourit devant l'air ébahi de son compagnon.

— J'espère que vous me pardonnerez ces légers recours à la magie, Merin Pendragon. Je n'ai pu résister à l'envie de vous faire une petite démonstration.

— Pouvons-nous vraiment embarquer sans risque avec les chevaux ?

— Bien sûr, mon seigneur.

L'embarcation s'arrêta le long de la berge sablonneuse et Emrys se mit à rire.

— Allons, ne soyez pas inquiet ! Venez. Je tiens à vous montrer que Maia sera la plus heureuse des femmes, chez moi.

— Je reconnais que l'endroit est beau – je dirais même, magnifique. Mais qu'est-ce qui me dit que je ne suis pas victime d'une illusion ?

— Mon château est aussi réel que Dragon's Lair, je vous le jure sur Marie et son fils Jésus, Merin Pendragon. Je ne possède pas les mêmes pouvoirs que la Dame du Lac, et je ne me sers des miens que pour faire le bien.

Le Dragon Lord guida son cheval sur la barge et ils arrivèrent peu après en vue d'un château dont les vitres brillaient comme des joyaux dans le soleil couchant.

Dès qu'ils débarquèrent, des serviteurs se pressèrent à leur rencontre, et ils s'engagèrent sur un chemin à travers une prairie fleurie. Ils descendirent de cheval dans une cour pavée où des palefreniers se chargèrent de leurs montures.

— Bienvenu chez vous, mon seigneur ! lança un majordome souriant en accourant vers son maître. Nous ne vous attendions pas si tôt.

— Sion, je te présente Merin Pendragon, le Dragon's Lord, dit Emrys Llyn.

— Bienvenue au descendant du grand roi Arthur, mon seigneur, déclara le majordome en s'inclinant respectueusement.

— Êtes-vous au service de votre maître depuis longtemps ? questionna Merin, toujours méfiant.

— Ma famille a toujours été au service du Seigneur du Lac, mon seigneur.

— Et les servantes de ce château ? Sont-elles réelles, ou bien sont-elles des fées ?

Sion sourit.

— Certaines sont humaines, d'autres sont des fées, ou les deux à la fois. Bien, si vous voulez me suivre, mes seigneurs, le dîner ne va pas tarder à être servi.

Il les conduisit dans le vestibule du château, et Merin ne put retenir une exclamation de surprise quand il fut introduit dans la grande salle. Il s'agissait d'une vaste pièce aux poutres sculptées. Deux hautes fenêtres incurvées laissaient entrer la lumière de part et d'autre. Une statue de chevalier en armure se dressait devant chacune des trois immenses cheminées, l'épée au poing. D'immenses tapisseries représentant le roi Arthur et sa cour recouvraient le mur derrière la table, et les boiseries étaient polies par les ans.

Merin Pendragon s'installa de lui-même dans le fauteuil réservé aux hôtes.

— Votre intérieur est magnifique, Emrys Llyn.

— Il fut un temps où les chevaliers et les visiteurs s'y bousculaient pour venir rendre hommage à la Dame du Lac et à Lancelot, son compagnon. C'était il y a longtemps, mais les souvenirs de cette époque hantent encore ces lieux.

— Ce voyage m'a fatigué. Si vous le voulez bien, j'irai me coucher tout de suite après avoir dîné. Vous me ferez visiter le château demain.

— Bien sûr. Vous verrez que Maia sera heureuse ici.

— Peut-être, mais dites-moi, je n'ai aperçu aucun voisinage aux alentours. N'êtes-vous pas un peu isolés, ici ? Ma fille a grandi dans une maison vivante, pleine de femmes. Elle est habituée à avoir du monde autour d'elle. Comment ferez-vous quand vous aurez des enfants ? Qui la guidera ? Qui l'aidera ? Qui la réconfortera ?

— Maia se sent bien avec moi, mon seigneur, et en sécurité. Lorsqu'elle aura envie de compagnie, elle en aura. Les enchanteurs et les fées sont de commerce agréable, elle se fera des amis parmi eux, n'en doutez pas.

Songeant qu'il allait devoir s'habituer à l'idée que sa fille appartiendrait bientôt au monde de la magie, le Dragon Lord opina avant de s'intéresser au copieux repas qu'on leur avait servi.

Il y avait du saumon à l'aneth, des huîtres et des crevettes qui semblaient sortir de l'eau. Étonnant, quand on savait qu'il fallait quelques heures à cheval pour atteindre la mer… Bon, s'il commençait à s'arrêter sur toutes les étrangetés de cette maison, il n'avait pas fini. Les plats de gibier, le chapon, le canard en sauce et le feuilleté au lapin recouvert d'une croûte dorée lui donnèrent l'eau à la bouche. Il mangea de bon appétit et termina par des pommes au four recouvertes de crème et des poires au vin épicé. Pendant tout le repas, son verre ne désemplit pas.

— Excusez-moi pour la simplicité de ma table, mais comme Sion l'a dit, nous n'étions pas attendus aujourd'hui.

Le Dragon Lord éclata de rire.

— Vous avez le sens de l'humour, Emrys Llyn ! C'est le meilleur repas que j'aie jamais mangé. Votre cuisinier est un sorcier, assurément !

— Pas du tout, il est seulement très doué.

Merin Pendragon se leva.

— Il est temps que j'aille au lit, je crois.

Déjà, le majordome était à son côté.

— Permettez-moi de vous conduire à votre chambre, mon seigneur, dit-il en s'inclinant.

— Après vous, mon bon Sion, répondit Merin, jovial, songeant que si la qualité de son lit valait celle de la nourriture, il risquait de passer une nuit divine.

Son opinion d'Emrys Llyn s'était déjà améliorée. Tout laissait penser que sa fille vivrait dans le confort et serait heureuse avec lui. Restait à élucider le mystère des morts de ses deux précédentes femmes, et ses derniers doutes s'envoleraient.

Il fut conduit dans une chambre spacieuse qui donnait sur le lac. Un feu crépitait dans la cheminée, il y avait de l'eau pour la toilette, et un pichet de vin était posé sur une petite table.

— Auriez-vous besoin de quoi que ce soit, mon seigneur ? lui demanda Sion.

— Non, merci, Sion, répliqua le Dragon Lord, constatant que son sac de voyage était posé sur un tabouret.

— Dans ce cas, je n'ai plus qu'à vous souhaiter une bonne nuit, mon seigneur.

Une fois seul, Merin s'assit au bord du lit et se contenta de retirer ses bottes et sa cotte. Cette maison était tout de même étrange : il préférait rester opérationnel, au cas où. De même, il ne ferma pas les rideaux du lit en se couchant.

Jusqu'ici, tout lui avait paru parfait. Trop parfait, peut-être. Demain, il approfondirait son examen des lieux et prendrait une décision. Pour l'heure, il était trop fatigué…

Il dormit paisiblement, d'un sommeil sans rêves, et se leva aux premières lueurs du jour. Après avoir pris un bain, il ouvrit son sac et fut surpris d'y découvrir une tunique soigneusement pliée, en plus d'une chemise et de dessous propres. Il sourit, songeant qu'il ne devrait pas oublier de remercier Argel à son retour. Un homme se sentait toujours plus confiant dans des vêtements propres, elle le savait.

Il se servit de sa chemise sale pour nettoyer ses bottes, s'habilla et descendit dans la grande salle, où son hôte était déjà attablé devant un petit déjeuner aussi appétissant que le dîner de la veille.

Il prit place à son côté et, quand ils se furent restaurés, Emrys Llyn proposa de lui faire visiter le château.

De taille assez réduite, il était bien conçu. Une pièce était réservée pour les livres et les parchemins. Sous la grande salle se trouvaient les cuisines. Un élévateur construit dans la pierre et actionné par une poulie permettait de monter et descendre les plats. Ainsi, les préparations arrivaient toujours chaudes sur la table et le service était réalisé en un temps record, expliqua Emrys Llyn à son hôte. Il lui montra ensuite l'office et la buanderie, où du gibier suspendu au plafond faisandait.

L'étage abritait la chambre du maître et plusieurs autres de tailles plus réduites, dont celle qu'occupait

Merin. De chacun des quatre coins du palier partait un escalier menant aux quatre tours du château. La vieille gouvernante d'Emrys vivait dans la tour sud.

— Elle s'est occupée de toute ma famille et elle est très âgée aujourd'hui, expliqua-t-il. On lui apporte tous ses repas dans ses appartements qu'elle quitte rarement. Voulez-vous la voir ? Elle serait très honorée de rencontrer un descendant du roi Arthur.

— Ce serait un plaisir pour moi, acquiesça Merin Pendragon.

Si Emrys Llyn hébergeait sa vieille gouvernante et la respectait, c'est qu'il ne pouvait être tout à fait mauvais.

Il avait eu raison d'accepter son invitation. Le voir évoluer dans son environnement coutumier était très révélateur.

Peu après, le Seigneur du Lac frappait à une épaisse porte en chêne, qu'une jeune fille souriante leur ouvrit.

— Mon Seigneur ! s'écria-t-elle. C'est Drysi qui va être contente !

Elle les conduisit dans une chambre où une vieille dame était assise dans un fauteuil à haut dossier, devant un feu de cheminée. Petite et menue, elle se tenait voûtée mais son regard délavé brillait dans son visage parcheminé.

— Entrez, entrez ! les invita-t-elle d'un geste vif. Je suis impatiente de voir ce fameux descendant du grand roi.

Merin Pendragon s'approcha et s'inclina légèrement.

— Vous saviez que j'étais là ?

— N'ai-je pas des oreilles pour entendre ?

— Drysi est toujours au courant de ce qui se passe dans l'Île du Lac, dit Emrys Llyn d'un ton amusé. Avant moi, parfois ! ajouta-t-il affectueusement.

— C'est vrai, admit Drysi avec un petit rire de crécelle.

Elle examina ensuite le Dragon Lord.

— Ainsi donc, mon seigneur, votre fille va épouser mon maître.

— Et réciproquement, répondit-il tranquillement.

— Est-ce qu'elle l'aime ?

— Elle l'affirme, en tout cas.

— Il est indispensable qu'elle l'aime de tout son cœur et de toute son âme. Si totalement que, quoi qu'il arrive, leur amour ne vacille jamais. Dites-moi, descendant d'Arthur, votre fille est-elle capable d'aimer aussi désespérément ? Surtout, réfléchissez bien avant de me répondre.

— La seule chose que je puis vous dire, Drysi, c'est que, jusqu'ici, Maia n'a jamais donné son cœur à un homme – à part moi, son père. Devant mes réticences, elle s'est barricadée dans sa chambre en jurant qu'elle n'en sortirait pas et ne se nourrirait plus tant que je n'aurais pas accepté de la laisser épouser Emrys Llyn. Elle a même ajouté qu'elle se jetterait par la fenêtre si je tentais de forcer sa porte. Je pense qu'elle aime votre maître avec toute la démesure dont son cœur innocent est capable.

La vieille dame hocha la tête.

— Voilà qui me paraît prometteur, commenta-t-elle.

— Vous qui savez tout, Drysi, qu'est-il arrivé aux deux précédentes épouses de votre maître ? Il prétend l'ignorer.

— Il vous a dit la vérité. Mais elles étaient aussi stupides l'une que l'autre, si vous voulez mon avis, et la deuxième était cupide, en outre. Je suppose qu'elles étaient nées pour mourir jeunes. Je ne peux pas vous éclairer davantage, mon seigneur, car je n'ai pas le privilège de tout savoir, hélas. Une chose est sûre, toutefois : Emrys est innocent dans cette affaire. Il n'est pour rien dans leur mort, ni de près ni de loin. Vous pouvez me croire.

Le Dragon Lord se demanda si la vieille dame en savait plus qu'elle ne voulait l'admettre. En tout cas, elle protégerait son maître envers et contre tout. Pourtant, plus il connaissait Emrys Llyn, plus il l'appréciait. Il n'y avait rien de maléfique dans ce château, ou chez ses habitants. Il n'avait aucune raison d'interdire à sa fille d'épouser l'homme qu'elle aimait.

— Votre fille sera heureuse ici, descendant d'Arthur. Mais rappelez-vous, son amour pour Emrys ne devra pas flancher, quelles que soient les circonstances.

— Je crois qu'elle l'aime envers et contre tout, répondit Merin avant de se tourner vers son hôte. Montrez-moi ces jardins dont elle rêvait la nuit.

Ils prirent congé de Drysi et descendirent.

Comme Maia l'avait décrit, les jardins s'étendaient de la petite cour intérieure jusqu'à une vaste étendue close de murs qui allait jusqu'aux rives du lac. Il faisait exceptionnellement beau, ce jour-là. Dans l'air d'une douceur extrême flottaient des senteurs de roses, de romarin, de lavande. Des pommiers gorgés de fruits occupaient une bonne partie du jardin. Oui, songea Merin, sa fille serait heureuse ici…

— Il y a un dernier endroit que j'aimerais vous montrer, mon seigneur, dit Emrys Llyn. Venez.

Ils rebroussèrent chemin vers le château et s'engagèrent dans un escalier que Merin n'avait pas remarqué jusqu'ici. Il menait à une sorte de galerie dont toute une façade était percée de fenêtres ouvrant sur le lac. La pièce était claire, ensoleillée, et l'éclat de l'eau se reflétait sur le mur d'en face. Un mur nu. Emrys Llyn agita alors lentement les mains, et, à la grande stupeur de son hôte, des silhouettes commencèrent à se dessiner sur la pierre.

— J'ai pensé que vous aimeriez voir votre ancêtre, Merin Pendragon. Vous lui ressemblez beaucoup.

Il pointa du doigt un homme grand et distingué, vêtu d'une armure portant le blason rouge des Pendragon. D'une main, il tenait un casque et de l'autre, une épée. Une mince couronne en or ceignait sa tête brune.

— C'est Arthur ? demanda Merin, les yeux écarquillés.

— Oui. À sa droite, vous voyez Lancelot et à sa gauche, sa reine.

Guenièvre était d'une beauté délicate et sans pareille. Pas étonnant qu'Arthur soit tombé désespérément amoureux d'elle. Et, tout comme Merin ressemblait à son ancêtre, Emrys Llyn ressemblait à Lancelot.

— Montrez-m'en davantage.

Son hôte sourit et l'entraîna un peu plus loin. Au bas du mur, trois jeunes femmes magnifiques étaient visibles.

— Les demi-sœurs d'Arthur, dit-il. Morgause, qui fut mariée au roi Lot d'Orkney. La fée Morgane qui séduisit Arthur avant qu'il n'apprenne qui elle était, et lui donna un fils, Mordret, responsable de la chute de Camelot. Et enfin, la plus jeune, Elaine, la dame de Shallot, qui se donna la mort par amour pour Lancelot, qui la trahit d'abord avec ma mère puis avec Guenièvre.

— Je n'ai jamais vu de femmes aussi belles…

— Oui, leur beauté était célèbre mais leur cœur était dur. Elles n'oublièrent jamais qu'Uther Pendragon fut responsable de la mort du duc de Cornouailles, leur père, et elles le haïrent inexorablement, bien qu'il les traitât comme ses propres filles. Passionnément amoureux d'Igraine, la femme du duc, Uther prit une nuit les traits du duc, avec l'aide de Merlin, et la séduisit. Les sœurs crurent qu'elle n'était pas dupe de la supercherie. Voilà pourquoi l'existence de votre ancêtre Arthur resta secrète jusqu'à ce qu'il devienne roi.

Emrys lui montra ensuite Merlin et la fée Viviane, sa compagne, qui finit aussi par le trahir.

— Et la Dame du Lac, votre mère ? s'enquit Merin, intrigué.

— Ici, la dernière image, mon seigneur.

Le Dragon Lord l'examina attentivement. Si les demi-sœurs d'Arthur étaient divinement belles, la beauté de cette créature d'un autre monde dépassait tout ce qu'il aurait pu imaginer. Un visage en forme de cœur, une peau d'une finesse, d'une pureté incomparables, d'une blancheur immaculée, très légèrement rose sur les pommettes. Une longue chevelure d'or blanc l'entourait d'un halo de boucles vaporeuses. Ses yeux étaient du même bleu pur que le ciel et que le lac à ses pieds, où le bord de sa robe semblait se liquéfier et se confondre avec l'eau. Elle brandissait la fameuse épée d'Arthur, Excalibur, ses doigts fins refermés autour du manche incrusté de pierres précieuses.

— D'ordinaire, les gens ne voient d'elle que son bras qui tient l'épée, mais, pour mon père, elle a accepté d'être représentée ici, à la seule condition que ces portraits soient tenus invisibles au commun des mortels. Seul le maître du château a le pouvoir de les révéler.

— Je suis très honoré du privilège que vous m'accordez.

— Il y a une dernière chose que j'aimerais vous montrer, Merin Pendragon.

D'un geste circulaire de la main, il fit apparaître la célèbre Table ronde avec ses chevaliers assis tout autour, dans la grande salle de Camelot.

— C'est extraordinaire, murmura le Dragon Lord, les yeux brillants de larmes. Je ne sais comment vous remercier, Emrys Llyn !

— Avez-vous vu tout ce que vous vouliez voir, mon seigneur ?

— Oui, tout.

— Et avez-vous pris une décision ?

— Oui, acquiesça-t-il en soupirant. Je me demande toujours ce qui est arrivé à vos deux femmes, mais je ne doute pas que vous protégerez et chérirez ma fille Maia. Elle est à vous.

— Je donnerais ma vie pour elle.

— J'espère que vous n'en arriverez pas là, Emrys Llyn ! Allons boire à l'union de nos deux familles, maintenant.

9

Brynn Pendragon aperçut les deux cavaliers du haut de la tour nord où il faisait le guet. Malgré la distance et la brume qui imprégnait cette journée grise et humide, il reconnut le cheval de son père. Il ne se pressa pas pour autant de descendre annoncer la nouvelle à sa mère et aux autres femmes. Il avait le temps. Il savait qu'une grande effervescence s'emparerait d'elles, et que son idiote de sœur courrait s'enfermer dans sa chambre à double tour, pour n'en ressortir que lorsqu'elle aurait obtenu ce qu'elle voulait. D'ailleurs, elle y était parvenue. Le fait qu'Emrys Llyn accompagne son père le prouvait. Le Seigneur du Lac ne serait pas revenu pour se voir publiquement éconduit et humilié. Pourtant, Maia s'obstinerait à jouer sa tête de mule. Sa sœur avait une cervelle d'oiseau, décida Brynn.

Le garde de la tour sud l'interrogea du regard, dans l'attente de ses instructions. Il désigna les collines, mais Brynn secoua la tête.

— Pas encore ! lança-t-il à l'homme qui acquiesça et se détourna.

Ainsi donc, Maia allait se marier... Il n'aurait plus que Junia à taquiner, songea Brynn avec un petit sourire. Heureusement, Junia était plutôt marrante, pour une fille, et elle courait drôlement vite ! Plus vite que lui... À cheval, il parvenait tout juste à la battre, d'une tête à peine.

D'ici peu, ils ne seraient plus que tous les deux. Averil continuait de lui manquer et à présent, c'est Maia qui allait partir…

Quand les deux cavaliers furent au milieu du champ, Brynn appela les hommes d'armes, en bas.

— Mon père arrive avec un invité. Tenez-vous prêts !

Il ouvrit une trappe dans le plancher et descendit dans une petite pièce par une échelle. Il referma l'ouverture, coucha l'échelle contre le mur opposé, comme on le lui avait appris, puis sortit et dévala l'escalier menant à l'étage du dessous.

— Père arrive ! s'écria-t-il en faisant irruption dans la grande salle.

Maia sursauta en poussant un petit cri et s'élança aussitôt vers l'escalier.

Il grimaça.

— Ton amoureux est avec lui, espèce d'andouille ! Et s'il est avec lui, c'est sûrement parce que père a accepté qu'il t'épouse. Tu es parvenue à tes fins.

Sa sœur s'immobilisa et se retourna.

— C'était une question de principe, petit frère, répliqua-t-elle d'un ton doucereux. Et ne t'avise pas de leur dire que je suis sortie de ma chambre pendant qu'ils n'étaient pas là, parce que je te le ferais regretter amèrement, Brynn Pendragon.

— Ah, ah… se moqua-t-il avec un grand sourire. Peut-être bien que oui, peut-être bien que non, on verra… Tu ne me fais pas peur, Maia. Oh ! N'est-ce pas notre père que j'entends à la porte ?

Et il éclata d'un rire suraigu tandis que sa sœur soulevait ses jupes et s'engouffrait dans l'escalier.

— Brynn, le gronda doucement Argel.

Mais elle souriait, tout comme les autres, mis à part Junia qui s'esclaffa.

Son frère lui lança un clin d'œil.

— Bientôt, nous ne serons plus que tous les deux, Juni, lui dit-il.

Junia reprit instantanément son sérieux et sa lèvre inférieure se mit à trembler.

— Je ne veux pas que Maia s'en aille ! gémit-elle soudain, au bord des larmes.

— Voilà, tu es content de toi, petit voyou ! s'emporta Ysbail avant de se tourner vers sa fille. Ne pleure pas, mon ange ! Tu auras bientôt l'âge de te marier, toi aussi.

— Je ne veux pas me marier ! Je veux que tout redevienne comme avant, que mes sœurs soient là et ne me quittent jamais...

— Ainsi va la vie, mon enfant, lui dit doucement Argel. Averil est heureuse avec son mari et son fils, et Maia aime profondément Emrys Llyn. Elle se fait une joie de l'épouser. Réjouis-toi de leur bonheur. Bientôt, plus tôt que tu ne le crois, tu les comprendras.

Elle lui ébouriffa affectueusement les cheveux et ajouta :

— Sèche vite ces larmes avant que ton père n'arrive. Nous devons fêter son retour, pas nous montrer tristes.

La fillette parvint à esquisser un sourire lorsque Merin Pendragon entra dans la grande salle en compagnie d'Emrys Llyn. Argel et Gorawen se précipitèrent à leur rencontre, tandis qu'Ysbail remplissait les coupes de vin.

Peu après, les deux hommes s'installaient devant le feu, les dames autour d'eux et les enfants à leurs pieds.

— Mon seigneur, commença Argel, tu es revenu en compagnie du Seigneur du Lac. C'est donc que tu l'autorises à épouser notre fille Maia ?

— Oui, en effet.

— Et il a une maison digne de l'accueillir ?

— Son château, l'Île du Lac, est merveilleusement situé et en excellent état. Les domestiques sont agréables et efficaces, et impatients de connaître leur nouvelle maîtresse.

— As-tu appris la cause de la mort des deux précédentes ? insista Argel.

— Il semble qu'il n'y ait rien de mystérieux là-dedans, ma chère épouse, et que la mort subite de ces deux infortunées ne soit qu'une coïncidence. Pas d'intervention diabolique là-dedans, c'est un soulagement de le savoir.

— Nous pouvons donc nous atteler aux préparatifs du mariage.

— Absolument.

— Dans ce cas, c'est à Emrys Llyn d'aller trouver Maia dans sa chambre pour lui annoncer la nouvelle, décida Argel, le sourire aux lèvres.

— Je vais vous montrer le chemin, mon seigneur ! s'écria Junia en se levant d'un bond pour prendre le jeune homme par la main.

Il jeta un coup d'œil interrogateur à Merin, qui l'encouragea d'un signe.

— Allez-y. Junia, tu es priée de redescendre tout de suite après l'avoir laissé chez Maia.

— Oui, papa !

Dès qu'ils furent sortis, Gorawen se tourna vers le Dragon Lord.

— Alors, raconte ! Le château est-il enchanté ?

— Oui, mais je n'y ai décelé aucune trace de magie noire.

Il leur résuma son aventure, le bateau sans passeur, la configuration des lieux, son entretien avec Drysi.

Drysi... songea Gorawen. Cela signifiait « épine ». Se doutant que Merin ne lui disait pas tout, elle décida de l'interroger plus tard, lorsqu'ils seraient seuls. La vie de Maia était en jeu.

Quand il relata l'épisode de la galerie, tout le monde l'écouta avec un vif intérêt.

— Ces deux-là sont faits l'un pour l'autre, j'en suis convaincu, conclut le Dragon Lord. Une union entre une descendante d'Arthur et un descendant de Lancelot ne peut qu'être bénéfique.

— Je pense qu'ils voudront se marier au plus vite, remarqua Argel.

— Emrys et moi avons choisi le premier jour de l'année celtique, le 1er novembre.

— C'est dans moins d'un mois, mon seigneur ! s'exclama Argel.

— Parce que tu crois que Maia attendrait davantage ? glissa Gorawen.

— Inutile de prévoir un grand mariage, reprit Merin. Nous inviterons les Mortimer, Averil et sa famille, et cela devrait suffire.

— Maia et Emrys n'arrêtent pas de s'embrasser ! proclama triomphalement Junia en revenant.

— C'est normal, ils sont amoureux, murmura Gorawen.

— Tous les amoureux s'embrassent sans arrêt ? s'étonna Junia. Comment font-ils pour respirer ? Papa et toi ne passez pas tout votre temps à vous embrasser.

Un éclat de rire général accueillit cette remarque.

— Quand on est jeune et que l'amour est tout nouveau, on s'embrasse beaucoup, Junia, tenta d'expliquer Argel.

— Tu veux dire que je vais devoir le faire aussi ? rétorqua la fillette en plissant le nez d'un air dégoûté.

— Seulement si tu es d'accord, dit Gorawen. Mais tu le seras sûrement, chérie, quand tu auras rencontré l'homme de ta vie.

Les fiancés arrivèrent à leur tour et Maia se précipita vers son père pour lui sauter au cou.

— Merci, papa ! Merci !

— Je n'ai pas dû te donner assez de fessées, j'en ai peur !

— Tu n'as jamais levé la main sur moi !

— Et voilà le résultat ! la taquina-t-il.

— La date du 1er novembre me convient parfaitement.

— Ah, l'amour ! soupira Argel en levant les yeux au ciel.

La nuit était tombée. Les lampes avaient été allumées dans la salle, et le repas servi. Une fois tout le monde rassasié, Junia et Brynn, fatigués par l'excitation due aux derniers événements, montèrent se coucher les premiers. Prétextant qu'elle devait se reposer avant de commencer à broder le trousseau de Maia, Ysbail les suivit, et personne ne la retint car elle était la plus experte des trois femmes de Merin pour réussir les broderies les plus fines. Argel se retira ensuite, aussitôt imitée par Gorawen qui prit la main du Dragon Lord et l'entraîna avec elle.

— Ils ne sont pas très subtils, remarqua doucement Maia en regardant son bien-aimé.

— Es-tu vraiment restée enfermée dans ta chambre sans rien manger, pendant que nous étions partis ? questionna-t-il.

Maia se mit à rire.

— Non, mon seigneur, admit-elle en rougissant. On est venu me tirer de ma retraite dès que vous avez quitté les limites de la propriété. J'ai honte de l'avouer, mais je n'ai sauté aucun repas.

— Si ton père m'avait éconduit, aurais-tu mis ta menace à exécution ?

Elle hocha la tête affirmativement.

— Je t'appartiens, Emrys. À toi et à nul autre.

Il lui tendit la main.

— Viens t'asseoir sur mes genoux, Maia.

Elle s'empressa de lui obéir sans la moindre appréhension. Dans ses rêves, elle s'était plus d'une fois blottie contre lui.

Aussitôt, il se mit à délacer sa robe et descendit le corsage.

— Je veux te caresser, sentir ta peau sous mes doigts, murmura-t-il en s'attaquant aux rubans de la chemise.

— Nous n'avons jamais fait cela, dit-elle dans un souffle, le cœur battant.

— Non, jamais, admit-il en glissant une main dans l'échancrure.

— Pourquoi ?

— Parce que tu n'étais pas vraiment à moi, tant que ton père n'avait pas accepté.

Il effleurait doucement sa peau.

— J'ai été à toi dès le premier instant où tu m'es apparu, déclara-t-elle en le contemplant amoureusement.

Il baissa la tête et posa ses lèvres sur les siennes. Quand elle laissa échapper un gémissement de plaisir, il s'empara de sa bouche avec fougue, tout en refermant une main sur un sein rond et ferme.

— Tu n'imagines pas, Maia, avec quelle ardeur je te désire, chuchota-t-il contre ses lèvres.

Elle avait du mal à respirer et la tête lui tournait, mais elle osa répondre :

— Enlève ta tunique, Emrys.

— Et si quelqu'un venait ?

— Il repartira.

Il la lâcha, le temps de se débarrasser de sa tunique, et il eut à peine le temps de s'apercevoir qu'elle s'était délestée de sa chemise qu'elle lui ôtait la sienne.

— Je suis vierge, mais j'ai des besoins brûlants qui doivent être assouvis, Emrys. Tu veux bien faire quelque chose pour moi ?

Elle enroula ses bras nus autour de son cou et le supplia du regard. Les bouts durcis de ses seins touchaient presque son torse. De la langue, elle imita les mouvements qu'il faisait un instant plus tôt avec la sienne.

Son audace le stupéfiait.

— Tu ne me désires pas ? demanda-t-elle en l'attirant contre elle.

Il émit un grognement. La peau douce de sa gorge l'enivrait. Toutes les femmes qu'il avait connues étaient insignifiantes, comparées à cette superbe créature.

— Ta nature est de feu, comme tes cheveux, lui murmura-t-il au creux de l'oreille, avant de promener le bout de sa langue sur le lobe, puis de le mordiller.

Il sourit quand il la sentit frissonner de tout son être.

— J'adore sentir ta peau, Emrys, c'est si bon... Je pourrais rester ainsi à jamais !

Il la renversa au creux de son bras.

— Laisse-moi contempler tes seins, Maia. Ensuite, j'y poserai ma bouche et je les sucerai... Seigneur, ils sont parfaits !

En même temps qu'il parlait, il les caressait, la faisant trembler d'une faim grandissante qui la dépassait totalement. Puis il se pencha et aspira un téton.

Maia retint un cri. Jamais elle n'avait rien connu d'aussi excitant que cette bouche chaude qui la tétait avidement. En même temps, une pulsation inconnue mettait son bas-ventre en ébullition. Incapable de se maîtriser, elle se cambra contre lui.

— Oh, Emrys... Ne t'arrête pas, je t'en prie.

Il tétait de plus en plus fort, et elle perçut une moiteur humide entre ses cuisses.

— Oh ! s'exclama-t-elle encore, dans un souffle.

Glissant une main sous ses jupes, il vérifia l'état de son désir. Il mourait d'envie de la prendre ici, tout de suite, mais il se raisonna. Il devait se montrer patient, ne pas brusquer les choses. Il ôta sa main, lâcha son sein et posa un bref baiser sur ses lèvres.

— Cela suffira, mon amour. Pour l'instant.

— Je n'en aurai jamais assez !

Il se mit à rire.

— Tu as donc envie de moi ?

— De toi et de toi seul, Emrys Llyn. Je mourrais plutôt que de laisser un autre me toucher.

— Sois patiente, mon cœur. Dans quelques semaines à peine, nous serons mariés. En attendant, je t'éveillerai à l'amour jusqu'à ce que tu sois prête à m'accepter, pour notre nuit de noces.

— La passion ne me fait pas peur.

— Je vois ! dit-il en lui remettant sa chemise, puis le haut de sa robe.

— À quoi bon nous rhabiller ? Nous allons regagner nos chambres et nous déshabiller dans un instant.

— La petite Junia t'attend, et elle te posera des questions sur ce que nous avons fait si tu arrives à moitié nue.

— Elle est beaucoup trop jeune pour connaître ces choses-là !

— Oui, mais elle sera intriguée. N'as-tu pas interrogé Averil, toi, quand elle s'est mariée ? la taquina-t-il, voyant avec amusement les joues de la jeune fille virer à l'écarlate. Nous devons rester convenables.

Maia soupira.

— J'aurais vraiment préféré partager ton lit plutôt que celui de ma petite sœur, cette nuit !

Il rit en la soulevant de ses genoux.

— Tu dois te tenir comme il faut, Maia. Souviens-toi que tu seras bientôt une femme mariée respectable. Allez, va, maintenant.

— Tu ne sais pas où est la chambre d'amis, lui dit-elle malicieusement.

— Je demanderai à un domestique.

Elle bouda un instant puis, constatant qu'il demeurait inflexible, elle releva ses jupes et s'enfuit.

Emrys s'attarda un moment à contempler le feu. Il aimait cette jeune fille comme jamais il n'avait aimé. Les deux premières fois, il s'était marié par nécessité.

Mais il savait depuis toujours qu'une femme lui était destinée et qu'elle l'attendait. Une femme qui ne serait pas effrayée quand il lui dirait la vérité, qui ne le regarderait pas comme s'il était un monstre, comme l'avaient fait ses deux précédentes épouses.

Rosyn était issue d'une famille du Nord. Jeune fille pure, elle se destinait aux ordres lorsqu'il l'avait rencontrée. Sa douceur et sa gentillesse l'avaient séduit, et il avait cru qu'elle pouvait lui convenir. Il avait demandé sa main et sa famille s'était empressée d'accepter.

Mais Rosyn était très pieuse, et le monde magique qui l'entourait l'avait tout de suite terrorisée. Quand la Dame du Lac était sortie de l'eau pour venir l'examiner, elle s'était enfuie en haut de l'une des tours du château et avait sauté dans le vide. Il s'était senti coupable, et avait préféré raconter que la pauvre fille était morte dans son lit.

Pour la seconde, il avait cherché une femme plus forte, plus solide, et avait cru la trouver en la personne de Gwynth, la fille d'un négociant, très jolie. Sa peau était blanche comme neige, ses cheveux aussi noirs que des ailes de corbeau. Il avait accepté sa dot plus que modeste et le père de la belle avait ignoré les rumeurs qui couraient sur le Seigneur du Lac.

Mais, le mariage n'était pas plus tôt célébré que Gwynth s'était transformée en une vraie harpie. Elle maltraitait les domestiques, faisait des caprices pour un oui pour un non, trépignant lorsqu'elle n'obtenait pas ce qu'elle voulait. Emrys Llyn s'était évertué à la contenter, mais elle n'était jamais satisfaite.

Un jour, pour l'amuser, il lui avait montré les portraits dans la galerie donnant sur le lac. Immédiatement fascinée par Excalibur, Gwynth avait voulu savoir ce qu'il était advenu de l'épée légendaire. Emrys lui avait raconté que Lancelot l'avait ramenée et lancée dans le lac, d'où la Dame du Lac était sortie, proclamant qu'elle la garderait jusqu'à ce qu'Arthur retrouve le trône de Grande Bretagne.

— L'épée est donc toujours dans le lac, avait dit Gwynth.

— Oui, avec la Dame.

— Elle devrait être ici, dans ce château, suspendue au-dessus de l'une des cheminées de la grande salle. Dis à la Dame du Lac que tu la veux.

— Non, Gwynth. L'épée lui appartient. C'est elle qui l'avait remise à Merlin l'Enchanteur pour qu'il la donne à Arthur.

— Ne vois-tu pas quel prestige t'apporterait Excalibur ? Si tu ne vas pas la réclamer à la Dame du Lac, c'est moi qui irai !

Quelques jours plus tard, Gwynth était retrouvée sans vie, sur les rives du lac. Et pour la deuxième fois, Emrys prétendit que sa femme était morte dans son lit...

Il n'avait pas aimé Rosyn, bien qu'elle fût une douce personne. Il n'avait pas non plus aimé la belle mais méchante Gwynth. Aujourd'hui, il s'apprêtait à prendre une troisième épouse, mais il se demandait s'il rendrait vraiment service à Maia en convolant avec elle. Certes, elle était au courant de ses pouvoirs, elle n'avait pas peur du monde surnaturel qui l'entourait et n'avait révélé jusqu'à présent aucun travers fâcheux de caractère.

Mais... l'aimait-elle assez ? Il ne voulait pas avoir sur la conscience une troisième mort. En même temps, il était incapable de lui résister et savait, pour la première fois de sa vie, ce que signifiait le mot « aimer ». En somme, il n'avait pas le choix.

— Mon seigneur ?

Il sursauta en se retournant.

— Oui ?

— Si vous voulez bien que je vous conduise à votre chambre, mon seigneur, lui dit un valet. Les portes sont verrouillées et les lampes éteintes. J'aimerais regagner mon lit, mais si vous n'êtes pas prêt, j'attendrai.

Emrys se leva et s'étira.

— Non, il est temps que j'aille me coucher, moi aussi. Excuse-moi si je t'ai tenu éveillé si longtemps, mais c'était si agréable de contempler ce feu. Je te suis.

Malgré les protestations de Maia, il fut décidé le lendemain que le Seigneur du Lac retournerait chez lui en attendant la date du mariage. De plus, Merin exigea qu'il lui promette de ne pas aller lui rendre visite nuitamment, par des moyens surnaturels. Maia fit donc tristement ses adieux à son bien-aimé.

Toutefois, durant les jours qui suivirent, elle n'eut pas le temps de pleurer sur leur séparation, tant les préparatifs étaient prenants. Des messagers furent envoyés à Everleigh et chez lord Mortimer avec les invitations. Les hommes partirent chasser et ramenèrent un beau sanglier. Ysbail travailla sans relâche aux broderies de la robe de mariée, et les cuisines étaient en effervescence du matin au soir.

Argel avait tenu à ce que la robe de Maia soit à la hauteur de son statut d'unique fille légitime de la maison. Elle choisit un somptueux brocart violet pour la robe de dessous, à manches longues et col rond, et une robe de dessus sans manches, dans la même étoffe mais parée de broderies en fils d'or. La nuance soutenue magnifiait le contraste entre le teint pâle de la jeune fille et la flamboyance de ses cheveux.

Pour la chemise, elle opta pour une soie très fine, près du corps et invisible. Les bas assortis furent parés de jarretières brodées de petites roses.

— Je n'aurai jamais une aussi belle robe ! se plaignit Junia avec envie. Je suis sûre qu'il n'en existe pas de plus belle au monde, Maia.

— J'aurais dû choisir une couleur plus claire…

— Non ! Ce violet est d'un effet saisissant, avec ta peau et tes cheveux. Ta mère a eu bon goût.

— Je trouve aussi, intervint une voix.

Maia et Junia se retournèrent d'un seul mouvement et leurs visages s'illuminèrent.

— Averil !

— Pose le bébé, Dilys, dit-elle à sa femme de chambre. Là, dans le berceau près du feu. Et essaie de ne pas le réveiller, sinon il va se remettre à pleurer pour téter de nouveau.

Elle étreignit ses sœurs l'une après l'autre.

— Alors, tu te maries enfin, Maia Pendragon ! Il était temps ! Tu es plus près de tes seize ans que de tes quinze ans, maintenant. Un peu plus, et tu étais trop vieille ! Bon, raconte-moi. Un tas de bruits courent sur le Seigneur du Lac. Je suis impatiente d'en savoir plus.

— Il est encore plus beau que ton mari ! s'exclama Junia. Et il a des pouvoirs magiques ! Je l'aime beaucoup, et j'espère que mon mari sera aussi gentil que lui.

— Voilà qui m'en dit long ! répondit Averil en riant.

— Je ne peux pas vivre sans lui, expliqua doucement Maia. C'est comme s'il était devenu l'autre moitié de moi-même.

— Tu es très amoureuse, je vois. Je ne sais pas si c'est une bonne chose. L'avenir nous le dira.

À Everleigh, la moisson avait été rentrée et Averil et Rhys avaient pu venir à Dragon's Lair un jour avant le mariage. Merin et Gorawen furent heureux de constater que leur union était une réussite, malgré ses débuts houleux.

Emrys Llyn arriva dans la soirée pour célébrer Samain, le dernier jour de l'année dans le calendrier celtique. Maia se jeta dans ses bras et ils s'étreignirent avec fougue.

— Ça y est, ils vont recommencer à s'embrasser, murmura Junia d'un ton désapprobateur.

Averil échangea un sourire avec son mari, et toute la famille se mit à table. Après un repas simple composé de chevreuil braisé, de poisson rôti, d'un potage à l'agneau et aux légumes, avec pain, fromage et poires au vin en dessert, ils sortirent pour allumer les feux comme les derniers rayons du soleil disparaissaient derrière la colline. D'autres feux illuminèrent bientôt la campagne alentour, et tout le monde se mit à danser autour des flammes pour accueillir la nouvelle année dans la joie.

Quand la nuit tomba complètement et que l'air devint glacé, ils rentrèrent se réchauffer autour de la cheminée.

Le Dragon Lord était satisfait.

— Il est temps de monter nous coucher. Le mariage sera célébré de bonne heure, demain matin, déclara-t-il avant de se tourner vers son gendre, le seigneur d'Everleigh. Merci d'avoir amené le prêtre, Rhys Fitz-Hugh. Il ne semble pas opposé à ce que nous observions certaines coutumes ancestrales et païennes.

— Être un bon chrétien ne signifie pas que nous devons renoncer aux traditions, répondit le frère Kevin. Cela ne dessert en rien notre Seigneur Jésus.

Maia glissa sa main dans celle d'Emrys Llyn.

— Viens, murmura-t-elle en l'entraînant dehors à nouveau.

— Vas-tu recommencer à me séduire ? la taquina-t-il, tout en la contemplant, émerveillé par sa beauté.

— Nous avons eu peu de temps à nous, depuis ton retour. Je veux savoir si tu es toujours sûr de m'aimer, Emrys.

— Je t'aime depuis la nuit des temps, Maia, et je t'aimerai toujours, répliqua-t-il en la prenant dans ses bras.

Maia posa une main sur ses lèvres, comme il allait l'embrasser.

— As-tu dit la même chose à Rosyn et à Gwynth ?

— Non ! Jamais !

— Tu ne les aimais donc pas comme tu m'aimes ? insista-t-elle.

— Je ne les ai aimées ni l'une ni l'autre, avoua-t-il.

— Alors pourquoi les as-tu épousées ? Une, encore, je peux comprendre, mais deux femmes pour lesquelles tu n'éprouvais rien... C'est difficile à croire, Emrys. Cela ne te ressemble pas.

— J'ai dix ans de plus que toi, Maia. Un homme doit se marier afin de perpétuer son nom. Étant seul au monde, puisque mes parents sont partis, j'ai pensé que je devais fonder une famille sans perdre de temps. J'ai eu tort.

— Pourquoi ?

— Parce qu'une petite voix intérieure me disait que tu existais, et que tu m'attendais. Seulement, je l'ai ignorée et j'ai agi selon ce que je croyais être mon devoir. J'ai cédé à l'impatience et j'ai commis deux erreurs. Voilà pourquoi je m'estime responsable de leurs morts. Rosyn était délicate et frêle, pauvre petite. Elle avait peur de son ombre. En revanche, Gwynth s'est révélée cupide et exigeante dès l'instant où nous avons prononcé nos vœux. Je les ai mal jugées, l'une comme l'autre, et elles en ont subi les conséquences.

Maia scruta son regard où elle lut un regret sincère.

— Mais es-tu certain que je suis celle qu'il te faut ?

— Je te jure, sur la mémoire sacrée de nos ancêtres, que je n'ai jamais aimé avant toi. Que je t'aime de toute mon âme et qu'il n'y en aura jamais une autre. Songerais-tu à revenir sur ta décision de m'épouser, Maia ?

Elle lui sourit.

— Non, Emrys, non. J'avais seulement besoin d'entendre les mots que tu viens de prononcer. Moi non plus, je n'ai jamais aimé avant toi, et je n'aimerai jamais que toi.

— Seigneur, quel idiot j'ai été !

— Oui, complètement idiot ! Mais ne t'inquiète pas, Emrys Llyn, je ne te laisserai pas te couvrir de ridicule à nouveau, sois tranquille !

Il éclata de rire, puis s'empara de ses lèvres vermeilles jusqu'à ce qu'elle en ait le vertige.

— Oh, Maia, ma chérie... J'ai tellement d'amour à te donner, si tu savais !

— Mais pas cette nuit, intervint la voix d'Argel.

Ils se séparèrent d'un air coupable.

— Le mariage sera célébré demain matin, de bonne heure, continua la maîtresse de Dragon's Lair. Je doute que vous dormiez beaucoup la nuit prochaine, alors je vous suggère d'aller vous reposer. Dans des lits séparés.

Elle prit la main de sa fille.

— Viens, mon enfant. Averil partagera ton lit cette nuit. Rhys et les hommes dormiront dans la grande salle. Vous aussi, Emrys Llyn.

Le jeune homme attendit qu'elles se soient éloignées un peu pour les suivre. Il n'en voulait pas à Argel de les avoir interrompus. Elle avait eu raison.

Lorsqu'il rejoignit ses compagnons dans la grande salle, il s'aperçut que lord Mortimer et son fils étaient arrivés.

— Vous avez eu l'avantage sur moi, avec Maia, lui lança Roger avec sa bonne humeur coutumière.

— Quel avantage ? s'étonna le Seigneur du Lac.

— Eh bien... vous dépassez le mètre quatre-vingt-deux, alors que je ne mesure pas plus d'un mètre quatre-vingts. Vous n'avez pas de cicatrices de variole, alors que je suis obligé de porter la barbe pour les cacher. Vos traits sont ciselés, moi j'ai hérité du physique plus grossier des Mortimer. Vous êtes mince, ma silhouette dénote un certain penchant pour la bonne chère.

Emrys Llyn riait, à présent.

— Maia n'est sûrement pas superficielle au point d'avoir choisi un physique séduisant plutôt qu'un Mortimer, riposta-t-il avec bonne humeur.

— Je n'en mettrais pas ma main au feu !

— Il vous reste toujours Junia.

— Dieu merci, je dois prendre femme avant que ce garçon manqué soit en âge de se marier ! De plus, sa mère est un vrai dragon. Je n'aimerais pas l'avoir chez moi. Entre nous, je crois que Junia n'aimerait pas cela non plus !

Un éclat de rire général accueillit cette remarque. Les hommes se rassemblèrent près du feu pour boire la cuvée de bière d'octobre du Dragon Lord, puis chacun trouva une couche et s'y étendit. Bientôt, un concert de ronflements emplit la grande salle, avec le bruit du vent en fond sonore.

Le jour de ses noces, Emrys Llyn fut réveillé par sa future belle-mère. Elle l'invita silencieusement à le suivre dans l'escalier qui menait aux cuisines, où l'on s'activait déjà aux préparatifs de la fête.

— J'ai pensé que vous aimeriez prendre un bain, dit Argel en lui montrant une baignoire installée devant l'âtre. Je vais vous aider à vous déshabiller. J'ai fait préparer vos vêtements de mariage.

Lorsqu'il fut dans l'eau chaude, elle lui lava d'abord les cheveux, puis son corps svelte mais musclé. Maia ne serait pas malheureuse avec ce mari, songea-t-elle en contemplant ses attributs. Quand elle eut fini, elle l'enveloppa dans une serviette et l'installa devant le feu pour que ses cheveux sèchent.

— Merci, madame.

— Je suis heureuse de constater que vous vous lavez régulièrement.

— Comment le savez-vous ? s'étonna-t-il.

— À l'odeur de votre peau, à l'état de vos cheveux. Et puis, vos vêtements sont propres aussi. J'en suis heureuse, car Maia est une jeune fille délicate. Elle aime la propreté.

— Encore un point que nous avons en commun, madame.

— Vous n'avez plus besoin de moi. Vos habits sont là. Je dois m'occuper de ma fille, à présent. La mariée sera belle, Emrys Llyn.

Il lui rendit son sourire.

— Je prendrai soin d'elle comme d'une reine, lui promit-il.

— Je sais. Si j'en avais douté, je ne vous l'aurais pas donnée.

Sur ce, elle sortit, laissant son futur gendre bouche bée.

10

Argel trouva sa fille réveillée. Assise dans son lit, elle bavardait avec ses deux sœurs. Elles se turent à son entrée et Argel sourit. Elles parlaient sûrement des hommes. Junia était peut-être un peu jeune pour ce genre de conversation, mais au moins, une sœur aînée mariée lui donnerait des informations justes.

— Bonjour, les filles ! lança-t-elle.

— Bonjour, Argel !

— Maia, je t'emmène dans la salle de bains. Je me suis déjà occupée d'Emrys. Allons, dépêche-toi !

La jeune fille bondit du lit.

— Averil, veille à ce que la robe de Junia soit bien nette, et à ce qu'elle se lave derrière les oreilles.

— Je me lave toujours derrière les oreilles... grommela l'intéressée lorsque Argel et Maia furent sorties.

— Oui, quand tu t'en souviens, la taquina Averil. Alors, que vas-tu mettre ?

— J'ai une nouvelle robe ! s'écria Junia, tout excitée. Ma mère a brodé l'encolure et y a posé une tresse en fils d'or. J'aurai l'air bien plus vieille !

— Lavons-nous d'abord, décida Averil en lui montrant le pichet et la cuvette qui chauffaient sur les braises.

— Tu es devenue une grande personne, remarqua Junia d'un air de regret.

— Je *suis* une grande personne, fillette. J'ai un bébé. D'ailleurs, il va bientôt réclamer à manger, ajouta-t-elle en allant regarder le petit Rhys qui jouait avec ses pieds dans son berceau. Mieux vaut que je lui donne sa tétée tout de suite.

Elle prit son fils et le mit au sein.

— Qu'est-ce que ça fait de nourrir son bébé ?

— Une impression… merveilleuse. Celle d'un accomplissement.

— C'est différent quand c'est un homme qui suce tes seins ?

Averil s'empourpra violemment.

— Junia ! Qui t'a dit que les hommes faisaient de telles choses ?

— Maia dit qu'ils le font. C'est différent ?

— Oui. Cela n'a rien à voir. Et le sujet est clos. Tu es trop jeune pour savoir ces choses. Je me demande ce qui a pris Maia de t'en parler !

— Elle a dit qu'il fallait que je sache, puisqu'elle allait se marier à son tour et que je n'aurais plus personne avec qui en parler.

— Eh bien, elle a eu tort. Tu pourras toujours m'envoyer chercher, et je viendrai, petite sœur. Lorsque tu auras rencontré l'homme de ta vie, et que tu seras sûre de l'aimer, je te dirai ce que tu dois savoir. Nos mères aussi sont là pour nous éduquer. À présent, oublie les folies que t'a racontées Maia et lave-toi. Je prendrai un bain à mon tour quand j'aurai fini de nourrir mon fils.

Un moment plus tard, Junia revêtait sa robe rouge et attachait ses cheveux noirs à l'aide d'un ruban de velours assorti. Averil enfila une robe de brocart bleu ciel aux manches agrémentées de dentelle. Elle sépara ses cheveux d'or par une raie au milieu, les natta et réunit les deux tresses au-dessus de son crâne. Un voile fixé à un serre-tête en argent para sa coiffure.

Elles achevaient de s'habiller lorsque Maia fit irruption dans la chambre, enveloppée dans une grande serviette.

— J'ai tout juste eu le temps de monter, les hommes sont déjà réveillés ! Vous êtes prêtes, c'est bien. Vous allez pouvoir m'aider. Maman arrive avec ma robe.

Sachant que les sœurs aimeraient partager ce moment d'intimité entre elles, Argel déposa la tenue de mariée sur le lit et se retira.

Après s'être assurées que Maia était bien sèche, Averil et Junia l'habillèrent, puis nouèrent autour de ses hanches une ceinture rebrodée d'or.

— Oh, Maia ! s'exclama Junia, éblouie. Tu es la plus belle fille du monde !

Ses sœurs sourirent, puis Maia demanda à Averil de lui brosser les cheveux. Elle commençait à se sentir nerveuse. Faisait-elle le bon choix en épousant Emrys Llyn ? Voulait-elle d'un mari qui connaissait les secrets de l'Autre Monde ? Qu'était-il vraiment arrivé à ses deux précédentes femmes ? Cette double coïncidence n'était-elle pas troublante ?

Quand les longs cheveux d'or rouge glissèrent avec fluidité sous la brosse, Averil y fixa un diadème de fleurs d'or incrustées de pierres précieuses.

— Un cadeau de papa, dit-elle. Sa mère le portait à son mariage avec notre grand-père. Tu le porteras un jour, Junia. Ce bijou restera chez les Pendragon.

— Oh ! s'exclama Junia, avant de se rembrunir. Mais toi, Averil, tu ne l'avais pas le jour de tes noces.

— Mais si, petite sœur. Je l'avais emporté avec moi. De toute façon, l'essentiel, c'est d'avoir un bon mari. Tu le comprendras un jour.

On frappa à la porte, et la tête de Dilys apparut dans l'entrebâillement.

— Le maître demande que l'aînée et la benjamine descendent dans la grande salle. Il viendra lui-même chercher la mariée dans une minute.

Averil et Junia prirent le temps d'embrasser leur sœur avant de descendre, et Merin Pendragon monta chez sa fille, qu'il trouva en pleurs.

— Que se passe-t-il ? Tu veux que ton mari te voie venir à lui avec un visage triste ? Le prêtre croira que l'on te force à te marier.

— Je ne sais pas si j'ai fait le bon choix. Je… je ne sais plus rien, sanglota la jeune fille en se jetant dans les bras de son père.

Il lui saisit les avant-bras et la maintint à distance.

— Tu vas tacher ma plus belle tunique avec tes larmes ! Tu n'aimes plus cet homme ?

— Non… ce n'est pas cela. Je ne me vois pas en épouser un autre.

— Décidément, je ne comprendrai jamais les femmes, marmonna le Dragon Lord. Écoute, ma fille, le Seigneur du Lac, ta famille et nos invités attendent en bas. Alors soit tu épouses cet homme, soit tu ne l'épouses pas, mais décide-toi ! se mit-il soudain à crier.

Cette injonction eut l'effet d'un soufflet. Maia recouvra ses esprits instantanément, respira profondément et s'essuya les joues.

— Bien sûr que je vais épouser Emrys Llyn, père. Qui d'autre voudrais-tu que j'épouse, enfin ?

Merin Pendragon jura dans sa barbe, prononçant un mot que Maia n'avait jamais entendu jusqu'ici.

— Bien. Allez, viens.

Des branches de pin et des fleurs d'automne, cultivées dans le jardin d'hiver du château, décoraient la grande salle. Il pleuvait dehors, mais d'innombrables chandelles répandaient une lumière dorée à l'intérieur.

Le frère Kevin attendait les promis. Après une dernière hésitation, le Dragon Lord donna la main de sa fille au Seigneur du Lac. Pendant que le couple échangeait ses vœux, Argel pleurait en silence, entre son mari et leur fils, derrière les jeunes époux. Légèrement en retrait se tenaient Gorawen, Ysbail et Junia, puis les invités.

Quand le frère Kevin déclara les jeunes gens unis par les liens du mariage, une joyeuse ovation s'éleva.

Les serviteurs, qui attendaient dans l'ombre, commencèrent aussitôt à apporter les plats. Une impressionnante variété de mets couvrit peu à peu la longue table. Des œufs pochés dans de la crème aux herbes, des truites servies sur un lit de cresson, du bacon frit, des galettes d'avoine, des pommes séchées, du miel, du pain tout juste sorti du four, du beurre, de la confiture, du fromage. Puis un grand plat de pommes à la cannelle, du vin, de la bière, de l'hydromel et du cidre.

De nombreux toasts furent portés en l'honneur du jeune couple. Ensuite, les trois sœurs prirent leurs instruments et Brynn Pendragon, qui n'avait pas encore mué, chanta de sa voix d'enfant.

En fin d'après-midi, un autre repas à base de viande et de gibier fut servi, et le vin coula de nouveau. Il faisait nuit quand les serviteurs apportèrent le dessert. Repu, lord Mortimer s'endormit près du feu. Merin Pendragon commença une partie d'échecs avec Rhys FitzHugh, et les autres hommes jouèrent aux dés.

Discrètement, Argel et ses compagnes emmenèrent la jeune mariée jusqu'à la chambre d'amis, dans la tour opposée à celle où elle avait dormi toute sa vie. Elles lui ôtèrent sa somptueuse robe, la plièrent soigneusement et la rangèrent dans une malle, au pied du lit. Après avoir achevé de la dévêtir, elles la lavèrent et lui frottèrent les dents avec un linge.

— Viens te coucher, ma fille, dit alors Argel. Si tu n'as pas de questions à nous poser, nous te laissons attendre ton mari.

— Ma sœur m'a déjà tout expliqué, mère.

Elles s'embrassèrent, et Maia se retrouva seule.

Aussitôt, elle s'assit dans son lit. Nerveuse, elle se demanda si le drap qu'ils exposeraient demain serait aussi ensanglanté que celui d'Averil. Les hommes lui amèneraient-ils son mari, nu ? Comme ils l'avaient fait avec Rhys ?

La porte s'ouvrit alors, et Emrys apparut.

Entrant tranquillement dans la pièce, il tira le verrou et s'approcha du lit. Il prit les mains de Maia et y posa ses lèvres.

— Je suis contente qu'ils ne t'aient pas déshabillé, dit-elle doucement.

— Les uns dorment, les autres jouent. Ils ne m'ont même pas vu m'en aller. J'ai attendu que ta mère redescende et je suis venu. Écoute, mon amour, continua-t-il en s'asseyant près d'elle. Il est rare que j'aie recours à la magie mais ce soir, si tu m'en donnes la permission, j'aimerais utiliser mes pouvoirs.

— Que veux-tu faire ?

— Cette chambre est exiguë, et ce feu la chauffe à peine. Il fait déjà froid, en cette fin d'automne. Celle que nous partagerons à l'Île du Lac est grande et chaude, même en plein hiver. Je ne voudrais pas offenser ta famille, mais je préférerais passer ma nuit de noces là-bas. Si tu es d'accord, bien sûr.

Il plongea son beau regard dans le sien et attendit sa réponse.

— Y aurons-nous plus d'intimité ? demanda-t-elle d'une toute petite voix.

— Oui. Personne ne pourra entendre nos cris de plaisir.

— Tu es donc certain que nous aurons du plaisir ? le taquina-t-elle, l'œil coquin.

Un lent sourire joua sur les lèvres d'Emrys Llyn.

— Oui, Maia, je le suis.

— Nous ne serons pas dérangés ?

— Personne ne viendra nous importuner pendant notre nuit de noces, et je te promets que demain matin, nous nous réveillerons ici, dans ce lit.

— Alors emmène-moi chez toi, Emrys. C'est là-bas que tu feras de moi une femme.

Maia ferma les yeux, et le Seigneur du Lac l'enveloppa dans ses bras en murmurant :

— N'aie pas peur, ma douce…

Ce disant, sa main droite se déplaça de haut en bas.

Elle fut prise de vertige, puis elle entendit sa voix :

— Nous sommes à la maison, mon amour.

Quand elle rouvrit les yeux, Maia se trouvait dans une chambre magnifique. Un feu ardent brûlait dans une grande cheminée. Le lit dans lequel ils se trouvaient maintenant était en chêne sculpté, entouré d'un baldaquin aux rideaux de velours vert sombre.

À Dragon's Lair il pleuvait, mais ici, la lune se reflétait dans les eaux du lac que l'on apercevait par les fenêtres. Les oreillers drapés de soie étaient moelleux. Sur sa peau nue, les draps avaient la douceur d'un duvet et sentaient la lavande.

— Oui, c'est beaucoup plus beau, admit-elle.

— Et personne ne nous entendra, murmura-t-il au creux de son oreille.

Elle frissonna.

— Si tu continues comme cela, Emrys, je te conseille de te déshabiller… sans tarder.

Il sourit, se leva et commença à se dévêtir.

— Ma magie ne t'a pas effrayée, Maia ?

— Non. Notre pays de Galles ne baigne-t-il pas dans le surnaturel ? Nous en sommes tous les deux plus ou moins imprégnés.

— Mais moi, je pratique, et j'en sais bien plus que la plupart des gens.

— Nous nous aimons. C'est tout ce qui m'importe. Pourrons-nous utiliser la magie pour rentrer ici, demain, plutôt que de voyager à cheval pendant deux jours ? Cela me plairait bien.

— Tes désirs sont des ordres, Maia.

— Et tu me montreras la galerie de portraits ?

— Bien sûr, dit-il en enlevant sa chemise.

Quand il fut complètement nu, une exclamation échappa à la jeune femme.

— Oh… Tu es si beau, mon seigneur… Tes membres ont des formes parfaites.

Il éclata de rire.

— Je pensais que tu admirerais mes autres attributs !

— Ils sont aussi très bien proportionnés, répondit-elle en toute innocence. Mais je suppose qu'ils vont grossir ? Averil m'a dit qu'ils doublaient de taille, au cours de la… relation.

Il s'allongea près d'elle en essayant de garder son sérieux.

— Elle a raison, dit-il en l'attirant contre lui pour s'emparer de ses lèvres en un long baiser.

— Commencement prometteur, approuva-t-elle en lui caressant la nuque.

Il se perdit un instant dans son regard d'émeraude tandis qu'elle effleurait son torse. Elle était innocente, mais assez hardie pour laisser parler ses instincts de femme. Il prit sa petite main dans la sienne et embrassa chacune de ses phalanges.

— Est-ce que tu m'aimes, Maia ?

— Oh oui, Emrys ! Oui ! Et toi, Seigneur du Lac ? M'aimes-tu vraiment, et non parce que tu avais besoin d'une nouvelle épouse ? Aurais-tu le cœur brisé si tu me perdais ?

— Je serais anéanti ! s'écria-t-il avant de reprendre ses lèvres.

Ce baiser fut plus passionné que tous ceux qu'il lui avait donnés jusque-là, comme s'il voulait lui prouver qu'il ne prononçait pas des paroles en l'air mais les pensait de toute son âme, de tout son cœur.

Éperdue, elle s'accrocha à son cou et pressa son jeune corps contre le sien. Lorsqu'elle sentit sa langue prendre possession de sa bouche et venir se lover contre la sienne, une onde la mit en feu.

Il lâcha sa bouche pour venir se perdre dans la douceur de son cou, sur sa gorge où son sang palpitait. Il suivit le tracé d'une veine du bout de la langue et arriva ainsi sur les rondeurs délicieuses de ses seins. Il les embrassa tour à tour, puis les lécha avant d'aspirer une pointe entre ses lèvres et de la sucer comme une friandise exquise.

Elle poussa un petit cri, mais pas du tout parce qu'elle avait peur. Ce qu'il lui faisait était la chose la plus excitante qu'elle eût connue. La première fois où il avait pris son sein dans sa bouche, c'était différent : elle était habillée. À présent, sa nudité amplifiait les sensations. Cette nuit, tout était différent. Et ils n'en étaient qu'au début...

— Oui, murmura-t-elle dans un souffle en caressant la tête penchée sur ses seins. Continue...

Elle pourrait rester ainsi à jamais, tellement c'était bon, songea-t-elle. Et ce qui allait suivre ne lui inspirait pas la moindre appréhension.

Quand il se redressa, ses yeux noirs luisaient de désir.

— Tes seins sont magnifiques, mon amour. Magnifiques...

Et il s'attaqua à l'autre.

— Je me sens tellement bizarre...

— C'est-à-dire ? demanda-t-il.

— Eh bien... Oh... je ressens des sortes de... picotements... au bas du ventre.

— Vraiment ?

Elle le sentit sourire contre son sein enflammé.

— C'est bien, ajouta-t-il.

— Et je veux quelque chose.

— Quoi ? s'enquit-il en aspirant le téton.

— Je ne sais pas... mais c'est un besoin qui grandit de plus en plus.

Les lèvres d'Emrys s'égarèrent sur le corps délicieux qu'elle lui offrait.

— Je tiens à honorer chaque partie de toi. Tu es irrésistible, Maia.

— Cela apaisera-t-il ce besoin ?

— Non, pas encore. En fait, cela ne fera qu'amplifier ton désir, parce que c'est de désir qu'il s'agit. J'adore ta sensualité... Fais-moi confiance, mon amour, et j'assouvirai bientôt ta passion.

— Je te fais confiance.

Il la tourna de sorte qu'elle soit à plat ventre, écarta le flot de ses cheveux et posa ses lèvres sur sa nuque, ses épaules, le long du dos. Lorsqu'il arriva au renflement des fesses, sa langue se mit de la partie.

Il lui infligea ensuite des petites morsures brûlantes au dos des cuisses. Elle se mit à se tortiller quand elle sentit sa langue s'insinuer entre ses jambes.

— Tu me fais rougir, Emrys ! Oooh !

Il continua inexorablement et, parvenu à ses pieds, il la retourna sur le dos avant de lui mordiller doucement les orteils, de les lécher...

— Emrys !

— Oui ?

— On dirait que tu as envie de me manger...

— Oui, je te mangerais, si je pouvais te garder intacte. Tu es vierge, et pourtant tu n'as pas peur de moi et de ce que je te fais.

— Pourquoi aurais-je peur, puisque nous nous aimons ?

— Maia... Maia... murmura-t-il en l'embrassant de nouveau, la couvrant de son corps chaud.

Elle sentit alors son sexe contre son ventre. Il était long et dur. Très dur. Son souffle dans son oreille l'assourdissait. La tête lui tournait. Ce devait être ce moment dont Averil lui avait parlé, à la fois excitant et terrifiant. À la différence qu'elle n'avait pas peur, parce qu'elle savait qu'il attendrait son assentiment.

— Le moment est venu, Emrys, n'est-ce pas ?

— Oui...

— C'est de cela dont j'avais besoin ?

Il lui écarta doucement les cuisses.

— Oui.

Il appuya le bout de son membre dans sa moiteur brûlante. L'anticipation la fit haleter.

Il s'arc-bouta et entra lentement en elle. Elle était merveilleusement étroite... Avec d'infinies précautions, il continua jusqu'à ce qu'il ne puisse aller plus loin. L'hymen. D'un coup de reins, il déchira le voile de sa virginité.

Maia poussa un cri de douleur et se débattit pour se dégager. Mais il la maintenait prisonnière et murmurait des paroles apaisantes contre ses lèvres.

— Laisse-toi faire, tu n'auras pas mal longtemps...

Hésitant à le croire, elle se mit à pleurer contre son épaule. C'est alors que la douleur disparut, aussi vite qu'elle avait surgi. Elle prit conscience de son sexe en elle.

— Oh ! murmura-t-elle. C'est... c'est...

Il allait et venait à présent. Très vite, ce rythme lancinant la grisa. On eût dit qu'un brasier s'allumait au plus profond de son corps.

— Mon Dieu, Emrys... ! Emrys !

Il plongea complètement en elle, l'entraînant dans une spirale étoilée. Sans prévenir, une vague de plaisir la souleva, la propulsa dans une extase tellement intense qu'elle perdit le souffle et crut mourir de volupté.

Lorsqu'elle revint à elle, il l'embrassait sur le front, sur les yeux, sur les lèvres...

— Tu es incroyable, lui dit-il. Pour une vierge, atteindre une telle félicité la première fois, c'est exceptionnel ! Ce doit être parce que je t'aime.

Il la soulagea de son poids et s'allongea contre elle.

— Et parce que je t'aime aussi, précisa-t-elle en se blottissant contre lui. Averil ne m'avait pas tout expliqué. Elle m'avait dit que je devais faire l'expérience pour comprendre, et elle avait raison.

Il se leva, se dirigea vers un buffet de chêne sculpté et servit deux verres de vin.

— Bois, mon cœur, tu vas avoir besoin de forces.

— Vraiment ? dit-elle en avalant une gorgée d'un excellent vin doux.

— Oui. Je ne serai jamais rassasié de toi, Maia.

— Pourquoi as-tu attendu si longtemps pour venir à moi ?

— Parce que j'étais idiot. Je n'ai pas écouté mon cœur et cette petite voix qui essayait pourtant d'attirer mon attention. Je serai plus attentif, à l'avenir.

— Je ne parviens pas à croire que je suis si heureuse, lui avoua-t-elle tendrement. Et que je mérite un tel bonheur. J'espère que je ne vais pas devenir avide.

— Bien sûr que non.

Quand ils eurent terminé leur vin, Maia se leva à son tour et revint avec la bassine et le gant tenus au chaud près du feu. Elle lava le sexe de son mari avant de laver le sien. Avisant la tache de sang sur le drap, elle sourit. Son père serait fier.

— Viens, Maia. Nous allons refaire l'amour avant de dormir, j'en meurs d'envie.

Constatant que son membre était tout dur à nouveau, elle s'empressa de le rejoindre.

— Moi aussi, dit-elle, fermant les yeux lorsqu'il glissa une main entre ses cuisses.

Il insinua un doigt au cœur de sa féminité et caressa le point sensible jusqu'à ce qu'elle se mette à gémir. Il glissa alors deux doigts en elle en lui murmurant à l'oreille :

— Tu es une diablesse, Maia. Une vraie diablesse...

— Voudrais-tu que je sois différente ? le défia-t-elle. Oh, oui ! Maintenant... viens !

Il l'enfourcha aussitôt et la pénétra d'un coup de reins.

Leurs corps enchevêtrés se mirent à onduler d'un même mouvement, incendiés par la même flamme, embrasés par la passion. Ils se dévorèrent de baisers et leurs cris se confondirent tandis que le plaisir les emportait au septième ciel. Il l'inonda de sa semence, et elle en redemanda, encore et encore, jusqu'à ce qu'ils finissent par s'endormir, épuisés.

Quand ils se réveillèrent, à l'aube, ils étaient de retour dans la chambre de Dragon's Lair, comme il le lui avait promis.

Maia s'étira avec un soupir de bien-être mais, remarquant que la petite pièce était glacée, elle se leva et alla rajouter du bois sur les braises. Lorsque le feu repartit, elle se lava puis alla ouvrir les volets pour jeter l'eau par la fenêtre, et remplit de nouveau la cuvette avec le broc avant de réveiller son mari.

— Il est temps de se lever, mon seigneur, il fait jour.

— Si tu ne t'habilles pas un peu, je risque de ne pas quitter ce lit de la journée, et toi non plus !

Il voulut l'attraper, mais elle esquiva en riant.

— Il y a de l'eau pour ta toilette, dit-elle en enfilant sa chemise, puis la robe qui se trouvait là.

Une robe toute simple, en velours marron.

— Tu vas devoir m'aider à lacer le dos, je n'y arriverai pas toute seule.

— Je préférerais le délacer.

— Emrys ! Mon père attend de savoir si j'ai survécu à ma nuit de noces, et il veut voir le drap qu'il accrochera ensuite à la… Emrys ! Le drap ! s'écria-t-elle. Il est resté à l'Île du Lac ! Qu'allons-nous faire ?

Catastrophée, elle constata que le drap était intact quand Emrys se leva. Tranquillement, il se pencha et, d'un geste circulaire de la main, fit apparaître la même tache de sang qui maculait le lit de leurs premiers ébats.

— Voilà, j'ai procédé à l'échange. Viens, que j'attache ta robe.

Elle dut réprimer de doux frissons lorsque ses doigts habiles nouèrent les rubans.

— C'est pratique d'avoir un mari tel que toi, Emrys ! lança-t-elle gaiement, essayant de penser à autre chose. Un tour de passe-passe, et les problèmes sont résolus.

Il sourit.

— Je vais te laver, à présent, dit-elle.

— Non, je m'en charge. Si tu me touches, je ne te résisterai pas et j'aimerais que nous rentrions aujourd'hui. Pas toi ?

— Si. Nous pourrions peut-être chevaucher jusqu'au soleil couchant et continuer par des moyens magiques ?

Il acquiesça.

— Tu as raison, il fait un temps magnifique, autant en profiter… même si personnellement, j'avais à l'esprit un passe-temps plus agréable.

— Comment vit-on à l'Île du Lac ? Comme à Dragon's Lair ? lui demanda-t-elle pendant qu'il se lavait de la tête aux pieds. Devrai-je diriger les domestiques et veiller aux tâches ménagères, comme toute bonne épouse se doit de le faire ? Tu n'as pas systématiquement recours à la magie, n'est-ce pas ?

— Je m'en sers le moins possible. Tu auras la charge de la bonne tenue du château, et les domestiques t'obéiront. J'aimerais seulement que tu prennes conseil auprès de Sion, au début, pour ta formation.

— Bien sûr. Est-ce que tu reçois beaucoup ?

— Non. L'Île du Lac se situe très à l'écart des routes, Maia, mais ta famille y sera toujours la bienvenue. Je ne veux pas que tu sois malheureuse ou que tu te sentes seule, mon amour. Tu pourras aussi te faire des amies chez moi. J'ai des parents éloignés qui habitent au château, dont bon nombre sont des fées.

— Averil compte des fées parmi ses ancêtres. C'est d'elles qu'elle tient sa blondeur et sa pâleur. Moi, je ne suis qu'une femme ordinaire.

— Il n'y a rien d'ordinaire en toi, chérie ! assura-t-il en riant.

Des vêtements propres se trouvaient dans la malle, à l'intention d'Emrys. Il s'habilla, laissa Maia lui brosser les cheveux, puis il la fit asseoir sur un tabouret et la coiffa à son tour, admirant la brillance de ses boucles de feu.

— Aujourd'hui, tu devras attacher tes cheveux comme il convient pour une femme mariée. J'adore leur couleur, Maia. Ils me font penser au soleil couchant.

Avec quelques épingles, elle se fit un chignon sur la nuque et se tourna vers lui.

— Je te plais, mon seigneur ?

— Cela te va très bien.

— Je ne veux pas me coiffer comme Averil, avec des nattes enroulées autour du crâne. Je veux avoir mon style.

— Les nattes vont à Averil parce qu'elle est grande, mais ce chignon te sied à ravir car tu es plus élégante.

— Ne dis jamais une chose pareille devant ma sœur ! plaisanta Maia.

Elle enleva le drap du lit et ils descendirent dans la grande salle. Cérémonieusement, elle remit la preuve de sa pureté à son père, qui la félicita avant d'aller le suspendre à la fenêtre de la chambre nuptiale.

Lorsqu'il redescendit, il invita l'assemblée à s'attabler avec lui pour le petit déjeuner. Peu après, lord Mortimer et Roger prirent congé, suivis d'Averil, de Rhys et des leurs. Maia berça un moment son neveu dans ses bras, avant de le rendre à sa mère.

— Peut-être aurai-je un fils moi aussi, à la même époque l'an prochain ? dit-elle d'un air rêveur.

— Tu sembles vraiment heureuse, chuchota Averil. Je suis contente que tu aies trouvé l'amour, ma chère sœur.

— Et toi ? Comment vas-tu ? Rhys paraît plutôt satisfait.

— Oui, je suis heureuse alors que je n'y croyais pas. Je pense que la mort de la petite Mary nous a rapprochés, et qu'elle serait contente de nous savoir ensemble – Dieu ait son âme, la pauvre enfant.

— Emrys et moi aimerions passer les fêtes de Noël à l'Île du Lac. Pourquoi ne viendriez-vous pas ?

— Nous essaierons, mais tu sais que le temps n'est pas toujours clément en décembre, sœurette.

— Dans ce cas, vous viendrez aux beaux jours.

Les deux sœurs s'étreignirent, et Junia vint se glisser entre elles.

— Et moi ! Vous m'oubliez ! Mon Dieu, que vais-je devenir sans vous ?

Il y eut de nouvelles embrassades, de nouvelles invitations et quelques larmes.

— Je déteste mon âge ! s'écria à la fin Junia. Douze ans ! Quel malheur !

Ses sœurs se mirent à rire.

— Tu en auras quinze plus vite que tu ne le crois, répliqua Averil. Bon, je vous laisse. Je ne voudrais pas abuser de la patience de Rhys…

Au moment des adieux entre Argel et sa fille, d'autres larmes coulèrent, mais Maia se montra la plus vaillante.

— Allons, maman, je suis mariée, c'est ce que tu voulais, non ? Et puis, je ne vivrai qu'à deux jours d'ici. Ce n'est pas le bout du monde.

— J'envoie une troupe d'hommes d'armes pour vous escorter, proposa Merin.

— C'est inutile, répondit son gendre en échangeant un bref regard avec sa femme. Nous ne risquons rien. J'ai fait sécuriser les routes par mes hommes.

Rassuré, le Dragon Lord s'inclina.

— Les affaires de Maia ont déjà été envoyées à l'Île du Lac, dit-il. Sauvez-vous vite, avant que le château ne soit inondé par les larmes de ma femme !

Maia alla embrasser Gorawen, Ysbail et Junia.

— Souviens-toi de ta promesse à ma fille, lui rappela sèchement Ysbail.

Nullement offensée, Maia acquiesça.

— Je n'y manquerai pas.

Après un dernier baiser à ses parents, Maia prit la main d'Emrys Llyn et se laissa entraîner dans la cour, où les attendaient les palefreniers avec leurs chevaux.

Il faisait froid ce matin-là, mais un soleil radieux illuminait le ciel. Maia quitta le château de son enfance sans un regard derrière elle. Il appartenait au passé, désormais, et son avenir l'intéressait bien davantage.

11

— Il devrait être à moi! Comment Emrys ne voit-il pas que je l'aime? se lamentait la magnifique jeune femme aux cheveux couleur de sable blond.

— Tais-toi, Morgane! rétorqua Drysi. Tu n'as jamais été destinée à épouser le Seigneur du Lac. Pourquoi t'obstines-tu ainsi?

— Mon sang vaut bien le sien!

— Ton sang est maudit, tu le sais très bien! Tu descends de Mordret qui a trahi Arthur.

— Lancelot ne l'a-t-il pas trahi, lui aussi? riposta Morgane.

— Oui, et il l'a amèrement regretté toute sa vie. Il a essayé de se racheter, alors que Mordret n'a jamais eu le moindre remords. Il ne s'est jamais repenti.

— Mordret était le fils d'Arthur, et le sang d'Arthur court aussi dans mes veines.

— Le Seigneur du Lac aime sa femme, et surtout – *surtout* – elle l'aime aussi. Elle sera bientôt mise à l'épreuve. Quand son amour sera prouvé, la malédiction sera rompue et ne touchera plus les descendants de Lancelot.

— Mais tout changera pour nous, et je ne veux pas que les choses changent! s'emporta Morgane.

— Le changement appartient à l'ordre naturel des choses.

— Peut-être échouera-t-elle lors de sa mise à l'épreuve? glissa Morgane d'un air sournois. Ou mourra-t-elle, comme les deux autres?

— Tu crois que je ne sais pas ce que tu as fait ?

— Tu n'as rien dit, en tout cas.

— Ces deux-là ne méritaient pas Emrys, et elles ne l'aimaient pas vraiment. Ce n'est pas le cas de lady Maia. Elle l'aime, elle. Laisse tomber, Morgane, ou bien j'informe le seigneur de tes agissements.

— J'aimerais être une vraie fée, pas une créature à moitié humaine.

— Tu es ce que tu es. Mais souviens-toi, je détiens un certain pouvoir dans ce château. Tu as intérêt à bien te tenir, sinon tu seras punie.

— Je te hais ! s'écria férocement Morgane.

— Je sais, répondit la vieille dame avec un petit sourire. Va-t'en ! Tu commences à m'ennuyer avec tes jérémiades.

Morgane sortit en claquant la porte.

— Elle est dangereuse, maîtresse, dit Efa, la femme de chambre de Drysi. Pourquoi ne persuadez-vous pas le seigneur de la chasser de l'Île du Lac ?

— Parce que je serais alors obligée de lui dire pourquoi je le demande. J'ai commis une grave erreur en lui cachant que Morgane avait tué ses deux premières femmes. J'ai peur qu'en l'apprenant, il ne cesse de m'aimer. Je ne l'ai jamais trahi, et je prie pour que la nouvelle maîtresse passe l'épreuve avec succès avant que d'autres drames ne surviennent par la faute de Morgane. Si la malédiction est levée, le seigneur la renverra dans l'un des deux mondes qui sont les siens. Elle rêve d'être une fée à part entière, il le sait.

— Vous devriez le mettre au courant, maîtresse. Il vous pardonnera. Vous êtes âgée, vous avez le droit de commettre des erreurs. Le maître vous aime comme sa propre mère.

— Je ne peux pas, j'ai trop peur...

Efa soupira.

— Alors, dites-lui au moins que Morgane s'est éprise de lui et qu'elle est jalouse de la jeune maîtresse. Elle s'est déjà débrouillée pour gagner la confiance de cette pauvre petite qui, désireuse de se faire des amies, l'a totalement adoptée.

— J'essaierai de le prévenir, concéda Drysi.

Mais quand la vieille gouvernante tenta de mettre Emrys Llyn en garde, il ne la prit pas au sérieux.

— Morgane s'imagine peut-être qu'elle est amoureuse de moi, mais elle voit bien que j'aime ma femme, lui répondit-il. Elle est sa seule amie. Maia se languit de ses sœurs. Si je la prive de cette amitié, elle sombrera dans la mélancolie. Et puis, cela lui permet d'oublier un peu son idée fixe : Maia est obnubilée par l'idée d'avoir un fils. Elle est inquiète de n'être pas encore enceinte.

— Elle ne le sera pas tant que la malédiction ne sera pas levée, vous le savez bien. Vous ne mettez pas l'amour de votre femme en doute, n'est-ce pas, Emrys ? Vous devez demander à la Dame de mettre Maia Pendragon à l'épreuve. Le plus tôt sera le mieux.

— Je ne suis pas prêt à ce que Maia apprenne la vérité, Drysi. C'est trop tôt. Laissons-lui encore un peu son innocence.

— Plus vous attendrez, plus Morgane causera des problèmes. Et elle ne s'en privera pas, croyez-moi…

Le solstice d'hiver fut célébré, mais la famille de Maia dut rester à Dragon's Lair à cause de la neige. Curieusement, la jeune femme n'en fut pas attristée. Sa nouvelle amie, Morgane, une créature mi-fée mi-humaine, lui tenait compagnie toute la journée, et la nuit, son mari lui faisait l'amour.

La vie ici est presque trop parfaite, songea un jour Maia en regardant la neige tomber sur le lac gelé. Il ne lui manquait qu'un enfant. Serait-elle comme sa mère ? Lente à concevoir ?

Un après-midi où elles étaient assises près du feu, dans la grande salle, elle confia ses craintes à Morgane, qui lui lança un regard acéré. Ses yeux en amande avaient une étrange couleur mordorée. Sa peau était si pâle qu'elle était presque transparente, et ses boucles couleur de sable ruisselaient jusqu'au bas de ses reins. Morgane était très belle, et elle le savait.

— Tu as un an de plus que moi, lui dit Maia. Comment se fait-il que tu ne sois pas mariée ? Tu es encore plus belle que ma sœur Averil.

— Il faut qu'un homme soit courageux pour épouser une créature mi-humaine. Et pour lui faire un enfant. Le seigneur, ton mari, est un peu sorcier lui aussi, paraît-il. Cela explique peut-être qu'il ne t'ait pas encore mise enceinte… C'est triste que tu désires tellement un enfant et qu'il refuse de t'en faire un.

— Je suis peut-être comme ma mère. Elle a mis du temps à tomber enceinte.

— Il paraît que ce genre de déficience saute plusieurs générations, murmura Morgane. Je persiste à penser que tu devrais parler à Emrys. Tu l'aimes, et lui aussi. Remarque, les hommes disent toujours qu'ils nous aiment. Cela ne signifie pas qu'ils nous aiment vraiment. Ceux qui t'ont courtisée ne t'ont-ils pas juré leur amour ?

— Le seul qui m'ait jamais avoué son amour, c'est mon mari. Et je le crois, car Emrys n'est pas un menteur.

— Non, bien sûr que non ! s'écria Morgane, comprenant qu'elle aurait du mal à détourner cette fille du Seigneur du Lac. C'est un homme d'honneur.

Mais les paroles de Morgane avaient troublé Maia. Elle n'avait aucune expérience en la matière, mais serait-il possible qu'Emrys évite sciemment de lui faire un enfant ? Elle se promit de l'interroger sans tarder.

Ce soir-là, ils venaient de faire l'amour quand, tendrement blottie contre lui, elle aborda le sujet.

— Comment se fait-il que je ne sois toujours pas enceinte, Emrys ? Est-ce toi qui ne veux pas me faire un enfant ? Si c'est le cas, pourquoi, puisque nous nous aimons ?

Emrys Llyn soupira. Il devait lui révéler la vérité. Il craignait seulement d'effrayer Maia au point de l'éloigner de lui...

— Viens, dit-il en l'incitant à se lever. Je vais tout t'expliquer.

Ils s'enveloppèrent dans la même robe d'intérieur en velours vert doublée de lapin, et s'installèrent sur la banquette située dans l'embrasure de la fenêtre.

— Sais-tu ce que mon nom signifie, Maia ? commença-t-il en remplissant deux verres de vin.

— Il signifie « immortel ».

— C'est cela. Je t'ai dit que j'étais un descendant de Lancelot et de la Dame du Lac.

Il but une longue gorgée de vin avant d'ajouter :

— En fait, je suis leur fils.

— Comment est-ce possible ? Lancelot a vécu il y a des siècles.

— Mon père aimait beaucoup les femmes. C'est pourquoi les sœurs d'Arthur, qui étaient un peu sorcières, n'eurent aucun mal à lui jeter un sort pour qu'il séduise l'épouse du roi alors que Lancelot était marié avec ma mère, à l'époque. Mais il y avait une autre femme dans sa vie. La plus jeune des demi-sœurs du roi. Elle s'appelait Elaine, la dame de Shallot. Il l'avait séduite avant de rencontrer ma mère...

— Quel âge as-tu ? l'interrompit-elle en l'observant attentivement.

Emrys Llyn eut un petit rire sans joie.

— Vingt-cinq ans, mon amour. Je te l'ai déjà dit. Laisse-moi continuer.

— D'accord, acquiesça-t-elle en prenant ses mains dans les siennes. C'est vraiment une histoire de magie.

— Oui, la magie y tient une grande part.

Il posa tendrement ses lèvres sur les mains de Maia avant de poursuivre.

— La Dame du Lac quittait rarement son château situé sous le lac. Elle avait pour devoir de garder Excalibur en attendant Arthur. Mais elle était curieuse de ce qui se passait à la cour de Camelot, et elle finit par s'y rendre. Elle arriva dans un attelage qui convenait à son rang, accompagnée de nombreuses fées. Dès l'instant où elle vit mon père, elle tomba amoureuse de lui. Lui aussi, mais brièvement car Lancelot ne restait jamais attaché longtemps à la même femme, comme beaucoup le vérifièrent à leurs dépens.

» Toujours est-il qu'il l'aima suffisamment pour l'épouser, ce qui entraîna la tragédie qui suivit. La dame de Shallot ne décolérait pas que mon père l'ait trahie, car ils avaient envisagé le mariage. Lancelot épousa donc ma mère à Camelot en présence du roi Arthur, de la reine Guenièvre et de toute la cour. Ensuite, ils revinrent ici où ma mère fit élever ce château pour mon père. Elle attendait déjà un enfant.

» Ils passèrent quelques mois ensemble, puis le roi rappela Lancelot, car il était un guerrier valeureux et redoutable. Mais les sœurs du roi lui avaient jeté un sort pour venger Elaine, un sort qui le fit tomber amoureux de la reine. Tu connais cette histoire, je n'ai pas besoin de te la rappeler, n'est-ce pas ?

Maia secoua la tête et avala une gorgée de vin.

— Un soir, ma mère arriva à la cour avec son nouveau-né contre elle. La dame de Shallot s'assura que sa rivale apprenne que Lancelot l'avait trahie, puis elle me jeta un sort pour se venger de mon père. J'atteindrais l'âge de vingt-cinq ans, mais je ne vieillirais pas davantage. Cette malédiction me vouait au malheur, puisque toute femme qui partagerait ma vie vieillirait alors que ma jeunesse resterait intacte. Je verrais l'objet de mon amour se décatir, puis mourir, quand moi je resterais jeune, beau... immortel. Ainsi, elle me vouait à ne jamais connaître la sérénité inhérente à l'amour. Elaine de Shallot ajouta que je devrais porter le nom d'Emrys Llyn, l'Immortel du Lac.

Il remplit son verre et celui de sa femme, avant de poursuivre.

— Le lendemain, Elaine avala un poison, s'étendit sur une barge richement caparaçonnée et se laissa emporter par le fleuve qui coulait au pied de son château, jusqu'à la mer où elle disparut. Ma mère était furieuse et mon père, dévasté par ce que sa conduite avait engendré. Il rentra avec elle à l'Île du Lac pour faire pénitence, mais l'enchantement qui l'entourait continua de le troubler.

» Malgré ses pouvoirs magiques, ma mère fut impuissante à me libérer totalement de la malédiction qui pesait sur moi. Elle parvint seulement à l'atténuer.

— Comment ?

— Je suis mi-humain mi-sorcier, mais mon humanité reste plus forte. Pour les filles, c'est le contraire. Lorsqu'elles sont à moitié fées, elles appartiennent davantage à l'Autre Monde. Ma mère savait que je tomberais amoureux, au fil des siècles, et elle transforma légèrement le sort. Quand j'eus atteint l'âge de vingt-cinq ans, elle plongea l'Île du Lac et tous ses habitants dans un profond sommeil. Puis elle rendit le château invisible, et les choses demeurèrent ainsi jusqu'à il y a cinq ans. C'était une façon de me protéger de ceux qui découvriraient que je ne vieillissais pas.

» Elle précisa qu'un jour viendrait où une femme m'aimerait malgré mon histoire, une femme qui serait prête à se sacrifier pour moi. Si j'acceptais alors de renoncer à mon côté magique pour devenir un mortel, le sort de la dame de Shallot serait dissous. Je pourrais alors vieillir et avoir des enfants.

— Et tes pouvoirs magiques ?

— Si je deviens mortel, je les perdrai.

— Cela m'est égal, dès l'instant où nous restons ensemble, Emrys ! C'est tout ce qui compte pour moi. Je n'ai jamais cherché autre chose qu'un mari aimant, capable de me donner des enfants. Renonce à ta magie, que nous puissions vivre comme des gens ordinaires.

— Dans ce cas, tu vas devoir rencontrer la Dame du Lac, mon amour. C'est elle que tu devras convaincre de ta sincérité, afin que je sois libéré de cet enchantement. Je savais que tu étais celle qui me libérerait, Maia, je le savais ! Drysi m'avait dit que je devais chercher une descendante d'Arthur. Je n'en connaissais aucune, à part Morgane, mais je ne peux l'aimer.

— Morgane descend d'Arthur ? Je l'ignorais, dit doucement Maia.

— Par la lignée de Mordret. Elle a été très surprise d'apprendre l'existence de ta famille.

— Qu'arrivera-t-il aux fées et aux sorciers quand nous vivrons comme des mortels ?

— Ils regagneront l'Autre Monde.

— Même ceux qui sont à moitié humains ?

— Ils auront le choix, mais la plupart préféreront retourner au pays enchanté.

— Et toi ? Es-tu vraiment désireux de renoncer à l'héritage de ta mère pour vivre comme un mortel ? Pour vieillir ? Pour connaître la douleur et la tristesse ? demanda-t-elle en lui caressant la joue. Je t'aime, Emrys, et je n'aimerai jamais un autre que toi. Mais la décision que tu dois prendre est grave. Tu ne pourras pas revenir en arrière, je suppose ?

— Non, Maia.

— Il faut que tu sois sûr de toi, mon amour. Si tu souhaites rester tel que tu es, ne jamais vieillir, je comprendrai. Et je l'accepterai.

— Mais toi, tu vieilliras.

— Oui.

— Et si nous avons des enfants, ils vieilliront eux aussi. Je te perdrai, Maia, je te verrai partir. Je préfère vieillir avec toi plutôt que de te perdre.

— Comment ta mère me mettra-t-elle à l'épreuve ?

— Je ne sais pas, admit-il. Je n'en suis pas arrivé là avec mes autres femmes. Elles n'ont jamais connu toute l'histoire. J'ai essayé d'en parler à Rosyn, mais elle s'est sauvée.

— J'ai peur, moi aussi, je l'avoue. Mais demain tu appelleras ta mère. Inutile d'attendre, si nous devons en passer par là, Emrys.

Il opina.

— Tu as raison, mon amour.

Ils s'attardèrent quelques minutes à contempler le lac gelé. Il ne neigeait plus. Des étoiles scintillaient dans l'encre du ciel et la lune diffusait sa lumière argentée. Maia se demandait comment la Dame du Lac pourrait émerger de l'épaisse couche de glace qui pétrifiait son domaine... Demain, elle serait fixée.

Le sommeil la gagnait. Ses paupières s'alourdissaient et elle posa la tête contre l'épaule de son mari. Il la souleva dans ses bras et l'emmena dans leur lit.

— N'appelle pas la Dame sans que je sois là, murmura-t-elle.

— Non, d'accord, dit-il en l'embrassant tendrement comme elle se blottissait contre lui.

Il faisait encore nuit quand Emrys se réveilla et s'habilla en silence. Il se glissa hors de la chambre et se rendit à la tour sud. Drysi était réveillée et, de toute évidence, elle l'attendait.

— Elle est au courant, annonça-t-il en entrant.

— Et qu'a-t-elle dit ?

— Qu'elle m'aimait toujours. Que si j'acceptais de rester tel que je suis, elle comprendrait et vieillirait à mes côtés.

— Elle est bien celle qui vous était destinée. Je le savais.

— Comment connaissais-tu les Pendragon, Drysi ?

— Il y avait des rumeurs à Camelot, mon seigneur. J'étais plus jeune et plus alerte, alors. J'ai eu sir Cai pour amant, le frère adoptif du roi. Il était un peu ivre, et il me parla du premier amour d'Arthur et de l'enfant né de cette union, que Merlin l'Enchanteur avait caché avec sa mère dans les hauteurs du pays de Galles afin que le sang d'Arthur ait une chance de perdurer. Merlin voyait loin. Je pense qu'il savait que la fée Morgane, la demi-sœur d'Arthur, le séduirait, mais il n'y pouvait rien. J'ai gardé cette information pour moi jusqu'ici… Je me demande où le vieux Merlin peut bien se cacher, aujourd'hui.

— Efa a-t-elle apporté le cristal dans la grande salle ? Je dois aller réveiller ma femme.

— Oui, acquiesça Drysi. J'ignore ce que fera votre mère, mon seigneur. Après son expérience à Camelot avec votre père, elle ne tient pas les humains en haute estime. Elle vous a protégé de son mieux, mais vous devez vous méfier d'elle, car je ne crois pas qu'elle accepte de gaieté de cœur que vous choisissiez l'humanité. Me comprenez-vous bien ?

— Je connais ma mère, son orgueil excessif, son acharnement à me protéger, mais je ferai ce que je dois faire, pour Maia.

— C'est elle qui devra relever le défi que votre mère lui lancera. Allez la chercher, et assurez-la de votre amour infini avant de la laisser affronter la Dame du Lac.

Emrys retourna à sa chambre, où la jeune femme dormait toujours. Il se pencha et posa ses lèvres sur les siennes en lui touchant doucement l'épaule.

— Réveille-toi, mon amour…

Elle ouvrit ses grands yeux d'émeraude.

— Ai-je rêvé, cette nuit ?

— Non, tu n'as pas rêvé notre conversation. Je n'ai pas encore appelé ma mère. Es-tu toujours décidée?

Maia soupira.

— Il n'y a pas d'autre solution si nous voulons mener une vie normale. Mais j'accepterai ta décision, tu le sais.

— Tes désirs sont les miens, dit-il tranquillement. Mets ta plus belle robe. Ma mère appréciera. Elle y verra une marque de respect. Je ne veux pas t'effrayer, mais sois prudente. Elle n'est pas facile.

— Je porterai ma robe de mariée. C'est la plus belle que je possède.

Sur ce, elle appela sa femme de chambre, et Emrys la laissa se préparer.

Coiffée d'un gracieux chignon sur la nuque et d'un diadème en or et argent, Maia rejoignit son mari dans la grande salle. Autour du cou, elle portait le dragon rouge des Pendragon.

Emrys lui sourit. Il la trouvait pâle, mais son regard était déterminé.

— Viens, dit-il en lui tendant la main.

Au centre de la table se trouvait une fine baguette en or, posée près d'un grand losange en cristal. Emrys demanda une dernière fois à sa femme:

— Es-tu prête, mon amour? Une fois que j'aurai appelé ma mère, nous ne pourrons plus faire marche arrière.

— Je suis prête, répondit-elle, la gorge serrée.

Au moment où il prenait la délicate baguette, Morgan fit irruption dans la pièce.

— Emrys! Que fais-tu? As-tu perdu la tête? s'écriat-elle en courant se poster devant eux.

— J'appelle la Dame, comme tu peux le constater. Il est temps.

— Non! s'écria Morgane. Non!

— Ce n'est pas à toi de décider, cousine, rétorqua calmement Emrys. Ma femme va passer l'épreuve. Nous allons vivre comme des mortels.

— Tu ne peux pas faire ça ! s'exclama Morgane dans un sanglot. Tu veux renoncer à tes pouvoirs pour devenir un vulgaire humain ? Comme ton père ? Tu veux mourir et être réduit en poussière ? Non, Emrys ! Non !

Au lieu de lui répondre, il frappa le cristal du bout de la baguette. Une fois. Deux fois. Trois fois.

Morgane plaqua ses mains sur sa bouche pour retenir un cri de désespoir.

Surprise et agacée, Maia ne reconnaissait plus son amie. Emrys était son mari, tout de même ! Morgane se comportait soudain comme si elle n'existait pas. Comme si elle n'était qu'un détail contrecarrant ses projets. Prise d'un violent accès de jalousie, elle eut envie de lui arracher les yeux !

Le choc de l'or sur le cristal produisit un son d'une pureté sans pareille, qui se répercuta dans tout le château. Une pâle fumée apparut alors au centre de la pièce, ondulant en une série de volutes. Plusieurs tons de bleus se mêlèrent avant que la très belle Dame du Lac se matérialise enfin.

Elle avança vers son fils, le sourire aux lèvres, n'ayant d'yeux que pour lui.

— Emrys ! s'écria-t-elle en descendant de l'estrade pour prendre ses mains dans les siennes et les embrasser.

— Mère. Je suis heureux de te revoir.

— Pourquoi m'as-tu appelée ?

Elle porta alors son attention sur Maia et l'examina d'un air indéchiffrable.

— Je t'ai appelée pour te présenter ma femme, Maia Pendragon.

Maia s'inclina en une profonde révérence devant la mère de son mari.

— Madame. Je suis très honorée.

La Dame du Lac s'approcha et observa son pendentif.

— N'est-ce pas le symbole d'Arthur, jadis roi de Grande Bretagne ?

— Oui, c'est cela, répondit Maia.

— Qu'est-ce qui vous donne le droit de le porter ?

— Je descends d'Arthur par son premier fils, Gwydre, né de Lynior, fille d'Evan, déclara fièrement la jeune femme.

— L'enfant que Merlin avait caché ?

— Lui-même.

— Une union de sang entre Arthur et Lancelot... Intéressant. Depuis combien de temps es-tu marié à cette femme, mon fils ?

— Depuis le 1er novembre.

— Il y a exactement trois mois, donc. Et Morgane ne lui a pas encore ôté la vie ? Voilà qui m'étonne.

— Quoi ? s'exclama Emrys. Qu'as-tu dit ?

La Dame du Lac se mit à rire.

— Prends garde, mon fils. Ton humanité devient un peu trop flagrante à mon goût. Ignorais-tu que Morgane était responsable de la mort de Rosyn et de Gwynth ? demanda-t-elle en ricanant. Elle les a terrorisées par ses allusions et ses insinuations, n'est-ce pas, Morgane ? Alors Rosyn s'est jetée du haut de la tour, et Gwynth s'est noyée.

— Madame, elles ne l'aimaient pas ! s'écria Morgane. Mais moi je l'aime, et je descends d'Arthur aussi ! Mon sang vaut largement le sien, jeta-t-elle en toisant Maia avec haine.

Figée par le choc, Maia découvrait que son mari lui avait menti en prétendant que ses épouses étaient mortes dans leur lit. Que lui avait-il caché d'autre ? Mais comment aurait-il pu dire la vérité à sa famille sans l'effrayer ? Ses parents ne l'auraient jamais laissée l'épouser s'ils avaient connu la véritable cause de la mort des deux femmes.

Le rire de la Dame du Lac la glaça.

— Parente d'Arthur et du diabolique Mordret, tu ignores ce qu'est l'amour, dit-elle à Morgane. C'est le pouvoir et le prestige d'Emrys que tu convoites. Vous, en revanche, vous êtes différente, ajouta-t-elle en se tournant vers Maia. Vous aimez mon fils, je le vois dans vos yeux, et surtout dans votre cœur. Reste à savoir jusqu'à quel point vous l'aimez.

— Qu'attendez-vous de moi, madame ? demanda bravement Maia. Je suis prête à prouver mon amour pour Emrys afin que soit levé le sort dont il a été victime.

— Vraiment ? releva la Dame du Lac avec un certain amusement. C'est ce que nous allons voir, Maia Pendragon. Je vais vous mettre à l'épreuve pour que vous me démontriez votre valeur. Je ne renoncerai pas à mon fils facilement, vous vous en doutez bien. Je l'ai protégé toute sa vie et je continuerai, si vous vous en révélez incapable.

— Je ferai tout ce qu'il m'est possible de faire pour mon mari. Je dis toujours la vérité et je suis une femme de parole, madame.

La Dame du Lac hocha la tête.

— Très bien. Je vais donc vous tester, Maia Pendragon. Vous êtes libre de refuser si vous trouvez cela trop dur. Sachez toutefois que si vous renoncez ou si vous échouez, mon fils restera immortel et vous quitterez l'Île du Lac pour vieillir seule.

— Je ferai ce que vous me demandez, bien que je ne comprenne pas pourquoi vous exigez de moi une preuve d'amour, puisque vous l'avez vu dans mes yeux et dans mon cœur, déclara Maia en regardant la Dame du Lac sans ciller.

Celle-ci soupira avec une certaine impatience.

— Je suis sa mère, et j'ai le droit de demander ce qui me chante. Je veux ce qu'il y a de mieux pour mon fils, Maia Pendragon.

— Je le comprends, mais Emrys n'est plus un petit garçon. Le croyez-vous incapable de prendre ses décisions tout seul ?

— Insolente créature ! Je pourrais vous détruire d'un seul geste de la main !

— Je n'en doute pas, mais vous n'en ferez rien si vous aimez votre fils autant que vous le prétendez.

— Écoutez mes conditions !

— Non ! intervint soudain Emrys Llyn. Ne dis plus un mot, mère. Je t'ai toujours vénérée et respectée, mais j'ai enfin trouvé le véritable amour. Je ne te laisserai pas me l'enlever.

— Emrys ! Tu es tellement humain, et les humains sont si faibles ! Ton père l'était, Arthur l'était. Mais toi, tu n'as pas le droit d'être un faible !

— Je préfère de loin mon côté humain. Tu m'as protégé pendant sept cents ans, mais les temps ont changé. J'aime ma femme et elle m'aime. Nous ne doutons pas de nos sentiments l'un pour l'autre. Notre amour nous aidera à surmonter les difficultés. Accepte ma décision, s'il te plaît, parce que c'est de ma vie qu'il s'agit. De nos vies, à tous les deux.

— L'humanité est instable et vacillante, mon fils. Tu ne peux faire confiance à personne, encore moins à un humain.

— Tu n'as donc pas confiance en moi.

— Non ! Non ! Ce n'est pas cela. C'est à ton père que je ne pouvais me fier. Il a trahi toutes les femmes qui l'ont aimé.

— Tu es la sagesse même. Tu devais bien savoir quel genre d'homme il était. Pourquoi ne l'as-tu pas repoussé ?

— Je pensais que mon amour pour lui le changerait, dit-elle d'une voix altérée.

Mais elle se reprit aussitôt.

— Seulement, Lancelot était un faible, comme tous ses semblables.

— Tu t'es laissé ensorceler par sa beauté et son charme, à tel point que tu l'as volé à la demi-sœur du roi. Tu savais qu'il serait flatté par l'intérêt que tu lui portais. Je crois que c'est toi qui l'as séduit, mère. Et s'il était faible, tous les hommes ne sont pas comme lui. Je lui ressemble peut-être physiquement, mais la ressemblance s'arrête là. Tu ne peux pas continuer à te venger de Lancelot à travers moi. Tu avais rectifié la malédiction d'Elaine de Shallot, de sorte que je cesserais d'être immortel quand j'aurais trouvé le véritable amour. Je l'ai trouvé, mère. Tu dois me laisser ma liberté !

La Dame du Lac scruta le regard de son fils et vit qu'il était sérieux. Avec un cri de désespoir et de colère mêlés, elle disparut. Sur le lac qui s'étendait devant la grande salle, la glace se craquela dans un fracas terrible.

— Qu'as-tu fait ? demanda Maia à son mari.

— Je ne sais pas encore.

La vieille Drysi qui venait d'arriver se précipita vers eux.

— Vous l'avez défiée, mon garçon. Bravo ! Il était temps ! Elle prétendait vous protéger mais en vérité, elle se servait de vous pour se venger de Lancelot.

— Ne voyez-vous pas qu'elle peut nous tuer tous ? s'écria Morgane.

— Je préfère mourir plutôt que de vivre sans Maia, riposta le Seigneur du Lac.

— Nous devons faire la paix avec elle, déclara Maia.

— Et prendre le risque de t'exposer à ses manigances ? Jamais. Je ne veux pas te perdre.

— Si tu deviens humain, tu vieilliras et tu mourras un jour, jeta Morgane.

— Je sais. Et je l'assume.

— Tu as perdu l'esprit ! Et tout cela à cause d'elle ! ajouta rageusement Morgane en se tournant vers Maia. J'aurais dû la tuer tout de suite !

Maia lui rit au nez.

— Je ne suis pas la pauvre Rosyn qui avait peur de son ombre, Morgane, rétorqua-t-elle. Ni la méchante et capricieuse Gwynth. Je savais que tu convoitais Emrys, mais s'il avait voulu de toi, il ne serait pas venu me chercher pour m'épouser.

— J'ai des pouvoirs magiques, pas toi !

Maia rit de nouveau.

— Tu ne peux rien contre moi. Je suis protégée des créatures comme toi.

Les étranges yeux de Morgane se plissèrent dangereusement et elle leva la main pour frapper Maia, mais une force inconnue la propulsa en arrière. Une expression de frayeur sur son beau visage, elle tendit néanmoins un doigt vengeur vers sa rivale.

— Quelle est cette magie ? Emrys, laisse-moi la tuer ! Nous pouvons être heureux toi et moi, je te le jure !

— Ce n'est pas ma magie qui a protégé ma femme, Morgane. Mais tu viens de la menacer en ma présence ! Si j'avais su que tu dissimulais une nature cruelle sous tes airs enjôleurs, je t'aurais chassée de l'Île du Lac depuis longtemps. Avant de partir, tu as un choix à faire. Veux-tu devenir une fée ou un être humain à part entière ?

Il connaissait déjà la réponse.

— C'est avec joie que je me débarrasserai de mon humanité ! cria Morgane. Mais quand je serai en possession de tous mes pouvoirs, je me vengerai de toi, Emrys Llyn ! De toi et de ta femme !

— Va-t'en ! gronda-t-il. Par le pouvoir que je détiens encore en tant que Seigneur du Lac, je te destitue de ton humanité. Va-t'en, Morgane, et ne reviens jamais semer le trouble ici ! Tu seras la bienvenue dans le royaume de ma mère, mais jamais plus chez moi !

Et, devant leurs yeux, Morgane s'évanouit en fumée.

— Cela fait deux fois que tu es mon chevalier sauveur, aujourd'hui, dit Maia d'une toute petite voix.

Il la prit dans ses bras et la contempla avec intensité.

— Je t'aime, Maia, se contenta-t-il de répondre. Dis-moi maintenant comment tu as pu te protéger de la magie de Morgane.

— C'est grâce à Gorawen, la concubine de mon père. Tu sais qu'elle pratique la magie. Ma mère s'inquiétait pour ma sécurité ici, et il semble que ses craintes étaient justifiées. Avant que je quitte Dragon's Lair, Gorawen m'a entourée d'un cercle protecteur. Je ne pense pas qu'il soit assez puissant pour me protéger de ta mère, mais Morgane n'a pas ses pouvoirs.

— Ma mère se trompe. Les humains ne sont pas faibles mais pleins de ressources, au contraire.

Il posa ses lèvres sur les siennes en un tendre baiser.

— À présent, mon amour, nous devons trouver un moyen de convaincre ma mère de me débarrasser de la malédiction afin que nous puissions vivre heureux, toi et moi.

— Et tu devras laisser aux autres créatures magiques du château le choix de rester ou de partir pour le pays enchanté. Tu as empêché ta mère de me mettre à l'épreuve et certains doivent trembler, en ce moment.

— Je n'ai pas besoin d'autres preuves de ton amour, Maia.

— Je sais. Je t'aimerai toujours. Et s'il m'est possible de vieillir à tes côtés pendant que tu restes jeune et immortel, je le ferai, parce que je ne conçois pas la vie sans toi.

— Mais moi, je ne supporterais pas de te voir vieillir alors que je reste jeune, murmura-t-il tristement. Nous devons convaincre ma mère de me libérer. C'est la seule solution.

— Elle se radoucira quand elle aura un petit-fils, intervint la vieille Drysi. Et votre détermination à rester ensemble, quoi qu'il arrive, finira par la faire fléchir. Ne la laissez pas vous persécuter, mes enfants.

— Non, Drysi. Ne t'inquiète pas, répondit Emrys Llyn à sa vieille nounou.

— Elle ne parviendra pas à nous séparer! renchérit Maia avec véhémence.

12

Quand Maia se réveilla en grelottant, Emrys n'était plus à son côté. Elle se redressa et s'aperçut que le feu était mort, dans la cheminée.

Étrange... songea-t-elle, constatant en même temps que le château était plongé dans un silence inhabituel. Malgré la température glaciale, elle se leva, enfila sa robe d'intérieur doublée de lapin et ses chaussons fourrés.

— Emrys?

Pas de réponse.

Elle se dirigea vers leurs appartements. Pas de feu non plus dans le salon. Elle descendit dans la grande salle. Vide. Et glacée, elle aussi. Dans les cuisines, tous les feux étaient éteints et il n'y avait pas âme qui vive.

La peur la saisit. Qu'était-il arrivé? Où étaient Emrys et tous les habitants du château? Pourquoi tous les feux avaient-ils été éteints?

Avec difficulté, elle parvint à ouvrir la grande porte d'entrée du château. Dehors, tout était blanc. Une épaisse couche de neige recouvrait la cour et personne n'avait dégagé un chemin à la pelle.

Maia referma et monta dans la tour où logeait Drysi. À son grand soulagement, la vieille dame était là.

— Dieu soit loué, vous ne vous êtes pas volatilisée! s'écria-t-elle. Drysi, que se passe-t-il? Le château est désert, toutes les cheminées sont éteintes et Emrys a disparu.

— C'est l'œuvre de la Dame du Lac... Elle a décidé de vous mettre à l'épreuve contre l'avis de son fils. Il n'a pas le pouvoir de s'opposer à elle.

— Pouvez-vous marcher ? Je ne peux pas rallumer toutes les cheminées, mais je vais ranimer celles de mes appartements. Nous y serons au chaud et en sécurité.

— Je peux descendre, c'est la montée qui est difficile pour moi. Je dois emporter quelques affaires.

— Dites-moi ce qu'il vous faut.

La vieille dame lui demanda de mettre ses brosses à cheveux dans un panier, avec un châle et quelques-unes de ses robes les plus chaudes. Elle remercia la jeune femme quand elle l'aida à quitter son lit, à s'habiller et à se chausser.

— Vous êtes une bonne petite, lui dit-elle en s'appuyant à son bras.

Maia la conduisit jusqu'aux appartements qu'elle partageait avec son mari. Elle l'installa dans un fauteuil et la couvrit d'une couverture en fourrure. Après plusieurs tentatives, elle parvint à faire jaillir une flamme grâce à deux pierres à feu. Quand le petit bois crépita, elle alla rallumer la cheminée de la chambre.

— J'irai chercher de quoi manger aux cuisines. Au moins, avec le froid qui règne dans le château, la nourriture ne se gâtera pas ! Pourquoi fait-elle cela, Drysi ? Et que cherche-t-elle ?

— Elle essaie de vous éloigner d'ici, mon enfant. Hier, son fils s'est dressé contre elle pour la première fois de sa vie. Et il est venu à elle avec une femme à son côté. La Dame du Lac éprouve pour son fils un amour mêlé de haine. Elle ne lui pardonne pas d'être à moitié mortel et d'être issu de Lancelot.

— Mais elle aimait Lancelot, non ? Elle a protégé Emrys de la malédiction d'Elaine de Shallot, elle a veillé sur lui pendant des siècles. Et il a eu deux femmes avant moi.

230

— Oui, mais elle savait qu'il n'aimait pas ces pauvres filles et que Morgane se chargerait d'elles. De cette façon, elle gardait Emrys. Il est tout ce qui lui reste de Lancelot, et s'il devient mortel, elle le perdra. Qui aime-rait-elle alors ? Comme nous tous, fées, sorcières ou humains, elle a besoin d'amour.

— Et vous, Drysi ? Êtes-vous humaine ?

— Bien sûr, mon enfant. Tout autant que vous. J'ai seulement été préservée par l'enchantement durant tous ces siècles, comme tous les habitants du château. Je mourrai un jour ou l'autre, mais pas avant de savoir mon petit en sécurité.

— J'aime trop Emrys pour la laisser faire ! Com-ment puis-je reprendre mon mari à la Dame du Lac ?

Drysi secoua la tête.

— Je ne sais pas. Elle viendra à vous, n'en doutez pas, et elle vous dira ce qu'elle veut.

— Mais si elle aime Emrys comme vous le dites, que pourrais-je lui donner en échange ?

Incapable de répondre à cette question, Maia carra les épaules.

— Je descends chercher de quoi manger. Vous serez là à mon retour, n'est-ce pas, Drysi ?

— Si la Dame n'avait pas voulu que je reste, elle m'aurait emmenée avec les autres. Je serai là, mon enfant.

Maia se hâta de descendre aux cuisines. Elle trouva un plateau, y plaça un pot de lait glacé, un morceau de pain, du bacon et du fromage. Elle y ajouta des assiettes, des couverts, des gobelets et remonta.

À son immense soulagement, Drysi était toujours là, somnolant dans son fauteuil. Elle mit le lait à réchauffer près de l'âtre, piqua le bacon au bout d'une fourchette et le fit griller au-dessus des flammes. Après avoir fait dorer le pain de la même façon, elle prépara des tartines en y ajoutant le fromage. Une poire était restée dans une coupe, sur une étagère.

Elle l'éplucha et la partagea en deux pour le dessert, puis réveilla Drysi.

— Vous êtes pleine de ressources, mon enfant! s'exclama la vieille dame en découvrant le repas improvisé.

— Comme mes sœurs, j'ai appris à tenir un intérieur et à cuisiner, dit-elle en lui tendant un gobelet de lait tiède.

Elles mangèrent de bon appétit, puis la vieille dame observa Maia:

— À présent, mon enfant, qu'allez-vous faire?

Maia soupira profondément.

— Si nous restons ici, nous finirons par mourir de froid. Il y a du bois dans la grande salle, que je pourrai monter ici, mais il ne durera pas éternellement. La cour est couverte de neige, sans aucun chemin pour se rendre aux écuries, aux étables et au poulailler. Sans eau et nourriture, les bêtes mourront. Je ne peux même pas prendre le risque de me rendre chez mes parents pour chercher de l'aide, avec ce temps. Je n'ai qu'une solution: régler cette affaire avec elle au plus vite!

— Mais, comment?

— J'ai bien une idée…

En réalité, Maia était au bord des larmes et elle mourait de peur, mais elle se reprit bravement. Elle ne pouvait trahir sa détresse devant Drysi. Leur seule chance de s'en sortir était de garder l'espoir.

— Je vais aller chercher la Dame du Lac, déclarat-elle bien fort. Mais acceptera-t-elle de venir me parler?

— Appelez-la.

— Comment?

— Montez en haut des remparts et appelez-la en regardant le lac. Le lac, petite. C'est très important, sinon elle ne vous répondra pas. Elle prétendra qu'elle ne vous a pas entendue.

— Pourrez-vous rester toute seule ici en attendant ?

— Remettez du bois dans la cheminée, et cela ira.

Maia ajouta deux grosses bûches, puis s'enveloppa dans sa cape.

— Souhaitez-moi bonne chance, Drysi.

— Je vous souhaite toute la chance du monde, mais cela ne suffira pas. La Dame est rusée, et elle voudra déjouer vos intentions. Emrys est amoureux de vous, il a choisi de n'être qu'un homme. Sa mère ne comprend pas ce choix, et si vous ne parvenez pas à la convaincre que ce n'est pas parce que son fils devient humain qu'elle le perdra, elle se servira de ses pouvoirs à vos dépens.

— Si elle l'aime vraiment, elle renoncera à ses desseins.

Drysi se mit à rire.

— Mon enfant, vous ne connaissez rien aux fées. Ce sont parfois les créatures les plus égoïstes qui soient, et c'est le cas de la Dame du Lac. Vous devrez vous montrer plus maligne qu'elle, sinon vous êtes perdue, et Emrys aussi. Mon petit n'est pas homme à donner son cœur à la légère. Il vous aime vraiment, Maia Pendragon, et quoi qu'il arrive, il n'en aimera jamais une autre. Si vous perdez cette bataille avec sa mère, vous serez condamnés l'un comme l'autre à vivre sans amour.

Maia se pencha et embrassa la joue ridée de la vieille dame.

— Alors que Dieu nous garde, Drysi.

Dans l'étroit escalier qui menait au sommet du château, Maia frissonna. Un froid polaire avait envahi l'Île du Lac. Elle eut beaucoup de mal à soulever la lourde barre qui bloquait la porte, tout en haut, mais elle y parvint au bout de plusieurs minutes d'efforts. Pourtant, celle-ci ne s'ouvrit pas. Elle était fermée à double tour. Heureusement, elle avait son trousseau de châtelaine et ne tarda pas à trouver la bonne clé.

Soulagée d'avoir remporté cette petite victoire, elle sortit sur les remparts couverts de neige. Avec précaution, elle avança jusqu'au bord du parapet donnant sur le lac. Par bonheur, ses bottes fourrées protégeaient bien ses pieds. Il ne neigeait plus, mais le ciel était si bas qu'il semblait à portée de main. Seule la masse sombre de la forêt, au-delà, rompait la blancheur uniforme. Le lac était gelé, mais la Dame avait le pouvoir de s'en extraire, si elle le décidait.

L'air était si froid qu'il lui brûlait les poumons. Maia respira profondément et lança d'une voix forte :

— Je demande à la Dame du Lac de venir négocier avec moi !

Un silence total lui répondit. Même les oiseaux s'étaient tus, ce matin.

— Madame, je sais que vous êtes là ! Vous avez usé de vos pouvoirs pour tenter de récupérer votre fils. Auriez-vous tellement peur de moi que vous n'osez pas m'affronter ?

Un léger grondement se fit entendre, cette fois, mais rien de plus.

— Je sais que les fées n'ont pas les mêmes règles que les mortels, mais vous ne pouvez changer le cœur d'Emrys en nous séparant, madame. Et savoir que vous avez peur de moi me donne du pouvoir sur vous, n'est-ce pas ?

Le grondement qui montait du lac s'amplifia. Une fumée tourbillonna sur la glace qui craquela bruyamment, et la Dame du Lac se matérialisa. Comme la première fois, Maia fut frappée par son incroyable beauté. Elle avait de longs cheveux vaporeux et argentés, des yeux d'un bleu profond, une robe dans les mêmes tons qui frémissait dans la brise que son apparition avait soulevée.

— Qu'est-ce qui vous fait croire que vous pourriez m'impressionner, petite effrontée ?

234

— Si vous n'avez pas peur de moi, pourquoi avez-vous emmené Emrys, et tous les habitants de l'Île du Lac, excepté Drysi ? Pourquoi m'avoir isolée ? Pour m'empêcher de vous échapper ? Pour m'avoir tout à vous, et me tuer ?

— Je me moque que vous mouriez ou que vous viviez.

— Je ne vous crois pas.

— Vous jouez un jeu dangereux, fille de Pendragon.

— Je ne joue pas avec vous. Je veux simplement retrouver mon mari. Vous n'avez pas le droit de me le prendre contre son gré.

— Qu'est-ce qui vous dit que c'est contre son gré ? Peut-être mon fils s'est-il lassé de vous et m'a-t-il demandé de l'aider à se débarrasser de vous ?

Maia se mit à rire.

— Non, madame, Emrys ne sera jamais las de moi ! Écoutez, vous êtes sa mère et le serez toujours. Je ne veux pas vous enlever votre fils, mais je suis sa femme. Emrys m'aime. Ce n'est pas parce que vous le séquestrez qu'il reportera cet amour sur vous, de même que je ne pourrais – ni ne voudrais – vous remplacer dans son cœur. Une mère et une épouse se partagent le même homme, mais chacune a sa place. Vous comprenez cela, n'est-ce pas ?

— Il deviendrait mortel à cause de vous. Je ne le tolérerai pas.

— Il est déjà à moitié mortel. Il a le droit de choisir dans quel monde il vivra. Je crois d'ailleurs qu'il a fait ce choix bien avant de me rencontrer.

— J'ai le pouvoir de vous effacer totalement de sa mémoire, si cela me chante ! la menaça-t-elle.

— Peut-être, mais vous ne le ferez pas, pas plus que vous n'avez chassé Lancelot de votre cœur.

— Comment osez-vous me parler de ce… de cet *homme* ! cria la Dame du Lac, faisant voler sa robe et ses cheveux autour d'elle dans sa fureur.

— Les fées sont-elles parfaites ?

— Bien sûr que non ! Pourquoi me posez-vous cette question idiote ?

— Vous faites des erreurs, tout comme les mortels.

— Oui, mais pas autant.

— Admettez au moins que vous aimez votre fils, mais que vous vous êtes trompée sur son père, continua Maia. Le Lancelot de la légende était brave et noble. Celui que vous avez connu était brave mais faible. Un homme se laisse facilement détourner du droit chemin par une femme. Vous-même, ne l'avez-vous pas volé à Elaine de Shallot ? C'est vous, et vous seule, qui êtes responsable de toute la tragédie qui s'en est suivie, pas ceux de ma race.

Un coup de vent cinglant transperça le manteau de Maia et la fit frissonner. Ses pieds commençaient à se glacer malgré ses bottes.

— Impudente créature ! Vous ne savez rien ! cria la Dame du Lac en disparaissant dans un roulement de tonnerre.

Avec un soupir, Maia fit demi-tour, referma la porte et redescendit dans ses appartements. Drysi somnolait près du feu. La jeune femme rajouta une bûche et se laissa tomber dans un fauteuil.

— Vous êtes revenue, mon enfant… dit la vieille dame en ouvrant un œil. Alors ?

Maia lui raconta ce qui s'était passé entre elle et la mère d'Emrys, puis se leva.

— La Dame du Lac n'est pas prête à accepter sa défaite, conclut-elle en se levant. Bon, je vais chercher de quoi nous chauffer dans la grande salle en prévision de la nuit. Je reviens.

Pendant plusieurs heures, elle fit des allers-retours, les bras chargés de bûches. Dans la cuisine, elle dénicha un pâté en croûte, du jambon, du pain et du fromage. Elle coupa des légumes d'hiver et du canard froid, qu'elle mit dans un plat avec du vin, un peu d'eau

236

et des aromates. Elle prépara ensuite un pichet d'eau et un autre de vin, et fit plusieurs voyages pour monter le tout. Tant qu'elles auraient de quoi manger et de quoi se chauffer, elles survivraient.

Drysi se régala et sauça le délicieux ragoût de canard, songeant que si quelqu'un pouvait sauver Emrys Llyn, c'était sa femme.

— Venez, Drysi. Je vais vous aider à vous mettre au lit, dit Maia quand elle eut débarrassé la table. Je dormirai dans le lit gigogne.

— Non, mon enfant. Je suis confortablement installée dans ce fauteuil. Enveloppez-moi dans cette couverture de fourrure et rechargez le feu. Je serai très bien.

Maia fit ce qu'elle lui demandait et glissa un petit tabouret sous ses pieds. Elle embrassa ensuite la vieille dame et alla se coucher dans son lit. Elle se leva deux fois durant la nuit pour vérifier le feu et voir si Drysi dormait bien. Son inquiétude pour Emrys l'empêcha toutefois de se reposer vraiment.

Où était-il ?

Serait-elle capable de résister à la Dame du Lac et de récupérer son mari ? Et si elle n'y parvenait pas ? Le château de son père se situait à deux jours, et elle n'était même pas sûre de pouvoir trouver la route. De toute façon, pour le moment, c'était un projet impossible à réaliser puisqu'il y avait au moins un mètre de neige dehors, et qu'elle aurait déjà du mal à atteindre l'écurie. Et les animaux, les pauvres ? s'inquiéta-t-elle. Il fallait absolument qu'elle dégage la cour, demain... Soudain accablée par l'ampleur des tâches à accomplir, elle se mit à pleurer. Mais elle ne devait pas se laisser anéantir par la Dame du Lac. Non ! Son bonheur en dépendait.

Parvenant finalement à dormir un peu, elle se réveilla avant l'aube, revêtit ses vêtements les plus chauds et alla porter à Drysi un verre de lait chaud avec une tranche de pain et du fromage. Puis elle sortit dans le couloir, où la morsure du froid la saisit. Une pellicule de givre recouvrait les murs.

— Quelle créature maléfique ! maugréa Maia en pressant le pas.

Elle ôta la barre de la porte principale du château et l'ouvrit. Le soleil se levait à peine, colorant le ciel de pâles lueurs roses et orangées où se mêlaient des traînées bleu lavande. L'air glacé la fit suffoquer, mais elle rassembla ses forces et se fraya lentement un chemin vers les écuries. Elle finit par y parvenir et ouvrit les portes en grand… pour découvrir qu'elles étaient aussi vides que le château. Il ne restait pas même un attelage. Peu après, elle constata que l'étable était aussi déserte et, trouvant inutile d'aller jusqu'au poulailler, elle rebroussa chemin et monta sur les remparts.

Le soleil brillait à présent, incendiant le lac d'une lumière dorée. Elle dégagea la capuche de son visage et se redressa :

— Madame, montrez-vous ! Il est temps d'en finir avec cette histoire ! Je veux retrouver mon mari ! J'ai besoin de lui et il a besoin de moi !

Seul l'écho lui répondit.

— J'attends un enfant !

Le grondement ébranla la glace et la Dame apparut au milieu du lac.

— Petite insolente ! Vous mentez ! lança-t-elle d'une voix qui dénotait toutefois une vague incertitude.

— Je ne mens pas, répondit tranquillement Maia en regardant droit dans les yeux cette créature d'une beauté féerique qui était sa belle-mère. Je suis enceinte.

— Comment en êtes-vous certaine ?

— Madame, je suis la deuxième d'une fratrie de quatre enfants, je sais de quoi je parle. Je vous rappelle que c'est vous qui avez jeté un sort sur votre fils, le condamnant à devenir mortel et capable de concevoir quand il aurait rencontré le véritable amour. N'est-ce pas la preuve que vous cherchiez, madame ?

— Mon fils est-il au courant ? s'enquit la Dame du Lac après un silence.

— Je voulais être sûre, avant de le mettre au courant. Je comptais lui annoncer la nouvelle le matin où je me suis réveillée sans lui à mon côté, parce que vous l'aviez enlevé. J'étais tellement inquiète de ne pas être enceinte que les premiers signes m'ont échappé.

La Dame du Lac garda le silence pendant un long moment.

— Je vais vous faire conduire sous bonne garde chez votre père, Maia Pendragon, dit-elle finalement.

— Non ! C'est votre petit-fils que je porte, madame. Procréer est notre façon à nous, humains, de gagner notre immortalité. À travers nos enfants, puis nos petits-enfants et ainsi de suite. Rendez-moi mon mari. Il doit connaître son enfant et le voir grandir.

— Non ! Je suis mieux placée que personne pour savoir quelle douleur on éprouve, à voir ceux que l'on aime vieillir et mourir. Je n'infligerai pas cela à mon fils.

— Où étiez-vous quand Lancelot est mort, madame ?

— Il était revenu ici, à l'Île du Lac, pour me voir. Mais j'avais déjà enchanté le château et ses habitants en les plongeant dans le sommeil. Il n'avait plus de toit, alors j'ai élevé une petite maison pour lui, sur le bord du lac. Il s'était battu en France, et partout où l'on avait eu besoin de son épée. Mais il était trop vieux pour continuer, alors il est revenu vers moi. Amaigri, mon séduisant et infidèle mari avait le visage creusé et le teint terreux. Ses cheveux autrefois si beaux étaient d'un blanc terne.

— Pourtant, vous l'aimiez encore.

La Dame du Lac hocha la tête.

— Oui, mais hélas, ma magie ne pouvait le protéger éternellement car vous êtes tellement fragiles, vous les humains. Je lui ai dit ce que j'avais fait pour protéger notre enfant, et il a souri. Il était content. Puis il s'est affaibli de jour en jour. Quand il est mort, j'étais à son chevet et je lui tenais la main. Et ce n'est pas mon nom qu'il a prononcé en poussant son dernier soupir, mais celui de Guenièvre. Votre maudite ancêtre, Maia Pendragon !

— Nous ne sommes pas du même sang, elle et moi, madame, corrigea Maia. Emrys veut devenir mortel et vivre comme un homme. Laissez-le !

— Je ne supporterais pas de voir mon fils vieillir et mourir.

— Pourquoi ? Parce que vous vous retrouveriez seule ?

Ces paroles provoquèrent chez la Dame du Lac une vive agitation.

— Vous osez… commença-t-elle.

— J'oserais n'importe quoi pour retrouver mon mari ! Rendez-le-moi ! Vous ne gagnerez pas son amour en me l'enlevant et en l'enlevant à son enfant !

— Vous n'êtes qu'une tête de mule ! s'emporta la Dame avant de disparaître dans un roulement de tonnerre, comme la veille.

Accablée, Maia regagna le château. À chaque fois qu'elle la poussait dans ses retranchements, la Dame se dérobait en disparaissant. Comment raisonner quelqu'un qui s'enfuyait dès que l'on touchait un point sensible ?

Comme le jour précédent, elle remonta du bois de la grande salle, de la nourriture des cuisines, et dut casser la glace du puits pour parvenir à tirer de l'eau.

— Que vous a dit la Dame aujourd'hui ? lui demanda Drysi.

— Comment savez-vous que je lui ai parlé ?

— Je sais très bien que vous n'avez pas renoncé à l'espoir de retrouver votre mari.

— Je lui ai dit que j'étais enceinte.

— Et c'est vrai ?

240

Maia hocha la tête, et des larmes coulèrent sur ses joues.

— Je m'apprêtais à l'annoncer à Emrys, le jour où il a disparu.

— Qu'a-t-elle dit?

— Elle m'a proposé de me ramener chez mon père. J'ai refusé.

— Vous avez eu raison! Elle sait que si son fils apprend qu'il va être père, elle le perdra comme elle a perdu Lancelot.

Maia s'essuya les joues.

— Je ne renoncerai pas à mon mari. Au printemps, j'irai voir mon père et il me prêtera des domestiques. Je resterai à l'Île du Lac jusqu'à ce qu'Emrys revienne. Je suis prête à élever notre enfant toute seule, s'il le faut, Drysi.

Ce soir-là, Maia prépara des tartines de pain, de fromage et de jambon, et elles burent un peu de vin avant de se coucher.

Quand la jeune femme se réveilla, le lendemain matin, quelque chose lui sembla différent. Elle se leva et alla vérifier que Drysi dormait bien dans le salon, puis elle sortit dans le couloir. Les murs ne portaient plus la moindre trace de givre et l'air était chaud. Retournant à ses appartements, elle s'aperçut que ses provisions de bois et de nourriture avaient disparu, mais la cheminée ronflait et un plateau se trouvait sur la commode.

Soulevant le couvercle, elle découvrit deux tranches de pain tartinées de purée d'avoine au miel et à la crème, des œufs durs, une miche de pain, de la confiture de prunes et du beurre.

Entendant la vieille dame se réveiller, elle se retourna:

— Regardez, Drysi! Nous allons être magiquement nourries, ce matin.

Drysi égrena son petit rire de crécelle.

— Votre belle-mère a donc une conscience, remarqua-t-elle. Je ne sais si cela me surprend ou pas.

— Que voulez-vous dire ?

— Ne me le demandez pas, mon enfant. Mangeons sans nous poser de questions.

Maia installa le plateau sur une petite table et elles déjeunèrent avec appétit. À peine la jeune femme avait-elle reposé le plateau sur la commode qu'il disparaissait par enchantement.

— La chaleur est revenue, dans le château, dit Maia à sa compagne. Il n'y a plus de givre sur les murs.

— Vous devriez descendre voir si nous sommes toujours seules ici.

Maia s'enveloppa dans sa cape et fit le tour des lieux, mais si des feux brûlaient dans toutes les cheminées, elle ne vit personne. Dehors, elle découvrit que des chemins creusés à la pelle reliaient tous les bâtiments. Les grilles étaient grandes ouvertes. Resserrant les pans de la cape autour d'elle, elle descendit jusqu'au lac.

— Merci, madame ! jeta-t-elle dans le silence.

Un silence total, où l'on ne percevait même pas un souffle de vent. Aucun grondement ne se fit entendre, aucun craquèlement ne se dessina sur la glace. Maia rebroussa chemin.

Durant les jours suivants, deux plateaux de repas apparurent quotidiennement, matin et soir. Dans les cheminées, tous les feux brûlaient en continu, sans qu'il fût besoin de rajouter du bois. La Dame du Lac prenait soin d'elles, mais le Seigneur du Lac n'était toujours pas revenu.

Au bout de dix jours, Maia en eut assez. Par une matinée ensoleillée, elle remonta sur les remparts et appela la Dame du Lac.

La température s'était légèrement radoucie. Mars approchait.

Très droite, Maia s'exprima avec encore plus de force que les fois précédentes. Elle le fit pour elle, pour l'enfant qu'elle portait, pour Emrys.

— Madame! Venez ici tout de suite! Cela a assez duré! Vous devez me rendre mon mari!

— Je dois? Je dois? répéta la Dame en apparaissant sans se faire annoncer. Vous me donnez des ordres? Vous n'êtes pas en position d'exiger quoi que ce soit de moi, insolente créature.

— Vous avez peur de rester seule dans ce monde où la magie tient de moins en moins de place, mais ce n'est pas une fatalité, madame.

— Que voulez-vous dire? Si mon fils devient mortel, je me retrouverai seule. Si je le convaincs de choisir l'immortalité, il vous verra vieillir et mourir. Or, il vous aime et cela lui brisera le cœur.

— Il sera mortel, madame, mais son sang continuera de vivre à travers ses enfants, et les enfants de ses enfants. Vous ne serez jamais seule! Jamais! Et tant qu'il y aura des êtres pour croire en vous, votre magie perdurera.

— Emrys n'oubliera pas les temps reculés où il est né. Et il croira toujours au surnaturel, contrairement à vous tous.

— Et c'est pour cette raison que vous le condamnez à une vie sans amour? répondit doucement Maia. En agissant ainsi, vous donnez raison à la malédiction d'Elaine de Shallot. Vous ne l'avez pas protégé du tout, madame.

— Vous ne comprenez pas!

— C'est parce que votre raisonnement est incompréhensible! Écoutez-moi: ce n'est pas moi qui suis allée chercher votre fils. C'est lui qui est apparu dans mes rêves, jusqu'à ce que j'éconduise tous mes prétendants et n'attende plus que lui. Il est venu chez moi et il a demandé ma main. Mon père a hésité, parce qu'il sentait bien quelque chose d'anormal. Mais je lui ai juré que je n'aimerais jamais un autre homme et il nous a mariés. À présent, je porte notre enfant, madame ! Emrys et moi étions destinés l'un à l'autre. Rendez-le-moi. Rendez-le-moi ! cria Maia en frappant du pied.

Pendant un long moment, la Dame du Lac garda le silence. Ce que venait de lui raconter Maia confirmait ses craintes : son fils avait choisi de devenir mortel. Il aimait cette fille et lui avait fait un enfant. Ce matin, elle avait vu un cheveu blanc dans les cheveux d'Emrys. Ceux des sorciers ne blanchissaient jamais. Il avait donc choisi d'appartenir au monde des humains sans lui demander sa permission, et cette réalité la peinait profondément.

Avec un cri de détresse déchirant, elle disparut sous le lac.

Maia se mit à pleurer de désespoir. Des mains se posèrent alors sur ses épaules.

— Emrys ? murmura-t-elle, légèrement effrayée.

Il la tourna vers lui.

— Oui, c'est moi, répondit-il, la dévorant de ses magnifiques yeux bleus.

Ses sanglots redoublèrent.

— C'est vraiment toi ? Il ne s'agit pas d'un tour de ta mère ? dit-elle en le touchant, en le palpant.

— Non, c'est bien moi.

Il se pencha et s'empara de ses lèvres avec une fougue trop longtemps contenue. Puis il baisa ses paupières, ses joues, le bout de son nez.

— Je n'en reviens pas, murmura-t-elle. Elle était tellement inflexible...

— Je crois que ton amour pour moi était trop fort, même pour une femme dotée de ses pouvoirs. Il a fini par triompher.

— Et tu es vraiment mortel, maintenant ? demanda-t-elle en reniflant.

— Oui. Ma mère a tout fait pour me convaincre que j'avais tort, mais elle était impuissante devant mon choix. Les règles du royaume des fées lui interdisaient d'intervenir.

— Emrys, je suis enceinte, annonça-t-elle avec un petit sourire.

Il était sain et sauf. Emrys était de retour auprès d'elle, sain et sauf !

Le visage du jeune homme s'illumina de bonheur.

— Nous allons avoir un enfant, Maia ?

Elle hocha la tête.

— Et ma mère est au courant ?

— Oui. Je le lui ai dit quand j'ai exigé que tu reviennes.

Emrys se mit à rire.

— Exigé, dis-tu ? Tu es courageuse, ma femme. Je ne crois pas que personne ait jamais osé exiger quoi que ce soit d'elle.

Il rit encore, imaginant la réaction de la Dame du Lac devant l'audace de cette toute jeune femme.

— Viens, allons voir si ma mère a rendu tous ses habitants au château. Tu étais seule, ma chérie ? dit-il en s'effaçant pour la laisser entrer.

Il remit les barres en place derrière eux.

— Non, Drysi était avec moi. La Dame l'avait oubliée dans la tour, tu te rends compte ? Je l'ai amenée dans nos appartements et je me suis occupée d'elle.

Elle lui raconta tout, le givre sur les murs, les feux qui s'entretenaient tout seuls, les plateaux.

— Pour passer le temps, nous jouions aux échecs ou à des jeux de piste. Drysi est de bonne compagnie.

— Drysi était avec nous, Maia. Je crois que ma mère avait pris la forme de ma vieille nounou pour voir quel genre d'être humain tu étais, mon amour.

— Ta mère ? Non ! C'est impossible !

— Je te dis que Drysi était avec nous. Elle était d'ailleurs très énervée d'avoir dû quitter sa tour et ne s'est pas gênée pour s'en plaindre à ma mère. Et elle ne joue pas aux échecs, chérie, encore moins aux jeux de piste. Elle n'a pas assez bonne vue. Non, c'était ma mère, et tu as dû l'impressionner car sinon, rien de ce que tu aurais pu lui dire ne nous aurait sauvés.

— Alors je ne la remercierai jamais assez… Tout de même, elle aurait pu me faire confiance, puisque tu m'avais choisie.

— Après les deux premiers fiascos ?

Ils entrèrent dans leurs appartements, qui étaient vides.

— Je ne crois pas, continua-t-il. Ma mère n'a jamais tenu les humains en haute estime, et la conduite de mon père n'a fait que la conforter dans cette opinion.

— Elle craint surtout la solitude, Emrys. Je lui ai expliqué que grâce à nos descendants, elle ne serait jamais seule, car nous leur apprendrons à la connaître et à la respecter. Je crains qu'elle ne m'ait pas crue.

— Dans ce cas, nous lui prouverons qu'elle se trompe.

Le printemps libéra l'Île du Lac de son étreinte de glace. Le 1er mai, le Dragon Lord, ses femmes, son fils et sa dernière fille vinrent pour la fête de Beltaine. Fidèles à la tradition, ils honorèrent la pleine lune.

Trois mois plus tard, Maia mit au monde son premier enfant. Une fille. Quelques jours après, Emrys et elle emmenèrent le bébé au bord du lac et appelèrent la Dame.

Elle jaillit de ses profondeurs et prit sa petite-fille dans ses bras. Son visage impérieux s'adoucit quand elle découvrit les yeux du même bleu que les siens, et les petits cheveux d'un blond argenté.

— Quel est son nom ? demanda-t-elle.

— Nous aimerions que ce soit vous qui le lui donniez, madame, dit Maia. Ainsi, si cela vous sied, naîtra une nouvelle coutume selon laquelle vous baptiserez tous vos descendants.

— Appelez-la Seren, parce que ses yeux sont comme des étoiles.

Elle embrassa le bébé sur le front, puis le rendit à ses parents.

— J'ai donc réussi l'épreuve, madame ? s'enquit Maia, le regard pétillant.

La Dame du Lac se mit à rire.

— Oui, ma fille. Vraiment. Si j'avais dû choisir une compagne pour mon fils, c'est vous que j'aurais élue.

— Nous serons donc amies ?

La Dame opina de la tête et un merveilleux sourire dansa sur ses lèvres. Elle disparut ensuite dans les profondeurs aquatiques où elle habitait.

— Je n'aurais jamais cru connaître un tel bonheur, confia Emrys à Maia.

— Moi non plus, mon seigneur.

Elle leva la tête pour l'embrasser et la fillette dans ses bras protesta, car ses parents la comprimaient un peu entre eux.

Ils se séparèrent en éclatant de rire.

— Elle manifeste déjà le caractère de ma mère, j'en ai peur, remarqua Emrys.

Au comble du ravissement, Maia rit de nouveau. Comme elle, Averil avait trouvé le bonheur. Il fallait maintenant que Junia connaisse le même enchantement, songea-t-elle en regagnant le château au côté de son mari, leur fille maintenant assoupie dans ses bras.

TROISIÈME PARTIE

Junia

[texte illisible]

Quand elle s'occupait de ses propres actes, elle rapportait souvent des plantes qu'elle... Gorawen la ques-
tionnait sur leurs noms et leurs propriétés. Gorawen
se faisant un plaisir de lui expliquer l'origine et la
nature des végétaux, l'initiant à l'art de préparer des
onguents, des potions, des cachets et des infusions.

13

Junia s'éclipsa discrètement de la grande salle. Gorawen remarqua sa dérobade sans mot dire.

Grande et mince, la benjamine du Dragon Lord avait maintenant quatorze ans. Ses magnifiques cheveux couleur d'ébène s'illuminaient de légers reflets or et roux. Comme ceux de ses sœurs, ses yeux étaient verts. Mais à la différence de ceux d'Avril, très pâles, et de ceux de Maia, d'émeraude, les siens avaient la nuance vive de l'herbe des prés. Avec son petit nez retroussé et sa bouche bien dessinée, elle était devenue une très belle jeune femme, racée et pleine d'assurance.

Toutefois, ses proches la voyaient peu car tous les jours, elle scellait son cheval et disparaissait durant de longues heures. Lorsque ses sœurs étaient parties, elles lui avaient beaucoup manqué, et elle passait le plus clair de son temps avec Brynn, son petit frère. Mais en grandissant, elle s'était peu à peu désintéressée de leurs jeux, pour se consacrer aux cours d'escrime et de tir à l'arc avec le meilleur professeur du château.

Quand elle revenait de ses promenades, elle rapportait souvent des plantes pour Gorawen, la questionnant sur leurs noms et leurs propriétés. Gorawen se faisait un plaisir de lui expliquer l'origine et la nature des végétaux, l'initiant à l'art de préparer des onguents, des potions, des cachets et des infusions.

Junia absorba ce savoir sans la moindre difficulté. En revanche, les tâches ménagères ne l'intéressaient pas. Cuisiner l'ennuyait, elle n'avait pas les talents de sa mère pour la broderie et elle savait à peine repriser ses bas. La confection des bougies, du savon et des confitures l'assommait.

Au contraire, elle aimait chasser, mais elle laissait la tâche de préparer le gibier à d'autres. Depuis le départ de ses sœurs, Junia Pendragon avait développé une personnalité entièrement nouvelle. Elle n'était plus « la petite sœur » mais une jeune fille indépendante, au caractère décidé.

Ysbail entra dans la grande salle en regardant autour d'elle.

— As-tu vu Junia ? demanda-t-elle à Gorawen. Je devais lui donner sa leçon de broderie, mais elle n'est pas venue. De toute façon, je commence à désespérer. Je n'ai jamais vu quelqu'un d'aussi maladroit à manier l'aiguille.

— Je pense qu'elle est sortie. Il fait très beau, aujourd'hui.

— Si elle était plus vieille, je la soupçonnerais d'avoir des rendez-vous galants, jeta Ysbail, irritée. Il est temps que Merin commence à lui chercher un mari. Cette petite est trop indépendante, et il vaudrait mieux la caser avant qu'elle ne nous échappe.

Au grand étonnement d'Ysbail, Gorawen acquiesça.

— Tu as raison. Junia est devenue une superbe jeune fille. Je pense que notre seigneur devrait lui trouver un bon parti sans difficulté.

— J'aurais aimé qu'elle se montre un peu plus experte dans les tâches féminines.

— Du moment qu'elle est experte au lit... glissa Gorawen avec un sourire. Lui as-tu appris ce qu'elle devait savoir pour satisfaire son mari ?

— Non. Chaque fois que j'essaie d'aborder le sujet, elle me répond qu'elle n'est pas prête à entendre parler de ces choses.

Ysbail observa Gorawen un instant.

— Si tu essayais, toi ? Tu es plus chevronnée que moi et même qu'Argel, dans l'art de l'amour. Et Junia t'aime bien.

— Si tu es sûre de vouloir que je lui parle, eh bien, d'accord. Je le ferai.

Et le plus tôt serait le mieux, songea-t-elle. Depuis quelque temps, elle avait acquis la certitude que Junia rencontrait secrètement quelqu'un. Elle ne pensait pas que cela prêtât encore à conséquence, mais le caractère obstiné de la jeune fille se précisait de plus en plus. Elle savait ce qu'elle voulait et comment l'obtenir. Sur ce point, elle ressemblait à ses sœurs.

Argel les rejoignit à ce moment-là et, au bout de quelques minutes, Gorawen partit à la recherche de Brynn. Il pourrait sûrement la renseigner.

Elle le trouva dans la cour du château où il se battait à l'épée contre Walter, le capitaine des hommes d'armes. Gorawen le regarda un moment. Brynn n'avait que onze ans, mais ses talents naturels le portaient à devenir un grand guerrier. Elle espérait toutefois qu'il n'aurait jamais à faire la guerre. Merin avait combattu de temps à autre aux côtés de son prince, Llywelyn ap Iowerth. Le prince de Galles avait toujours été obligé de défendre ses droits contre Henri III, le roi d'Angleterre, et sa noblesse. Elle se félicitait aujourd'hui de vivre dans un endroit comme Dragon's Lair, dont la situation isolée assurait la sécurité.

Une fois sa leçon terminée, Brynn se dirigea vers la concubine de son père. Il l'aimait autant qu'il aimait sa mère.

— Qu'en penses-tu, Gorawen ? Je fais des progrès, non ?

— De nets progrès, oui. Viens marcher un peu, il faut te sécher, tu es en nage. Tu ne voudrais pas attraper froid ?

Brynn ne se fit pas prier. Il se plaisait en compagnie de cette femme intelligente qui, à la différence de sa mère et d'Ysbail, ne l'avait jamais traité comme un gamin.

— J'ai une santé à toute épreuve, comme mon père, répondit-il comme ils traversaient la cour en direction du petit jardin clos de mur qui entourait le château.

L'été touchait à sa fin. La fraîcheur de l'air annonçait l'automne.

— Dis-moi, Brynn, où va Junia quand elle part à cheval, tous les jours ? lui demanda-t-elle sans préambule.

— Sa destination favorite, ce sont les ruines près de Mryddin Water, répondit-il.

— Retrouve-t-elle quelqu'un là-bas ?

— Un frontalier. Je ne connais pas son nom de famille.

— Les as-tu espionnés ?

— Non. J'allais souvent là-bas avec Junia, avant. On adorait jouer dans les ruines. Et puis un jour, ce cavalier est arrivé. Nous sommes devenus amis tous les trois. Il m'a donné des leçons d'escrime et m'a beaucoup appris.

— Mais tu ne vas plus à Mryddin Water avec Junia, n'est-ce pas ?

— Non. Il y a deux mois, elle m'a demandé de ne plus l'accompagner. Je crois que Simon lui plaît. À un moment, elle rigolait bêtement à tout ce qu'il disait, ajouta Brynn d'un air dégoûté.

Gorawen se mit à rire.

— Les filles passent toujours par là quand un garçon leur plaît, lui confia-t-elle.

Brynn leva les yeux au ciel.

— Je n'avais jamais vu Junia se conduire aussi stupidement.

— Et que sais-tu de ce jeune homme ?

— Je sais qu'il s'appelle Simon.

— Simon qui ?

— Je ne sais pas. Pour nous, il est Simon, de même que nous sommes simplement Brynn et Junia pour lui.

Gorawen hocha la tête. Bon. Si ce garçon était un cavalier, c'est qu'il était de bonne famille. Les paysans ne montaient pas à cheval. Mais qui était-il, et quel âge avait-il ? Que faisait-il dans les ruines, seul avec Junia ? Oui, il était temps de marier cette petite avant que cela ne devienne impossible.

Gorawen décida de se renseigner sur ce mystérieux jeune homme et de ne rien dire à Ysbail, qui soupçonnerait tout de suite le pire et interdirait à Junia de sortir. Junia désobéirait et la guerre serait déclarée entre elles. Mieux valait qu'elle sache de quoi il retournait avant d'ébruiter l'affaire.

Comme par un fait exprès, ce soir-là au dîner, Ysbail commença à se plaindre auprès du Dragon Lord.

— Junia a quatorze ans révolus, Merin, et tu ne fais rien pour lui trouver un mari, que je sache, attaqua-t-elle. Pourquoi ? Ne la tiendrais-tu pas en aussi haute estime que tes deux autres filles ? Je sais que je t'ai déçu en ne parvenant pas à te donner un fils, mais Junia est de ton sang tout autant qu'Averil et Maia.

Le Dragon Lord sembla stupéfait par ce reproche inattendu, et Argel intervint avec une certaine fermeté.

— Junia est aussi bien traitée que les autres enfants de notre bon seigneur, Ysbail. Pourquoi portes-tu de telles accusations ? Tu sais qu'elles sont fausses. Quand il sera temps de la marier, elle le sera en bonne et due forme.

— Je ne suis pas prête à me marier, lança Junia, à la surprise générale.

— Tes sœurs l'ont été à l'âge de quinze ans, riposta sèchement sa mère. Tu crois que les bons partis abondent, surtout quand on est la fille d'une concubine ?

— Il est possible que je me plaise à passer le reste de ma vie à Dragon's Lair, répondit calmement Junia. Et si je n'avais pas envie de me marier, mère ?

Ysbail poussa un cri perçant en joignant ses deux mains sur son cœur.

— Pas envie de te marier ? Quelle est cette fantaisie, ma fille ? Bien sûr que tu vas te marier ! Une femme n'a pas d'autre alternative.

Une expression d'horreur pure agrandit soudain son regard.

— Tu ne te sens pas une vocation pour les ordres, j'espère ? ajouta-t-elle d'une voix blanche.

Quelle catastrophe cela serait ! songea Ysbail qui avait prévu de s'installer chez sa fille dès que celle-ci serait mariée. Si Junia entrait au couvent, elle serait obligée de finir ses jours à Dragon's Lair...

— Je n'ai aucune inclination pour le cloître, mère. Je ne suis simplement pas prête pour le mariage, répéta-t-elle. Pourquoi es-tu soudain si pressée ?

— Si tu attends trop longtemps, on t'estimera trop vieille, rétorqua Ysbail en s'efforçant de se calmer. Tu es seulement nerveuse, Junia, mais quand ton père t'aura présenté plusieurs prétendants, tu n'auras plus peur du tout.

— Je ne suis ni nerveuse ni effrayée. Je ne suis pas prête, insista-t-elle pour la troisième fois.

— Le sujet est clos, s'interposa Merin Pendragon d'un ton sans réplique. Au printemps, je commencerai à chercher un mari pour la plus jeune de mes filles, mais pas maintenant, Ysbail. En attendant, je te prie de ne plus me harceler avec cette question !

Ysbail se tut, mais visiblement, la réponse de son seigneur ne l'avait pas satisfaite.

Comprenant qu'elle n'obtiendrait le soutien ni de Gorawen ni d'Argel, elle réprima sa colère. Mais si elle ne se battait pas pour sa fille, qui le ferait ? Gorawen pouvait se réjouir d'avoir un gendre tel que le seigneur d'Everleigh. Argel était heureuse que Maia ait épousé le Seigneur du Lac. Et sa pauvre petite Junia, alors? Elle n'était ni l'aînée de Merin Pendragon, ni son héritière, et sa venue au monde l'avait déçu puisqu'il espérait avoir un fils. Mais sa mère était là, et elle veillerait à ce que Junia fasse le meilleur mariage qui soit! Il le fallait, car elle avait la ferme intention de passer ses vieux jours dans le calme et le confort du foyer de sa fille.

De son côté, Junia serrait les dents en se demandant pourquoi sa mère était si pressée de la marier.

— Une partie d'échecs, Junia? lui proposa Gorawen, au moment où elle allait monter dans sa chambre.

— Je vais chercher l'échiquier! répliqua aussitôt la jeune fille.

Gorawen prit une petite table placée contre un mur et l'installa devant la cheminée. Junia y disposa un échiquier en ébène aux pièces finement sculptées dans le bois. Comme toujours, Gorawen choisit les noires et la jeune fille, les plus claires, en sapin.

— Brynn m'a dit que tu t'étais fait un ami, commença Gorawen au bout de quelques minutes, en déplaçant son cavalier. Un certain Simon. Qui est-ce?

— Tu n'as rien dit à ma mère, n'est-ce pas? murmura Junia. C'est pour cela qu'elle a interpellé papa au sujet de mon mariage?

— Je n'en ai parlé à personne, chuchota Gorawen. Pour l'instant.

— Il vient des Marches anglaises. Brynn et moi l'avons rencontré il y a deux ans, quand nous jouions dans les ruines de Mryddin Water.

Elle bloqua le cavalier de Gorawen.

— Quel âge a-t-il?

— Dix-huit ans.

— Je pense qu'il n'est pas raisonnable de le voir seule, désormais. Emmène Brynn avec toi, la prochaine fois que tu iras à Mryddin Water.

— Pourquoi? Parce que je suis en âge de me marier? Je n'ai nul besoin d'un chaperon quand je vois Simon, Gorawen. Nous ne faisons rien de mal.

— Je n'ai rien insinué de tel, mon enfant. Et baisse la voix. Si ta mère savait que tu rencontres un jeune homme dans les ruines, elle t'interdirait de sortir. Écoute, si ce garçon te plaît, Merin pourrait rencontrer son père en vue d'un mariage... À condition, bien sûr, qu'il ne soit pas déjà fiancé.

Hésitant quant à la stratégie à adopter, Gorawen bougea une pièce en songeant que Junia était déjà une adversaire de taille. Elle avait l'art de la pousser à la faute.

— Il n'est pas fiancé. Crois-tu vraiment que papa arrangerait un mariage entre Simon et moi?

— Simon serait d'accord?

— Je ne sais pas, répondit la jeune fille, fronçant légèrement ses sourcils délicats.

— Avant toute chose, nous devons nous renseigner sur sa famille. Puisqu'il possède un cheval, j'imagine qu'il est issu d'un milieu honorable.

— Il s'exprime bien et il a de l'éducation, affirma Junia. Nous parlons de sujets très variés, son père connaît le roi Henry et... et il est tellement beau, Gorawen!

— Vraiment? dit-elle en souriant. Décris-le-moi.

— Il a des cheveux noirs, comme les miens, et des yeux d'un gris d'une pureté incroyable. Je crois qu'il est aussi séduisant que le mari de ma sœur Maia, et encore plus que Rhys FitzHugh!

— Eh bien! commenta Gorawen, songeant qu'apparemment Junia était déjà amoureuse de Simon. Demande-lui son nom, mon enfant, et j'en parlerai à ton père.

— Oh, merci Gorawen, merci!

Puis le visage de Junia s'assombrit légèrement et elle annonça avec un air d'excuse:

— Échec et mat !

Nullement attristée, Gorawen éclata de rire.

— Je suis fière de toi, Junia, tu deviens vraiment une joueuse redoutable.

La jeune fille eut un sourire heureux. La vie lui semblait soudain merveilleuse.

Le lendemain, elle demanda à Brynn de l'accompagner à Mryddin Water.

— Gorawen m'a dit que je ne dois plus voir Simon seule, maintenant que je suis en âge de me marier, expliqua-t-elle à son petit frère.

— Et tu l'as écoutée ? s'étonna Brynn. Tu ne me dis pas tout, Junia.

Les joues de la jeune fille s'empourprèrent.

— D'après Gorawen, s'il est de famille respectable, papa pourrait accepter de nous marier, Simon et moi.

— Et si sa famille ne convient pas ?

— Je n'ose même pas y penser ! Bien sûr qu'elle conviendra. C'est impossible autrement !

— Mais si ce n'était pas le cas ?

— Je ne l'envisage pas.

— Tu devrais, pourtant, on ne sait jamais. Tu t'enfuirais avec lui, c'est cela ? Tu refuserais de te marier avec un autre ?

— Je ne sais pas. Mais il n'y aura pas de problème, Brynn. Pourquoi es-tu toujours aussi casse-pieds ?

— Il faut toujours se garder une porte de sortie, Junia. Question de prévoyance.

Une fois à Mryddin Water, ils attachèrent leurs chevaux et Brynn monta les marches qui menaient au château en ruine, pendant que Junia cueillait des marguerites qu'elle tressa en couronne. Elle se sentait nerveuse. Simon et elle se connaissaient depuis deux ans et, jusqu'à présent, ils n'avaient jamais éprouvé le besoin de se dire leur nom. Comment allait-elle s'y prendre pour le lui demander ?

— Il arrive! lança Brynn, du haut des marches.

Le cœur de Junia se mit à battre plus vite. Elle se pinça les joues pour leur donner de la couleur. Que ne donnerait-elle pour avoir un teint naturellement coloré!

Quand le jeune homme guida son cheval dans les eaux claires de la petite rivière, Brynn descendit de son poste d'observation et se précipita à sa rencontre avec sa sœur.

— Brynn! s'écria le jeune homme, un grand sourire aux lèvres. Je suis content de te revoir! Quel bon vent t'amène?

— Junia ne peut continuer à te rencontrer sans chaperon, déclara le garçon sans détour. Vous êtes tous les deux en âge de vous marier. Je ne laisserai pas ternir la réputation de ma sœur, Simon.

— Brynn! s'écria Junia en rougissant. Oh, Simon, excuse-le! Ce galopin a la langue trop bien pendue.

— Il a raison, Junia, mais les de Bohun sont des gens honorables, je t'en donne ma parole, répondit le jeune homme, nullement froissé.

— Tout comme nous, les Pendragon, répliqua Brynn.

Eh bien, voilà! La question des noms était élucidée, se dit-il, satisfait.

— Bon, je vais chasser le lapin. À tout à l'heure!

Et il s'éloigna, ses pièges à la main.

— En deux ans, c'est la première fois que nous prononçons nos noms de famille, remarqua Junia.

— C'est vrai, nous avons mis le temps.

— Simon?

— Oui, Junia? Qu'y a-t-il? demanda le jeune homme, remarquant son expression légèrement soucieuse.

— Simon, je ne sais pas comment aborder le sujet, alors je vais aller droit au but. Je ne voudrais pas que tu me trouves impertinente…

Il la prit par l'épaule et l'attira contre lui.

— Que se passe-t-il, ma douce? Dis-moi.

Junia respira profondément, mais son bras autour d'elle lui donnait du courage.

— Voilà... Dans quelques mois, mon père va se mettre en quête d'un mari pour moi. S'il allait voir ton père, serais-tu d'accord pour m'épouser ? Oh, je t'en prie ! Dis-moi la vérité ! Si ce n'est pas le cas, je n'évoquerai plus jamais le sujet et nous resterons amis.

Simon de Bohun tourna la jeune fille face à lui et plongea son regard dans le sien.

— Junia, ne sais-tu donc pas que je t'aime ? Ton innocence m'émeut, ma chérie. Je n'envisage pas une seconde d'épouser une autre fille que toi. Mon père n'est pas un homme facile. Certains disent même qu'il est cruel, et je dois avouer que j'ai déjà vu son côté sombre. Mais je suis son fils unique. Je pense qu'il veut mon bonheur, tout comme il a été heureux avec ma mère qu'il aimait profondément. Je vais lui parler de notre mariage.

Et il effleura ses lèvres des siennes. Ce premier baiser émut tellement Junia qu'elle faillit s'évanouir. Simon l'enveloppa dans ses bras et la soutint en la serrant contre lui.

— Simon...

Ce fut le seul mot qu'elle fut capable de prononcer. Jamais de sa vie elle n'avait été aussi heureuse. Sa cotte lui râpait un peu la joue, mais elle s'en moquait.

— J'irai voir mon père dès ce soir, lui promit-il.

— Je ne pourrai me marier avant mon prochain anniversaire, le jour de mes quinze ans, au mois de juin. Nous allons devoir attendre un peu.

— Cela laissera à nos familles le temps de faire connaissance. Je t'attendrai, ma douce, je suis prêt à tout pour toi.

— J'ai placé mes pièges, annonça Brynn en revenant.

— Va les enlever tout de suite ! s'écria Junia. Je ne veux pas que du sang coule ici, petit frère, parce que c'est un lieu de joie.

— Nom d'un chien ! grommela Brynn en faisant demi-tour pour obéir à sa sœur.

Qu'est-ce qui n'allait pas chez elle, à la fin ?

Lorsqu'il la rejoignit, elle était seule.

— Où est Simon ? demanda-t-il.

— Il est rentré chez lui. Nous devons nous retrouver ici dans trois jours. Viens ! Je ne veux pas rentrer au crépuscule. On ne sait jamais quelles mauvaises rencontres on peut faire, à la nuit tombée.

Elle se mit en selle et attendit que son frère en fît autant.

— Qu'est-ce qui t'a mise d'aussi bonne humeur ?

— Nous allons nous marier ! s'exclama-t-elle.

— Quoi ?

— Il m'aime, petit frère ! Il m'aime ! Il va demander à son père d'aller voir le mien pour obtenir ma main.

— Nom d'un chien ! répéta Brynn.

— Surtout, ne le dis à personne pour l'instant. C'est un secret. Jure !

— J'aimerais voir la tête de ta mère quand tu lui annonceras la nouvelle ! lança Brynn en riant. Elle n'aime pas les Anglais. Pas même ceux des Marches.

— J'épouserai Simon et personne d'autre, affirma Junia.

— J'ai l'impression d'entendre Maia, mais au moins nous savions que le Seigneur du Lac était un homme fortuné. Qu'a-t-il à te proposer, ce Simon de Bohun ? Est-il l'aîné ou le cadet ? Sa famille acceptera-t-elle qu'il épouse la fille d'une concubine ?

— Il est fils unique. Et en quoi tout le reste importe-t-il, dès l'instant où nous nous aimons ?

— Mais l'amour n'a rien à voir avec un bon mariage, voyons ! On se marie pour l'argent et pour les terres. Tout le monde le sait. Même moi, à mon âge, je sais cela ! Te souviens-tu que papa avait envisagé de m'unir à Mary FitzHugh avant qu'elle ne meure ? Nous aurions ainsi obtenu le domaine d'Everleigh. Et un pied chez les Anglais.

— Je suis la fille du Dragon Lord, tout de même.

— Sa benjamine issue d'une concubine, pas de sa femme légitime. Tu n'as pas grand-chose à offrir, à moins que l'élu de ton cœur ne soit encore plus pauvre que toi.

— Mes sœurs...

— Averil a eu de la chance, car Rhys s'est conduit comme un idiot en se trompant de personne, l'interrompit Brynn. Maia était une enfant légitime, dotée de terres, d'argent et de têtes de bétail. Ne te fais pas trop d'illusions, Junia. Le père de Simon risque de chercher un meilleur parti que toi pour son fils.

— Tu te trompes, affirma la jeune fille. Simon convaincra son père.

— Ta mère n'a eu qu'un enfant, et une fille, de surcroît.

— Gorawen aussi, ce qui n'empêche pas sa fille d'avoir deux enfants aujourd'hui, riposta Junia.

Brynn se mit à rire.

— Je vois que tu es prête à te battre pour obtenir ce que tu veux, Juni. Je n'ai plus qu'à te souhaiter bonne chance.

— Je me demande si Simon habite loin de Mryddin Water...

Non, il n'habitait pas loin et, impatient d'annoncer à son père qu'il était amoureux et voulait se marier, il avait chevauché à bride abattue. À dix-huit ans, il était prêt à assumer les responsabilités de chef de famille. Mais il avait quelques scrupules à faire entrer Junia chez les de Bohun, où son père dirigeait tout d'une main de fer. Elle était tellement innocente, et d'après ce qu'elle lui avait raconté, elle avait été élevée dans la joie et la sérénité.

Il n'avait pas menti en lui avouant que son père n'était pas un homme facile. On racontait que c'était la mort de sa femme bien-aimée qui l'avait rendu mauvais, mais la vieille nounou qui avait élevé Simon ne partageait pas ce point de vue. Elle affirmait qu'Hugo de Bohun avait toujours été méchant, qu'effectivement il avait aimé lady Anne et que de son vivant, cet amour l'avait adouci. Fragile, Anne ne s'était jamais vraiment remise de la naissance de Simon, et lorsqu'il avait eu douze ans, elle s'était retrouvée de nouveau enceinte. Incapable de mener cette deuxième grossesse à terme, elle était morte. Après un deuil douloureux d'un an, Hugo de Bohun avait repris de plus belle son mode de vie dissolu.

Dès lors, plus aucune femme n'avait accepté de servir chez Hugo de Bohun, à moins d'y être contrainte, car la plupart devenaient la proie des bas instincts du maître et de ses hommes. Ses serfs cachaient leurs filles ou les défiguraient pour les protéger des désirs pervers du seigneur, s'il les avait jugées à son goût. Simon n'avait plus qu'à espérer que sa douce Junia aurait une influence apaisante sur son père, comme Anne autrefois.

Ce soir-là, la grande salle était inhabituellement calme, et Simon en profita pour aller voir son père qui n'était pas encore ivre, ou avec sa ribaude du moment sur les genoux.

— Je veux me marier, annonça-t-il d'emblée.

— Bonne idée, acquiesça tout de suite Hugo. Je pensais justement qu'il était temps que tu prennes femme. Il y a cette petite héritière dont les terres bordent les nôtres, à l'est. Son père serait d'accord pour un mariage, il ne demande même que cela ! Le nom des de Bohun jouit d'un certain prestige dans la région, bien que nous n'appartenions qu'à la branche mineure de la famille.

Il vida le contenu de son gobelet de vin.

— J'ai déjà choisi ma femme, osa répondre Simon. Je veux me marier par amour, comme toi, père.

— Oui, et qu'en ai-je retiré? Un seul fils et un cœur brisé. C'était une ânerie, et tu te marieras avec qui je te dirai, petit.

— Je n'épouserai pas une espèce de mocheté aux dents tordues sous prétexte qu'elle a des terres! s'emporta Simon. Je veux Junia Pendragon, et si Dieu m'entend, je l'aurai!

Un silence tomba.

— Qui as-tu dit? demanda Hugo de Bohun, en étrécissant ses yeux assombris.

— Elle s'appelle Junia Pendragon. Elle est galloise. Je sais que tu n'aimes pas les Gallois, mais beaucoup de nos compatriotes des Marches nouent des mariages avec eux. Cela leur permet d'avoir des terres des deux côtés de la frontière, et une puissance accrue.

— Aucun de Bohun n'épousera jamais une Pendragon, malheureux! Ne me dis pas que tu ne connais pas l'histoire? La vieille Elga ne t'a pas mis au courant?

Il ricana et tapa son gobelet vide sur la table, pour qu'un domestique vienne le remplir.

— Quelle histoire? demanda Simon.

Il avait beau fouiller dans sa mémoire, il n'avait jamais entendu prononcer le nom de Pendragon jusqu'à aujourd'hui.

— Il y a plus de cent ans, du temps de mon arrière-grand-père, je crois, un de Bohun devait épouser une Pendragon. Les papiers des fiançailles étaient signés, la dot remise, quand le futur marié mourut subitement avant que la cérémonie ait pu avoir lieu. Ces maudits Gallois exigèrent que la dot leur soit restituée. Bien sûr, nous avons refusé. Nous n'y étions pour rien si ce garçon avait trépassé après la signature. Hélas, la fille se tua en sautant du haut du donjon de son père sous prétexte que sans sa dot, elle ne pourrait épouser personne d'autre et qu'aucun couvent ne la prendrait. Les Pendragon nous tinrent pour responsables, mais nous ne l'étions pas. La dot nous appartenait, tout de même !

» Cela aurait pu s'arrêter là, mais ivres de vengeance, les Gallois kidnappèrent l'héritier de Bohun et le castrèrent. Évidemment, il ne survécut pas longtemps mais sa femme, enceinte avant sa mésaventure, mit au monde deux jumeaux qu'elle éleva dans la haine des Gallois, et particulièrement des Pendragon. Ces sentiments se sont perpétrés, depuis. Les de Bohun n'épousent pas les Pendragon, Simon, c'est comme ça.

— À quand remonte cette tragédie, père ? À plus de cent ans ! N'est-il pas temps de mettre fin à cette vieille querelle ? Et quel meilleur moyen qu'un mariage pour illustrer cette réconciliation entre les deux familles ? Un mariage qui serait cette fois célébré, consommé, et d'où naîtraient des héritiers de Bohun ? Il est temps d'oublier le passé.

— Doux Jésus ! s'emporta violemment Hugo de Bohun. Je le savais ! Tu n'es qu'un faible, au cœur d'artichaut ! Couche avec cette fille si elle te plaît, mais c'est moi qui choisirai ta femme ! Et tu ne me désobéiras pas !

— Je n'épouserai personne d'autre que Junia Pendragon, rétorqua rageusement Simon.

— Tu épouseras Aceline de Bellaud ! Elle est fille unique, et son père tient autant que moi à ce mariage.

— Tu avais donc déjà mené les négociations ? Sans m'en parler ? J'ai dix-huit ans, père, je ne suis plus un gamin !

— Selon la loi, tu es obligé de te plier à ma volonté.

— Je pourrais quitter Agramant.

— Quitter Agramant ? cria Hugo en faisant claquer si fort son gobelet sur la table qu'il éclaboussa du vin partout. Et où diable irais-tu ? Que ferais-tu, pauvre minable ?

— J'irais dans la famille de ma mère.

— Parce que tu crois que ton grand-père t'hébergerait, dans ces circonstances ? Il te renverrait immédiatement dès qu'il saurait la raison de ta venue ! Le père de ta mère est homme à comprendre la nécessité d'un mariage avantageux. Aceline de Bellaud possède des terres, des terres fertiles. D'innombrables têtes de bétail. Et une dot en argent et en or.

— Si elle est un parti aussi intéressant, pourquoi son père a-t-il pensé à nous, puisque nous ne sommes qu'une branche « mineure » de la famille ?

— Nous sommes des de Bohun. Et si les de Bellaud sont riches, ils n'ont pas un grand nom comme le nôtre. Aceline est fille unique. La lignée de son père mourra avec elle, mais perdurera à travers les enfants de Bohun. Je l'ai vue, petit. Elle est mûre et hmm... drôlement appétissante, crois-moi. Elle te donnera tous les enfants que tu veux.

— Tu as l'air de la trouver à ton goût. Pourquoi ne l'épouses-tu pas, toi ? Pourquoi devrais-je me sacrifier pour satisfaire ta cupidité ? À propos de cupidité, pourquoi les de Bohun n'ont-ils pas rendu la dot aux Pendragon ? Le mariage n'était pas célébré et ils n'étaient pas responsables de la mort du garçon. Dans cette histoire, ce sont les de Bohun qui ont été avides, pas les Pendragon.

— Ils ont tué un héritier de Bohun ! gronda Hugo.

— Après qu'un de Bohun eut dépouillé leur fille et l'eut conduite au suicide. Ils avaient des raisons de s'estimer floués.

— De toute façon, quoi que je dise ou pense, Simon, le Dragon Lord n'acceptera jamais que tu épouses sa fille. Les Pendragon nous haïssent autant que nous les haïssons. Oublie cette gamine et concentre-toi sur Aceline de Bellaud, parce que c'est elle qui sera ta femme.

— Pas question. J'épouserai Junia ou personne.

— Tu vas m'obéir, petit, car je suis ton père. Qu'est-ce qui t'a fait croire que tu pouvais choisir ta femme ?

— Tu l'as bien fait, toi.

— Oui, mais j'étais le seigneur d'Agramant. Mon père était mort depuis longtemps, mais je savais qu'il aurait été heureux que j'épouse ta mère. Je n'aurais jamais imaginé à quel point elle deviendrait fragile, après ta naissance. Toi, tu n'as pas autorité à choisir ta femme, c'est comme ça et pas autrement.

— Devrai-je te tuer et devenir le seigneur d'Agramant pour pouvoir épouser Junia ? s'emporta Simon.

— Tu es bien trop froussard pour ça, mon pauvre, jeta Hugo avec mépris. Bien trop civilisé et généreux. La femme que je te destine est forte. Elle compensera tes faiblesses, notamment quand je ne serai plus là.

Il se mit à rire en regardant le beau visage de Simon totalement défait.

— Boude un peu, petit. Satisfais ton désir pour cette fille, si tu es un homme. Quand tu auras retrouvé la raison, nous irons rendre visite aux de Bellaud. Tu verras, Aceline est un morceau de choix.

— Va au diable !

— Oh, j'irai, c'est sûr. Mais j'ai encore de bons moments à passer ici, crois-moi ! lança Hugo en éclatant d'un rire qui résonna dans toute la pièce.

Simon se réfugia dans sa chambre et se jeta sur son lit. Quel désastre ! Mais il ne renoncerait pas à Junia. Il irait voir le Dragon Lord ! Il ferait tout pour obtenir la main de celle qu'il aimait.

La porte de sa chambre s'ouvrit, puis se referma. La vieille Elga venait d'entrer.

— Mon pauvre petit, commença-t-elle.

— Tu étais dans la grande salle ? Remarque, tout le château a dû entendre notre dispute...

Elle s'assit près de lui sur le lit.

— Tu dois renoncer à cette fille, mon enfant. Sinon, ton père t'y obligera, et Dieu sait quels moyens il pourrait employer. Hugo de Bohun est un mauvais homme, et tu n'as pas idée de l'étendue de sa perversité. Seule ta mère, Dieu ait son âme, parvenait à tenir ses démons sous contrôle. Si tu aimes vraiment cette petite, tu dois la quitter, car tu la mettrais en grave danger en t'obstinant.

— J'irai voir son père et lui parlerai. Quand il verra combien j'aime Junia, il ne pourra nous empêcher de nous marier.

— Admettons que le Dragon Lord prenne cet amour en considération, qu'auras-tu à offrir à sa fille, si ton père te déshérite?

— Cela m'est égal qu'il me chasse, Elga! Junia est toute ma vie. Aujourd'hui, quand elle m'a dit qu'elle m'aimait, j'ai cru que mon cœur allait exploser sous la force du bonheur que j'ai éprouvé. Comment pourrais-je renoncer à elle?

Elga soupira.

— Tu le dois, Simon, parce que ton père se vengera, et s'il arrive malheur à cette jeune fille, tu en porteras la responsabilité. Pourras-tu vivre avec ce poids? De toute façon, il t'obligera à épouser celle qu'il t'a choisie, et la petite Pendragon devra se marier avec celui que son père aura élu pour elle. Mieux vaut mettre un terme à votre liaison tout de suite, cela vous laissera le temps de guérir l'un de l'autre.

La vieille femme lui tapota l'épaule.

— Je suis désolée, Simon. On ne fait pas toujours ce que l'on veut dans la vie, c'est ainsi.

Le jeune homme se prit la tête entre les mains.

— Je dois la revoir dans trois jours, à Mryddin Water.

— Et tu lui diras que votre union est impossible, n'est-ce pas?

— Je ne sais pas.

— Tu... tu ne l'as pas engrossée, j'espère? s'écria soudain Elga, inquiète.

— Bien sûr que non, Seigneur ! Je l'aime, Elga, jamais je ne l'aurais déshonorée.

— Cela m'aurait étonnée de toi, mon petit, mais j'ai préféré demander. Je te laisse réfléchir, ajouta-t-elle en se levant. Tu as trois jours pour le faire.

— Je ne renoncerai pas à elle, se répéta Simon, une fois seul. Il doit bien exister une solution...

14

Incapable de garder son secret pour elle, Junia partit à la recherche de Gorawen et la trouva dans la grande salle. Elle se précipita, s'assit près d'elle et lui prit les mains.

— Simon va parler à son père pour me demander en mariage! lui confia-t-elle, les yeux brillants de bonheur.

— Et il s'appelle? s'enquit la favorite du Dragon Lord en souriant gentiment.

— Simon de Bohun! C'est un nom honorable, n'est-ce pas?

Gorawen avait pâli.

— Que se passe-t-il?

— Oh, ma pauvre enfant! Tu ne peux pas épouser un de Bohun. Ton père ne le permettra jamais. Je suis tellement désolée!

Elle voulut prendre la jeune fille dans ses bras mais Junia se dégagea vivement.

— Que dis-tu?

— Nous devons voir Merin tout de suite, déclara Gorawen, les yeux pleins de larmes.

Junia secoua la tête.

— Tu dois garder cela pour toi tant que le père de Simon ne sera pas venu lui faire sa demande, décréta-t-elle fermement.

— Son père ne viendra pas, Junia... Merin! appela-t-elle alors en élevant la voix. Junia, dis à ton père qui tu voyais à Mryddin Water.

— Que se passe-t-il ? s'enquit Ysbail en sautant sur ses pieds et en accourant. Ai-je bien entendu ? Tu rencontrais un homme en secret, espèce de petite traînée ?

Et elle gifla sa fille.

— Tu veux te déshonorer, c'est cela ? Qui voudra de toi si on apprend que tu te donnes au premier venu ?

— Ysbail ! gronda Gorawen en s'interposant. Comment oses-tu frapper Junia ? Tu ne sais rien, mais tu imagines déjà le pire ! Les filles de cette maison se sont-elles jamais conduites comme des moins que rien ?

— Tu ne vas pas m'apprendre à éduquer ma fille ! Je ne l'ai pas élevée pour en faire une grue.

— Et elle n'en est pas une ! riposta Gorawen, hors d'elle. Si tu fermais ta bouche et gardais tes viles pensées pour toi, tu saurais qu'une tragédie s'abat sur ta fille. Son cœur tendre et innocent va être brisé.

Ysbail se laissa tomber lourdement sur une chaise.

— Qu'est-il arrivé, Junia ? demanda-t-elle plus calmement. Dis-moi.

— Non, c'est à moi que tu vas raconter cela, intervint Merin Pendragon en écartant Ysbail et en s'asseyant près de sa fille.

Surpris, il vit Brynn s'installer par terre, au pied de sa sœur.

— Il s'appelle Simon de Bohun, commença Junia, et l'on put entendre le cri étouffé de sa mère et d'Argel. Brynn et moi l'avons rencontré il y a deux ans, dans les ruines de Mryddin Water, dit-elle sans pouvoir retenir ses larmes. Nous sommes amoureux, papa. Il veut m'épouser. Pourquoi est-ce si mal ?

— Il n'y a rien de mal à être amoureux, Juni, répondit calmement Merin, après une pause. Et à vouloir se marier. Mais il y a de la rancune entre les de Bohun et les Pendragon, et aucun mariage ne sera jamais conclu entre nos deux familles. Je suis désolé.

— D'où vient cette rancune? questionna Junia d'une voix altérée.

— Il y a exactement cent vingt-deux ans, Bronwyn Pendragon devait épouser Robert de Bohun. Les papiers des fiançailles étaient signés. Mais par un coup du destin, Robert de Bohun mourut subitement avant que le mariage ait pu être célébré. Sa famille refusa obstinément de rendre la dot qui avait été versée, sous prétexte qu'ils n'étaient pas responsables de la mort de l'infortuné. Ils ont agi par cupidité. Tu sais que les Pendragon n'ont jamais été riches, Juni. Sans sa dot, Bronwyn ne pouvait espérer se remarier ni même entrer au couvent, où elle n'aurait pas été acceptée sans un tribut. Après s'être saigné pour lui constituer une dot, mon ancêtre a tout perdu au profit des de Bohun. Le cœur brisé par sa ruine et par la perte de l'homme qu'elle aimait, Bronwyn s'est jetée du haut de la tour nord.

— Oh, mon Dieu! s'écria Junia.

— Et ce n'est pas fini.

Le Dragon Lord lui raconta le reste de l'histoire, la vengeance des Pendragon, la haine qui en était résultée entre les deux familles, qui empêchait aujourd'hui sa fille d'épouser l'homme qu'elle aimait.

— C'est ridicule, papa! s'écria Junia. Tu es en train de me dire que c'est à cause d'une querelle vieille de plus d'un siècle que Simon et moi ne pouvons nous marier? Les Pendragon et les de Bohun n'ont-ils jamais songé à se réconcilier? N'est-ce pas justement l'occasion de le faire? Jusqu'ici, Simon et moi ignorions nos noms de famille et donc, cette querelle ancienne. Notre amour ne pourrait-il guérir la haine qui fait obstacle à notre union? L'amour n'est-il pas plus fort que le ressentiment? Moi, je le crois! J'épouserai Simon ou personne!

— Junia, je te donnerais ma bénédiction si je le pouvais, mais c'est impossible. Le père de ton Simon a une sinistre réputation. On ne peut pas s'entendre avec lui.

— Mais si personne n'essaie de faire la paix, rien ne changera jamais.

— C'est comme ça.

— Je ne veux pas d'autre mari que lui, s'obstina-t-elle.

— Mais si, Juni. Un jour, tu changeras d'avis. En attendant que tu guérisses de ce chagrin, je ne t'obligerai pas à épouser qui que ce soit, lui promit Merin.

Junia se leva et les considéra avec un air tellement malheureux qu'Argel, Ysbail et Gorawen se mirent à pleurer. Alors la jeune fille se sauva en sanglotant.

— Il n'y a vraiment aucun espoir ? demanda Gorawen.

Le Dragon Lord secoua la tête.

— J'ai bien peur que non. Si Hugo de Bohun n'avait eu cette sinistre réputation, j'aurais pu tenter une réconciliation dans l'intérêt de Junia, mais je ne veux pas qu'elle entre chez cet homme. Et qui me dit que Simon ne savait pas qu'elle était ma fille ? Qui sait s'il n'est pas comme son père, et qu'il n'a pas tenté de la séduire ?

— Simon est un homme d'honneur, papa ! intervint Brynn. Il a toujours traité ma sœur avec le plus grand respect.

— Mais tu n'étais pas toujours avec eux, remarqua Gorawen, songeant que Brynn faisait encore naïvement confiance aux hommes.

— Tu les as laissés seuls ? s'enquit Merin, contrarié.

— Oui, quand Junia m'a demandé de ne plus l'accompagner, mais il n'y a pas longtemps. Et je les ai espionnés deux fois. Ils ne faisaient que parler, assis l'un près de l'autre. Ils ne se touchaient même pas.

— Nous l'avons élevée dans le respect de l'honneur, rappela Argel.

— Junia m'a assuré que rien ne s'était passé entre eux, et je la crois, renchérit Gorawen.

— Si j'apprends qu'elle s'est mal conduite, je l'assomme, marmonna Ysbail. Quel dommage tout de même que les de Bohun soient nos ennemis. C'eût été un beau mariage pour ma fille ! Et un meilleur parti que ce FitzHugh, et peut-être même qu'Emrys Llyn.

— Ôte-toi cela de l'idée, femme, intervint sèchement Merin Pendragon. Les serfs d'Hugo de Bohun en sont à défigurer leurs filles pour les protéger de la convoitise de leur maître et de ses hommes. Il est hors de question que ma fille mette les pieds dans une maison pareille.

— Quand je pense que Junia intéressait un homme aussi bien né, continua Ysbail comme si elle ne l'avait pas entendu. Tu vas devoir lui trouver un parti équivalent, maintenant, Merin. Je n'accepterai pas n'importe qui.

Argel et Gorawen échangèrent un regard amusé. Comme toujours, Ysbail ne pensait qu'à elle. Elles n'ignoraient pas qu'elle espérait quitter Dragon's Lair et vivre chez sa fille, une fois celle-ci mariée. Mais elles savaient aussi que ses espoirs seraient déçus. Et comment une mère pouvait-elle se soucier aussi peu du chagrin de sa propre fille ?

Le lendemain, Junia resta cloîtrée dans sa chambre. À deux reprises, Argel lui envoya une servante avec un plateau. Ils revinrent chaque fois intacts. Junia ne voulait voir personne, mais on l'entendait pleurer à travers sa porte.

Le jour suivant, toutefois, la jeune fille descendit dans la grande salle pour prendre son petit déjeuner. Seul Brynn était là, et il remarqua tout de suite qu'elle semblait aller mieux.

— Aujourd'hui, j'ai rendez-vous avec Simon, dit-elle doucement, les yeux brillants. Je suis sûre qu'il a balayé les objections de son père concernant notre mariage, parce qu'il m'aime. Ensemble, nous viendrons à bout des réticences de Merin. Il est temps d'oublier le passé et de faire la paix, Brynn.

— Tu n'as pas l'intention d'aller à Mryddin Water, Juni ?

— Bien sûr que si. Simon m'y attendra, comme nous l'avions décidé.

— Si son père est aussi vil que le dit papa, il ne viendra pas. Et il pourrait même être dangereux pour toi d'y aller.

— Simon ne permettra pas qu'il m'arrive quoi que ce soit, Brynn.

— Si tu y vas, je t'accompagne.

— Non. Simon penserait que je ne lui fais pas confiance. Je n'ai rien à craindre, je t'assure.

— Laisse-moi venir. S'il n'est pas là, tu auras ta réponse. S'il est là, je m'assurerai qu'il n'y a pas de loup dans la bergerie.

— Non, s'obstina Junia. J'ai confiance en lui. Et si tu dis un mot à papa, je me jette par la fenêtre de la tour nord, comme Bronwyn !

Brynn garda le silence. Quand Junia se mettait une idée dans la tête, il était impossible de la raisonner. Elle était aussi têtue que sa sœur Maia, mais lui aussi avait de la suite dans les idées. Il décida de la suivre à distance, au cas où. D'après lui, Simon ne viendrait pas, de toute façon. Comme Junia, il était obligé d'obéir à son père. Elle serait malheureuse et cela lui fendait le cœur, mais qu'y pouvait-il ? Tout cela pour une vieille rancune idiote… Avec un soupir, Brynn se leva, embrassa sa sœur et sortit.

Après avoir déjeuné, Junia remonta dans sa chambre, se lava le visage et tressa ses longs cheveux noirs en une seule natte qu'elle attacha avec un petit ruban ivoire. Elle portait une robe vert foncé, l'une de ses plus belles, en l'honneur de Simon. Elle choisit également sa plus belle monture et quitta le château sans se faire remarquer. Habitués à ses allées et venues, les gardes s'avisèrent à peine de son départ.

Brynn Pendragon vit sa sœur quitter le château. Comme il savait où elle allait, il ne se pressa pas pour la suivre. Mieux valait éviter de se faire repérer. D'ailleurs, Simon n'arrivait jamais à Mryddin avant eux.

Bref, il avait tout son temps. Il ne priait pas souvent mais, cette fois, il demanda au Seigneur de faire que Simon ne vienne pas. Quoi qu'il lui dise, Junia était persuadée qu'elle parviendrait à vaincre la haine qui séparait les deux familles. Et sachant que Simon de Bohun était un rêveur lui aussi, il abonderait dans son sens. Quel dommage, tout de même! Ils allaient si bien ensemble. Un jour peut-être, quand Hugo de Bohun serait parti en enfer, il irait voir Simon et tenterait avec lui de mettre un terme à ces vieilles rancunes. Évidemment, il serait trop tard pour Simon et sa sœur. D'ici là, ils seraient chacun mariés de leur côté.

Brynn eut soudain l'idée d'aller chercher l'épée que son père lui avait donnée, pour son dernier anniversaire. Il fixa aussi son arc et son carquois à sa selle avant de quitter Dragon's Lair et de se diriger vers Mryddin Water. Sa sœur ne risquait pas de l'entendre, elle avait suffisamment d'avance. Et quand il atteindrait la rivière, le bruit du barrage étoufferait celui des sabots de son cheval. Son père serait fier de lui, pensa-t-il. Il se conduisait comme un vrai guerrier...

Un peu plus loin, Junia s'efforçait de calmer l'excitation qui lui faisait battre le cœur à l'idée de revoir Simon. Elle ne doutait pas qu'il serait au rendez-vous. Il l'aimait, et elle était tellement impatiente de le retrouver! Elle entendit le bruit du barrage avant d'atteindre Mryddin Water. Elle trouvait à cette chute d'eau un charme presque magique.

Lorsqu'elle arriva à la petite clairière, de l'autre côté de la rivière, elle descendit de cheval, l'attacha et attendit son amoureux.

Il ne tarda pas à arriver.

— Junia! l'appela-t-il.

— Simon!

Il traversa la rivière et eut à peine le temps d'attacher sa monture qu'ils étaient dans les bras l'un de l'autre.

— Je t'aime! s'écria-t-elle. Je me moque que tu sois un de Bohun!

— Moi aussi je t'aime, ma douce. J'ignorais tout de cette inimitié entre nos familles jusqu'à ce que mon père m'en parle, l'autre soir.

— Moi aussi. Oh, Simon! Qu'allons-nous faire?

— Je me le demande. Comment nous marier, sans l'accord de nos pères? Comment vivre ensemble, Junia?

— Cela m'est égal, dès l'instant où je suis avec toi, répondit la jeune fille avec fougue.

— Ma chérie, il nous faudra un toit, de quoi manger et beaucoup d'autres choses. Comment pourrai-je te les procurer si je suis déshérité?

— En vivant de ton épée, par exemple. On parle d'une nouvelle croisade. Je partirai avec toi. Nous nous débrouillerons pour survivre.

— Tu m'as dit que tu devais attendre tes quinze ans pour te marier. D'ici là, j'espère parvenir à persuader mon père de mettre un terme à cette querelle.

— Et s'il décide de te marier à une autre? s'écria-t-elle, n'osant imaginer une telle tragédie.

— Il me l'a déjà suggéré, mais je lui ai assuré que je n'épouserai pas une autre femme que toi, Junia. L'Église est contre les mariages forcés. Mon père ne pourra pas m'imposer une union contre mon gré. Je suis à toi, je te le jure!

— Mon père ne me forcera jamais à me marier contre ma volonté. C'est un principe, chez lui, répliqua-t-elle en souriant tendrement au beau jeune homme qu'elle aimait.

— Tout cela pour une histoire vieille de plus d'un siècle. C'est tellement stupide ! Nous ne sommes vraiment plus concernés, aujourd'hui.

Il lui prit les mains et ils s'assirent sur les rochers, au bord de la rivière.

— Junia, il faut que tu saches que mon père n'est pas un homme bon. C'est même pire que cela : il est cruel, surtout depuis la mort de ma mère. Je me débrouille pour l'éviter le plus possible. Il ne s'en soucie guère, dès l'instant où je fais ce qu'il veut. Il ne s'intéresse qu'à ses terres et à ses penchants charnels.

— J'ai entendu dire que ses serfs défiguraient leurs filles pour les protéger de lui. C'est vrai, Simon ?

— Hélas, oui. J'ai honte de l'admettre.

— S'il n'avait pas cette terrible réputation, j'aurais peut-être pu convaincre mon père de faire la paix. Le Dragon Lord est un homme bon, lui, et aimé de tous ceux qui le connaissent.

— Si seulement j'avais ma fortune personnelle... mais je dépends complètement de lui. Même mon cheval lui appartient.

— Mais s'il t'aime, il devrait avoir envie de te savoir heureux en mariage, remarqua innocemment Junia. Il aimait ta mère, paraît-il.

— Oui, mais moi, il ne m'aime pas. Il se sert de moi, c'est tout.

— Qui est cette fille qu'il voudrait que tu épouses ? demanda-t-elle, incapable de refréner sa curiosité.

— La fille unique d'un seigneur dont les terres touchent les nôtres. Plus riche que nous, mais moins noble. Il s'agirait d'un échange, le nom contre des biens, en somme. Mais je ne l'épouserai pas, Junia !

— Je suis la fille d'une concubine, Simon, et ma dot se borne à quelques bêtes et quinze livres d'argent. Je n'ai pas de terres. Seule ma sœur Maia, la fille légitime du Dragon Lord, possédait quelques lopins.

— Mais tu m'as dit que tes aînées avaient fait un beau mariage.

— Oui.

— Alors tu as de la famille qui pourra nous aider. C'est déjà ça, estima-t-il en portant ses mains à ses lèvres. Et puis, quinze livres d'argent, c'est une jolie somme.

Un sourire brillait dans ses yeux gris et Junia sentit une bouffée de joie l'envahir. Dieu qu'elle l'aimait!

— Ton père est un homme prévoyant, ajouta-t-il. Nous aurons de quoi nous acheter des terres convenables.

— Oui, je ne suis pas si pauvre, finalement! Mais nous allons devoir être patients. Et notre amour me donnera la force d'y parvenir, Simon. Quand nous revoyons-nous?

— Restons prudents, Junia. Je ne veux pas qu'il t'arrive malheur.

Ils entendirent alors un bruit de cavalcade, et un groupe d'hommes armés fit irruption dans la clairière de Mryddin Water. Junia et Simon bondirent sur leurs pieds, mais le jeune homme n'eut pas le temps de la hisser sur son cheval qu'ils étaient cernés.

Hugo de Bohun les toisa avec un sourire qui ne présageait rien de bon.

— Alors, mon fils, voilà donc ta petite poule galloise. Ne t'avais-je pas demandé de mettre un terme à cette histoire? Tu m'as désobéi, Simon. Et tu sais que cela me met en colère quand tu me désobéis, n'est-ce pas?

— Nous nous faisions seulement nos adieux, père, s'empressa de répondre Simon. Tu avais raison, le Dragon Lord ne veut pas d'un de Bohun pour gendre, pas plus que tu ne veux d'une Pendragon pour belle-fille.

Tout en parlant, il la serrait contre lui comme s'il pouvait la protéger du danger qu'il sentait planer sur eux. Un danger latent. Terrifiant.

Hugo de Bohun se mit à rire.

— Quelle noblesse, mon fils ! Quel jeune homme prévenant tu es ! Mais moi, la grandeur d'âme, ça me donne envie de vomir.

Les hommes d'armes ricanèrent et leurs chevaux s'ébrouèrent.

Junia s'écarta de Simon et regarda Hugo de Bohun droit dans les yeux.

— Il est temps que je parte, mon seigneur, lui dit-elle d'une voix ferme.

Elle voulut se diriger vers sa monture, mais le père de Simon se mit en travers de son chemin.

— Et où comptes-tu aller, ma poule ?

Une sueur froide glaça l'échine de la jeune fille. L'homme était impressionnant avec sa barbe noire, ses cheveux hirsutes et sa corpulence épaisse.

— Je veux rentrer chez moi, répondit-elle bravement. Laissez-moi passer !

Elle essaya de contourner l'énorme cheval, sans succès.

— Elle a plus de cran que mon fils, la petite, lança-t-il à ses hommes en riant. Si elle n'était pas une Pendragon, je reviendrais peut-être sur ma décision. Tu viens avec nous, ma mignonne, enchaîna-t-il. Mes hommes apprécieront la nouveauté et j'ai l'impression que tu te battras comme une lionne. Ça va leur plaire.

Simon s'interposa.

— Tu ne la toucheras pas ! Si tu poses ne serait-ce qu'un doigt sur elle, je te tue ! Je te tue, je le jure devant Dieu !

— Tu la veux vraiment, alors ?

— Évidemment que je la veux !

— Alors, prends-la.

— Quoi ?

Quel mauvais tour son père était-il en train de lui jouer ? se demanda Simon, atterré.

— Prends-la ! Ici ! Tout de suite !

Le visage du jeune homme se décomposa.

— As-tu perdu l'esprit ? Oui, je crois que tu es devenu fou. Junia est une fille respectable, de bonne famille. Elle est vierge, bien sûr. Tu ne sais plus ce que tu dis !

— Si tu ne la prends pas tout de suite, c'est moi qui m'en charge. Ensuite, mes hommes continueront de la besogner. Ils sauront quoi faire avec elle, crois-moi. Si tu veux éviter ça, tu la dépucelles ici. Maintenant ! C'est toi ou nous. À toi de choisir, Simon. Et décide-toi vite.

Simon de Bohun resta d'abord pétrifié. Il savait depuis toujours que son père était un être vil, mais ce qu'il lui demandait dépassait l'entendement.

— Je compte jusqu'à trois, Simon. Au-delà, la demoiselle m'appartiendra, avant de devenir le jouet de mes hommes.

Junia assistait à cette scène avec une horreur grandissante. Puis elle comprit soudain que le spectacle de sa frayeur était exactement ce que cet homme immonde attendait.

— Je n'ai pas peur, Simon, dit-elle bravement.

Hugo de Bohun partit d'un grand rire.

— Un, jeta-t-il en reprenant brusquement son sérieux.

— Junia ! Te rends-tu compte de ce qu'il me suggère de faire ?

— Deux, grogna Hugo de Bohun.

— Non ! hurla Simon. Il veut que je te viole devant ces hommes !

— Fais-le, l'implora-t-elle. L'autre alternative est bien pire, Simon ! Fais-le !

— Trois ! cria de Bohun.

— D'accord ! lança Simon en se tournant vers son père. Mais sache que je te maudirai jusqu'à mon dernier souffle ! Puisses-tu rôtir en enfer, pour l'éternité !

— Déshabille-la, ordonna froidement Hugo à son capitaine. Et vous autres, retenez mon fils jusqu'à ce qu'elle soit entièrement nue. Qu'au moins, nous voyions ce que nous perdons. Si tu n'arrives pas à accomplir ton devoir, fiston, je me ferai un plaisir de te relayer. Il y a longtemps que je n'ai pas eu une jeune vierge aussi appétissante.

Simon fut vite maîtrisé mais Junia se défendait comme une tigresse, frappant, griffant les hommes qui l'avaient entourée.

— Ne me touchez pas! Je me déshabillerai moi-même!

— Non! hurla soudain Brynn Pendragon en surgissant de derrière un rocher, l'épée au poing.

Surpris, les hommes furent un instant pris de court, et il en blessa un qui se mit à saigner.

— Cours, Junia, cours! cria-t-il à sa sœur.

Mais Hugo de Bohun bondit et d'un coup violent, désarma le garçon en le frappant si sauvagement qu'il s'écroula par terre, sans connaissance.

— Le fils du Dragon Lord! Eh bien! Je n'en espérais pas tant! Attachez-le et mettez-le sur ma selle.

Se tournant vers Junia, il reprit:

— Maintenant déshabille-toi, ma jolie. Et fais ça bien, il faut que l'on jouisse du spectacle.

— Que le diable vous emporte! Si vous faites du mal à mon frère, mon père vous tuera! À moins que je ne vous enfonce moi-même un couteau dans le ventre, Hugo de Bohun!

Elle enleva sa robe et l'étendit sur une pierre.

— Donne-moi tes bottes. Sans elles, tu n'iras pas loin.

Junia s'assit, se déchaussa et lui jeta ses bottes à la figure. Se redressant, elle défit sa natte, songeant que ses longs cheveux protégeraient un peu sa pudeur. Puis elle respira profondément et ôta sa chemise qu'elle posa sur sa robe. Nue, elle luttait contre la frayeur grandissante qui l'envahissait tandis que les hommes la dévoraient des yeux avec des airs lubriques.

— Je suis un homme de parole, dit finalement Hugo de Bohun. Mais... Sainte Vierge Marie, Simon ! C'est un trop grand sacrifice, dit-il en attirant la jeune fille contre lui et en lui palpant les seins.

Junia se débattit de toutes ses forces, et Simon aussi.

— Viens, mon fils, viens... La vue de ce beau corps nu t'excite, pas vrai ? Montre-nous un peu ce que tu as dans le pantalon. Enlevez-lui sa tunique ! lança-t-il à ses soldats.

— Infecte créature ! criait Junia.

— S'il ne te prend pas, petite, je m'empresserai de le remplacer, mais je crois bien que je te garderai pour moi tout seul, après ça. Tout au moins pendant quelques mois.

Et il posa sa bouche épaisse sur ses épaules tout en lui malaxant les seins.

Pendant ce temps, ses hommes avaient déshabillé Simon qui, bien malgré lui, n'avait pu empêcher son sexe de durcir, à la vue de la nudité de sa bien-aimée. Ils l'amenèrent de force jusqu'à Junia et le plaquèrent contre elle, s'amusant à les frotter l'un contre l'autre avec des rires gras. Au bout d'un moment, Hugo de Bohun obligea Junia à s'allonger par terre, sur le dos. Deux de ses hommes lui tinrent les jambes écartées. Deux autres lui immobilisèrent les bras, puis on jeta Simon sur elle.

— Voilà, mon gars. À toi de jouer ! Et fais ça bien, bon sang ! À la moindre faiblesse, je te remplace. Et je ne demande que ça. Compris ?

Junia se mordit les lèvres.

— Nous n'avons pas le choix, mon amour, murmura-t-elle à l'oreille de Simon. Je veux que tu sois le premier et le seul. Tant pis si les circonstances ne sont pas celles dont on rêvait.

— C'est de la barbarie, répondit-il en lui caressant la joue. Junia, je suis tellement désolé... Je t'aime !

Il avait honte car son sexe était en pleine érection, maintenant. Comment pouvait-il avoir envie d'elle alors qu'on l'obligeait à la violer devant témoins ?

— Imagine que nous sommes ailleurs, toi et moi. Ailleurs et seuls, Simon. Fais-moi l'amour, mon chéri. Vas-y !

Ses paroles exprimaient une bravoure qu'elle ne ressentait pas, loin de là. Et son petit frère, maintenant attaché sur la selle d'Hugo de Bohun telle une pièce de gibier que l'on ramène après la chasse ? Pourvu qu'il ne soit pas gravement blessé !

— Sais-tu que c'est douloureux, la première fois ? chuchota Simon.

Elle hocha la tête.

— Tu devras crier fort, sinon mon père ne sera pas satisfait, ma chérie. Je ne veux pas qu'il te fasse du mal lui aussi.

Il parvint à la pénétrer légèrement.

— Allez ! gronda Hugo. Tu vas rester là longtemps, couché sur elle comme un poids mort ? Chevauche-la, Simon ! Allez, hue !

— Je n'ai pas peur, souffla courageusement Junia. Je t'aime, Simon de Bohun !

Il entra en elle avec précaution et elle lui sut gré de sa délicatesse.

— Ça y est ? Tu es en elle ? brailla Hugo.

Junia poussa un gémissement qui parut le contenter.

— Je te fais mal ? s'alarma Simon.

Elle faillit éclater de rire.

— Non, c'était pour qu'il se taise, mon amour.

Puis elle ouvrit de grands yeux quand il s'aventura plus loin dans son corps innocent, avant de les refermer pour ne plus voir les visages concupiscents qui se délectaient du spectacle.

Mais Hugo de Bohun ne semblait pas satisfait. Il alla à son cheval et saisit sa cravache. Brynn avait repris connaissance. Il lui jeta au passage un regard furieux, mais il ne pouvait rien dire, à cause du bâillon qu'on lui avait mis.

Le hoquet de surprise de son fils amusa beaucoup le seigneur d'Agramant, quand il donna le premier coup de cravache sur ses fesses nues.

— Alors, tu vas y arriver ou je recommence ?

Sans attendre, il le fouetta jusqu'à ce que Simon se mette à aller et venir en elle.

— Je suis désolé, tellement désolé… s'excusa-t-il quand il franchit la barrière de l'hymen et qu'elle cria de douleur.

— Allez, petit, allez ! hurla Hugo en faisant claquer le cuir sur sa peau nue.

Junia crut mourir. Elle essaya de s'imaginer qu'elle faisait un cauchemar, que les sons et les mots écœurants autour d'elle n'étaient pas réels. Hélas… Simon se démenait à présent, et c'était un calvaire. Soudain, il se raidit et trembla de tout son corps tandis qu'elle sentait une sorte de liquide chaud se répandre en elle.

L'instant d'après, Simon se releva en l'entraînant avec lui.

— Tu as eu ce que tu voulais, espèce de monstre, jeta-t-il à son père. Laisse Junia partir avec son frère.

— Non, petit. Pas question. Ils viennent avec nous. Le gosse passera le reste de ses jours dans mon cachot, et ta beauté galloise dans ton lit. À la disposition de ton plaisir. Tu l'aimes, ça crève les yeux. Tu seras incapable de résister, malgré ta noblesse de cœur. Tu devrais me remercier, ingrat ! Je viens de te faire un beau cadeau. D'un côté, tu auras ta belle Pendragon pour la luxure, et de l'autre, Aceline de Bellaud pour sa richesse.

Hugo de Bohun sourit à son fils, mais il s'agissait davantage d'une grimace de mépris.

— Non ! Cela ne se passera pas comme ça ! cria Simon.

— Comment ? fit son père en riant. Tu en as déjà assez de ta belle Galloise ? Tu n'as qu'à me la laisser, dans ce cas, à moi ou à mes hommes. Parce que si tu ne la protèges pas, c'est ce qui lui arrivera. Sa seule chance de survivre, c'est de t'appartenir, Simon, tu comprends ? Autrement, mes soldats s'amuseront avec elle. Ils n'attendent que ça, tu sais. Bon, rhabille-toi ! Il va pleuvoir, il faut rentrer.

Il s'approcha de Junia.

— Alors ? Ta première expérience t'a plu, ma belle ? Je t'aurai un jour, et mes hommes aussi, avant que tu meures. Mais pour l'instant, mon fils va veiller sur toi. Remarque, sa femme risque de ne pas trouver cela à son goût. On verra bien !

Junia remit sa chemise en le défiant du regard. Elle saignait, elle avait mal, mais elle ne lui donnerait pas la satisfaction de se plaindre.

— Donnez-moi mes bottes, vieil homme.

— Tu monteras pieds nus, ma jolie. Les esclaves ne portent pas de chaussures. Et si jamais tu me jettes à nouveau quoi que ce soit à la figure, je prends cette cravache et je te bats jusqu'au sang ! Compris ?

Junia hocha la tête et enfila sa robe verte. Comme elle nouait rapidement ses cheveux, ses yeux tombèrent sur son frère. Son visage ruisselait de larmes. Seigneur, avait-il tout vu ? Je tuerai Hugo de Bohun un jour ! se promit-elle. Je le jure !

Elle s'approcha de Brynn et lui essuya les joues.

— Cela va aller, Brynn. Simon m'aime. Nous allons nous en sortir.

— Écarte-toi du prisonnier ! lui ordonna de Bohun en refermant ses gros doigts sur son bras pour la tirer en arrière.

Junia se dégagea.

— Il n'est qu'un enfant. Relâchez-le !

— C'est le fils unique de ton père, pas vrai ? ricana Hugo de Bohun, l'œil mauvais. Voilà comment s'achève la célèbre lignée d'Arthur. Quel dommage... À cheval, beauté ! Ce sont mes hommes qui guideront ta monture. Toi, tu auras les mains liées.

— Si cela peut vous faire plaisir, rétorqua Junia.

Il rit de nouveau.

— Coriace, la petite. Tu donneras à mon fils des bâtards à ton image, bien solides et bien forts. Je suis impatient de les faire sauter sur mes genoux.

— Je les étranglerai à la naissance, lui cracha-t-elle à la figure.

— Bon sang ! Je crois que j'ai fait une erreur en te donnant à mon fils. J'aurais dû te garder pour moi. Je pensais que tu étais aussi faible que mon pleurnichard de rejeton, mais tu es une vraie tigresse ! J'aimerais bien te mater.

— Inutile de rêver, cela ne risque pas de vous arriver. Vous êtes fini !

Hmm... Il avait toujours aimé les défis. Il laisserait cette petite à son fils, comme il l'avait promis, jusqu'à ce qu'il épouse Aceline de Bellaud. Il prendrait alors du bon temps avec la belle Galloise et la garderait pour lui jusqu'à ce qu'il s'en lasse. Mais ils n'en étaient pas encore là. Rien ne pressait. L'attente ne ferait qu'amplifier son désir.

Se léchant les lèvres d'anticipation, il la souleva pour la mettre à cheval et en profita pour lui presser les fesses. Elle l'insulta, et il rit de plus belle.

15

Le château d'Agramant, fief des seigneurs de Bohun, était bâti en pierres sombres, surmonté de quatre tours aux toitures en ardoise. On y accédait par un pont-levis qui enjambait des douves, puis par une herse en fer qui s'ouvrait sur la cour où s'arrêtèrent de Bohun et son fils, ses soldats et leurs prisonniers.

Il ne sera pas facile de s'évader d'une forteresse pareille, songea Junia. Impuissante, elle vit son petit frère s'écrouler sur ses genoux lorsqu'on le descendit de cheval. Après être resté plusieurs heures la tête en bas, il ne pouvait plus se tenir debout. Cela amusa les hommes d'armes, qui se mirent à le bousculer violemment pour l'inciter à se lever. Mais Brynn en était incapable. Alors le seigneur d'Agramant lui lança un coup de pied en criant :

— Debout !

Simon s'interposa.

— Laisse-le, père. Il se relèvera quand il aura retrouvé son équilibre. La tête doit lui tourner, depuis le temps qu'il était en travers de ton cheval.

— Pff ! Tu n'es qu'une chiffe molle ! Un homme digne de ce nom n'éprouve pas de compassion pour un ennemi !

— Brynn a onze ans, père. Il n'est guère dangereux.

— Ce gamin a blessé l'un de mes hommes et a essayé de me transpercer avec son épée ! Il la manie très bien, et il n'avait pas le droit de nous attaquer.

— Tu menaçais sa sœur.

Simon se pencha et passa un bras autour des épaules de Brynn.

— Tu peux te lever, maintenant ?

Brynn hocha la tête, l'air méfiant.

— J'ignorais qu'ils m'avaient suivi, Brynn, je te le jure, murmura Simon en dénouant le bâillon et en l'aidant à se mettre debout.

Le garçon passa sa langue sur ses lèvres sèches et déglutit plusieurs fois avant de répondre.

— Merci, Simon. Je vais bien.

— Qu'on l'enferme au cachot ! Ouvre grands tes yeux, petit, et regarde bien le ciel. C'est la dernière fois que tu le vois ! lança Hugo en s'esclaffant.

— Si j'avais été un peu plus rapide, je vous aurais tué, de Bohun ! osa répliquer Brynn. La prochaine fois – parce qu'il y aura une prochaine fois – je ne vous manquerai pas !

— Brave petit. Mais tu verras qu'après quelques semaines dans mes geôles, tu ne sauras même plus ce que signifie le mot « courage ». Emmenez-le !

Hugo de Bohun se tourna vers Junia, toujours assise sur son cheval, les mains liées. Il la contempla avec concupiscence et recula d'un bond lorsqu'elle lui cracha à la figure.

— Enferme ta furie dans ta chambre, Simon, et qu'elle n'en sorte pas tant que je ne l'aurai pas autorisée à descendre dans la grande salle. Je suis content de toi, fiston. J'ai apprécié les cris que tu lui as fait pousser, aujourd'hui.

Sur ce, il fit volte-face et entra dans le château, suivi de ses hommes.

Simon détacha aussitôt Junia et dut la soutenir pour qu'elle ne tombe pas quand il la posa au sol. Un violent frisson la parcourut.

— Junia, mon amour, qu'est-ce que tu as ? s'inquiéta-t-il.

Elle ferma brièvement les yeux et il remarqua son extrême pâleur.

— Je voudrais un endroit où me cacher, dit-elle en le repoussant.

Comprenant qu'elle était sous l'effet du choc, il lui demanda doucement :

— Tu peux marcher toute seule ?

— Je… crois.

Il voulut lui prendre la main, mais elle se dégagea.

— Viens, soupira-t-il.

— Ne le laisse pas m'approcher, lui demanda-t-elle comme il la conduisait vers le château. Je sens que je n'aurai plus le courage d'affronter sa vue.

— Cela ira mieux après un repas et une bonne nuit de sommeil.

Ils s'engagèrent dans un escalier débouchant dans un couloir obscur.

— J'ai mal, dit-elle comme il la faisait entrer dans une petite chambre.

— Moi aussi. Mon père s'est acharné sur moi avec sa cravache. Je vais faire monter de l'eau pour que tu puisses te laver, et je suis sûr que demain, cela ira mieux.

Junia examina les lieux. Les murs et le sol étaient en pierre. À part un lit, une commode et un tabouret, il n'y avait rien. Même pas une cheminée pour se chauffer. L'unique fenêtre était obturée par deux épais volets en bois. Un rideau protégeait toutefois le lit, l'isolant sans doute un peu des courants d'air froid qui filtraient par les fissures des murs et de la fenêtre.

— Qu'a-t-il l'intention de faire à mon frère ? demanda-t-elle à Simon qui ne s'était absenté que quelques instants.

— Je ne sais pas, mais je ne pense pas qu'il songe à le tuer.

— Va-t-il le torturer ?

— Je l'ignore, mais je ferai tout pour l'en dissuader.

Il espérait sincèrement y parvenir, en attendant que Merin Pendragon vienne chercher ses enfants, car Simon n'imaginait pas qu'il ne réagisse pas. Il pourrait d'ailleurs compter sur son aide. Son père avait franchi un nouveau pas dans la cruauté, et il avait décidé de se dresser contre lui. Il se souvint de sa mère, et des efforts qu'elle avait déployés pour l'empêcher de faire de son fils un homme à son image. Anne de Bohun était une femme de valeur, douce et généreuse. Par amour pour elle, Hugo était parvenu à lutter contre ses penchants. Mais dès qu'elle était morte, sa nature démoniaque avait repris le dessus.

Anne aurait été horrifiée si elle avait su qu'il l'avait obligé à violer Junia. Jamais, même dans ses pires cauchemars, il n'aurait pensé la déflorer de cette manière. À présent, la peur commençait à la submerger et il devait absolument trouver un moyen d'y remédier. Son père ne devait surtout pas la voir dans cet état. Il adorait inspirer la terreur. Cela l'excitait.

— Je veux voir mon frère, dit-elle d'une voix brisée.

— Hugo ne le permettra pas, ma douce. Mais j'irai, moi, plus tard. Je le rassurerai. Occupons-nous d'abord de toi.

— Le Dragon Lord va venir nous chercher, Simon... Oh, mon Dieu ! Nous n'avons fait que ranimer la haine entre nos deux familles ! s'écria-t-elle en se mettant à pleurer.

Il voulut la consoler, mais elle le repoussa et il lut de la frayeur dans ses yeux.

— Junia ?

— Je t'en prie, Simon, ne me touche pas... je ne le supporterais pas. Je t'en supplie !

Elle pleurait de plus belle, et il hocha la tête avec un terrible sentiment d'impuissance.

— Junia, je suis désolé, tellement désolé ! Dis-moi que tu me pardonnes ! Tu sais que rien de tel ne serait arrivé s'il n'y avait pas eu mon père. Comment vais-je pouvoir vivre après ce que je t'ai fait, Seigneur ?

Il lui tendit une main hésitante, et elle parvint à l'effleurer.

— Je pense qu'il faut laisser passer un peu de temps, Simon.

— Je ne te toucherai plus jusqu'à ce que nous soyons mariés !

— Oh, mais… nous ne nous marierons jamais. Ton père a choisi une autre fille pour toi. Et le mien va venir nous délivrer, Brynn et moi. En ce qui me concerne, ma vie est ruinée. Aucun homme ne voudra de moi, maintenant. Peut-être un couvent m'acceptera-t-il, malgré ma modeste dot ? Je n'ai pas de vocation religieuse, mais quel autre choix me reste-t-il ?

— Je n'épouserai pas Aceline de Bellaud ! Un jour, je t'apprendrai combien la passion entre deux êtres qui s'aiment peut être douce, Junia. Je tuerai mon père ! Il ne pourra plus te faire du mal.

— Non, Simon. C'est moi qui le tuerai.

On frappa doucement à la porte de la chambre.

— Entrez ! lança Simon.

Une vieille femme minuscule apparut, suivie d'une jeune fille à la joue balafrée de la tempe droite jusqu'au coin de la bouche. Elles apportaient de l'eau chaude et des serviettes.

— Elga ! s'écria Simon, soulagé de voir sa gouvernante.

— Ton père s'est vanté des exploits qu'il comptait accomplir, avant de partir, dit-elle en refermant la porte. Je suis au courant. Pose le baquet sur le tabouret, Cadi. Ma pauvre enfant, ajouta-t-elle en se tournant vers Junia. Je suis l'ancienne nourrice de ce garçon, après avoir été celle de sa sainte mère, cette bonne lady Anne. Je vais m'occuper de vous, mon petit. Simon, laisse-nous. Tu reviendras quand je t'appellerai.

Dès qu'il fut sorti, elle s'approcha de Junia.

— Quel est votre nom, mon enfant ?

— Junia Pendragon.

— Vous avez été cruellement traitée, aujourd'hui, Junia Pendragon. Cadi va vous aider à vous déshabiller et à faire votre toilette. Je vous soulagerai comme je le pourrai.

— J'ai tellement honte… avoua Junia.

— Ce n'est pas vous qui devriez avoir honte, mais cette espèce de monstre que nous avons pour maître ! Vous avez vu le visage de Cadi ? Lord Hugo a pris sa sœur aînée pour se donner du bon temps, alors leur père a défiguré la plus jeune afin de la protéger. C'est terrible, mais au moins, aucun homme ne lui fera subir le sort que vous avez connu aujourd'hui, Junia Pendragon.

Junia se remit à pleurer, et Elga la prit contre elle et la consola.

— Ça va aller, mon petit. Simon vous aime, il trouvera un moyen d'arranger tout ça. C'est un bon garçon. Il a hérité des qualités de sa mère, Dieu la bénisse. Si elle avait vécu, cette vieille querelle aurait pu se résoudre, mais maintenant… je me demande ce qui nous attend.

— Mon père viendra à notre secours, dit Junia en reniflant, pendant que Cadi lui ôtait sa robe.

— Oui, bien sûr…

— Mon frère est au cachot. Elga, ce n'est qu'un enfant !

— Et un enfant drôlement courageux ! Le maître a dit qu'il avait failli le tuer. Bon, il aura peut-être plus de chance la prochaine fois, et Simon se retrouvera à la tête d'Agramant… En attendant ces jours bénis, allongez-vous, mon petit. Je vais vous soigner. Cadi, mets un linge sur le lit.

Malgré son embarras, Junia lui obéit et ferma les yeux, les joues en feu. Elga la lava avec d'immenses précautions. Le gant était doux et l'eau, bien chaude.

— Vous n'êtes pas blessée, mon enfant. C'est déjà ça. Cette lotion à base d'herbes que j'ai versée dans l'eau va soulager l'irritation.

Quand elle eut fini, elle couvrit la jeune fille et la borda.

— Je vais vous donner quelque chose qui vous aidera à dormir. Vous vous sentirez mieux demain, vous verrez.

— Mais si je dors, je serai à sa merci s'il entre dans cette chambre !

— Qui, mon enfant ? Pas Simon, n'est-ce pas ?

— Non, son père !

— Lord Hugo ne viendra pas vous embêter. Il a annoncé publiquement dans la grande salle que vous étiez la maîtresse de son fils. Ce monstre a son sens de l'honneur à lui. Vous ne risquerez rien tant que vous appartiendrez à Simon et qu'il vous protégera. N'ayez pas peur de lord Hugo.

— Mais je dois m'assurer que mon frère Brynn ne risque rien…

— Cadi, va prendre des nouvelles du petit. Je reste avec vous jusqu'à son retour, Junia Pendragon.

— Merci ! dit la jeune fille en trempant ses lèvres dans la potion parfumée à la menthe que lui avait préparée la vieille dame.

Cadi longea comme une ombre les couloirs menant aux cachots où l'on accédait par un étroit escalier. Il n'y avait qu'un garde en faction.

— Laisse-moi voir le prisonnier, demanda-t-elle d'un ton enjôleur en lui offrant son sourire en biais.

— Personne n'a le droit de le voir.

— Si tu me le permets, je te laisse toucher mes seins. Je n'ai encore jamais vu de Gallois, tu comprends.

Le garde réfléchit. Elle avait peut-être une cicatrice sur la joue, mais elle était plutôt bien tournée.

— Viens ici !

— Non! D'abord le prisonnier.

Après une brève hésitation, il accepta.

— Il est là, dit-il en l'emmenant vers une porte au milieu de laquelle se trouvait une grille de métal. Eh! Petit! Tu as de la visite!

Brynn entrevit un vague visage féminin à travers l'ouverture.

— Votre sœur veut savoir si vous allez bien, expliqua l'inconnue.

— Oui, ça va. Et elle?

— Ça suffit! intervint le gardien en poussant Cadi à l'écart. Je ne t'ai pas autorisée à lui parler, seulement à le voir.

Et sans perdre une minute, il la plaqua contre lui et se mit à palper ses seins. Elle le laissa faire un instant, puis caressa son érection de ses doigts experts.

— Tu aimes ça?

— Dieu du ciel! grogna-t-il.

Alors elle éclata de rire et le repoussa.

— Suffit pour aujourd'hui! Merci! lança-t-elle avant de se sauver dans l'escalier, vive comme l'éclair.

Cette fille avait peut-être une joue balafrée, elle savait s'y prendre pour plaire à un homme! Il n'en parlerait pas aux autres et la garderait pour lui seul, décida-t-il avec un petit sourire d'anticipation...

— J'ai vu votre frère, madame, annonça Cadi en regagnant la chambre. Il va bien et il s'inquiète pour vous.

— Merci, murmura Junia en sombrant dans le sommeil.

Simon entra à ce moment-là.

— Alors? s'inquiéta-t-il en s'approchant de la jeune fille endormie.

— Elle est terrorisée et honteuse, répondit Elga. Comment as-tu pu laisser ton père te forcer à faire une chose pareille? Ta mère serait furieuse, si elle savait!

296

— J'ignorais qu'il m'avait suivi à Mryddin Water, commença-t-il avant de lui raconter comment les choses s'étaient passées.

La vieille femme secoua la tête.

— Eh bien… espérons que lorsque le Dragon Lord viendra chercher ses enfants, il tuera cette brute et épargnera les innocents. Dis-moi, petit, ne t'avais-je pas demandé d'attendre que je t'appelle avant d'entrer ?

— Je suis seulement venu dire à Junia que son frère allait bien. Je suis allé le voir au cachot.

— Oui, Cadi s'y est rendue aussi. À présent, descends manger. Junia a besoin de sommeil. Je reste avec elle jusqu'à ton retour.

— As-tu dîné ?

— Cadi m'apportera un bol de soupe. Va, maintenant, sinon ton père viendra te chercher.

— Non, il ne viendra pas, rétorqua Simon avec un sourire ironique. Il est trop occupé à raconter à qui veut l'entendre qu'il a réchappé de justesse à l'agression d'un gamin de onze ans !

— Le petit n'a que onze ans ? Mon Dieu ! Je comprends que sa sœur s'inquiète…

Quand il fut sorti, Cadi expliqua à la vieille dame comment elle s'était débrouillée pour voir Brynn.

— Fais attention à toi, petite. Tu joues un jeu dangereux.

— Ne t'inquiète pas pour moi, Elga, répondit la jeune fille. Je sais ce que je fais.

Junia dormit toute la nuit. En se réveillant, au matin, elle ne reconnut pas tout de suite l'endroit où elle se trouvait. Lorsque les événements de la veille lui revinrent en mémoire, elle se recroquevilla sur le côté et découvrit que Simon dormait auprès d'elle. Elle eut un mouvement de recul, et il se réveilla à son tour.

— Comment te sens-tu, ma douce ? demanda-t-il en la contemplant.

— Que fais-tu ici ?

— Mon père a ordonné que tu deviennes ma maîtresse, Junia. Tu ne te souviens pas ? Tu es dans ma chambre. Si tu ne dors pas ici, il pensera que nous ne sommes pas amants et te prendra pour lui avant de te donner à ses hommes. C'est le seul moyen que j'ai de te protéger.

— Oh, mon Dieu… gémit-elle. Brynn ! s'écria-t-elle ensuite, se souvenant brusquement du cachot.

— Il va bien, et je ferai de mon mieux pour qu'il ne lui arrive rien, Junia.

— Je veux rentrer chez moi, murmura-t-elle.

Simon soupira.

— Je sais. Et j'aimerais te ramener avec Brynn, mais pour l'instant, mon père n'entendra pas raison. Tu ne risques rien ici, dans ma chambre. Elga et Cadi s'occuperont de toi pendant que je ne serai pas là. Comment te sens-tu ?

Junia rougit.

— Je n'ai plus mal.

— Tant mieux ! Je suis tellement désolé, Junia. Je te l'ai déjà dit, mais c'est la vérité. Je te demande pardon. Dis-moi que tu ne me hais pas.

— Non, Simon. Comment te haïrais-je, puisque je t'aime ? Mais notre amour est impossible. Ton père est un homme intraitable et il a choisi une autre femme pour toi. Tu ne pourras pas te dérober. Mais tu dois nous aider, Brynn et moi. Nous devons nous enfuir avant que ce démon n'entre dans une nouvelle phase de sa cruauté. Tu sais que Brynn est le fils unique de mon père. Son enlèvement va le rendre fou furieux.

— Et toi ?

— Je ne suis que sa fille cadette et illégitime. Il m'aime autant que les autres, mais Brynn est un garçon. Son héritier. Si je ne peux pas m'échapper, aide au moins mon frère à s'enfuir, je t'en supplie !

— Je ferai tout mon possible, promit-il en se penchant pour l'embrasser.

Elle s'écarta, et le jeune homme se troubla.

— Excuse-moi, Simon, mais après ce qui s'est passé hier, je me sens incapable de supporter le moindre contact physique.

Il ferma un instant les yeux, sous l'effet de la douleur que provoquait en lui la réaction de Junia.

— Cela ne s'arrangera pas entre nous tant que tu ne me laisseras pas te tenir de nouveau dans mes bras, dit-il alors. Et te réconforter. Chaque fois que tu me repousses, ton appréhension s'aggrave. Je te jure que je te respecterai. Nous feindrons d'être amants devant mon père, mais je ne te ferai pas l'amour jusqu'à ce que tu sois prête, ma chérie. Comment pourrais-je croire que tu m'as pardonné, si tu ne me laisses pas te serrer dans mes bras et poser mes lèvres sur les tiennes ?

— Oh, Simon, j'ai tellement peur ! J'entends toujours les cris de ton père et de ses hommes autour de nous… Leurs visages me hantent ! C'était horrible !

Les larmes se remirent à couler sur son beau visage.

— Oui, je sais. Et moi, j'ai tellement honte d'avoir réussi à avoir une érection, et à la garder, dans des circonstances pareilles !

— Ton père est un être ignoble. Jamais je n'aurais imaginé que l'on puisse se livrer à des actes aussi vils. Chez moi, j'ai toujours connu l'amour et le respect. J'ignorais que de telles dépravations existaient.

— Je suis une victime autant que toi, Junia. Je ne sais pas si je parviendrai à oublier que j'ai violé la femme que j'aime et que je veux épouser. Je te jure que je n'ai pas trouvé d'autre solution pour te soustraire à ses menaces. Je le connais assez pour savoir qu'il les aurait exécutées.

Il pleurait lui aussi, à présent.

Junia tendit la main et lui caressa la joue. Puis elle posa la tête sur son épaule et soupira quand il referma les bras autour d'elle.

— Qu'allons-nous faire, mon amour? demanda-t-elle.

Il posa ses lèvres sur son front et frotta son menton sur ses cheveux.

— Je ne sais pas. Pour l'instant, la seule chose que je puisse faire est de te garder en sécurité dans cette chambre, et veiller à ce qu'il n'arrive rien à ton frère.

— Tu sais, Simon, comme je te l'ai dit hier, je tuerai ton père moi-même si l'occasion se présente.

— Sois prudente, ma chérie. Il est très malin, comme la plupart des détraqués de son espèce. Souviens-toi qu'aussi longtemps qu'il détient Brynn, il te tient, que tu le veuilles ou non.

Il posa un nouveau baiser sur son front.

— Je t'envoie Elga, ma chérie, conclut-il avant de se lever.

Il s'habilla rapidement et sortit.

Quand Junia se fut vêtue à son tour, elle se sentit mieux. N'ayant pas de brosse à cheveux, elle les démêla tant bien que mal avec ses doigts, puis les natta. Cherchant à s'occuper, elle entreprit de faire son lit et l'achevait à peine lorsqu'on gratta à la porte.

Elga entra, suivie de Cadi qui portait un plateau.

Junia les remercia et mangea avec appétit le porridge et les tartines de pain et de miel.

— Si je dois rester enfermée dans cette chambre, confia-t-elle ensuite à Elga, il faut me trouver une activité. Je deviendrais folle à rester assise à ne rien faire. Y a-t-il un métier à tisser que je pourrais utiliser?

— Oui! Lady Anne en avait un très beau. Cadi, reste avec la petite pendant que je m'occupe de le faire transporter ici...

— Merci d'être allée voir mon frère hier, Cadi.

— C'est un garçon très courageux. Je ne voudrais pas être enfermée dans une cellule, sans eau et avec les rats.

— Il n'a pas d'eau ? s'exclama Junia.

— Le maître a donné l'ordre de ne pas lui en donner. Ni eau ni nourriture. Il a dit qu'il attendrait qu'il meure de faim et de soif pour envoyer son corps à son père.

— Sainte Mère de Dieu ! s'écria Junia en blêmissant. Comment as-tu réussi à voir Brynn, hier ?

— En accordant une petite faveur au gardien.

— Je ne comprends pas.

— Je l'ai laissé toucher mes seins. C'est toujours donnant, donnant, avec eux.

— Tu marchandes ton corps ? s'enquit Junia, choquée.

— Je n'ai rien d'autre à marchander.

— Il faut trouver un moyen de donner de l'eau à mon frère. On peut se passer de manger assez longtemps, mais de boire, beaucoup moins. Quand mon père viendra nous délivrer, je lui dirai combien tu as été bonne pour nous et tu seras récompensée. Surtout si son fils unique a été sauvé grâce à toi !

— Je ne demande rien. Ce sera une façon pour moi de venger ma sœur. Toutefois, si vous m'emmeniez... Bon, le maître va bientôt partir à la chasse avec son fils et ses hommes. Nous en profiterons pour descendre dans les oubliettes. Les domestiques seront occupés à préparer le repas pour leur retour. Je prendrai une petite gourde que vous cacherez sous votre robe et je m'occuperai de distraire le gardien.

— Merci !

— Votre père viendra-t-il bientôt vous chercher ?

— Oui, et alors, malheur à Hugo de Bohun !

Elga revint avec deux hommes, chargés du métier à tisser. Ils l'installèrent près de l'unique fenêtre avec un joli banc capitonné, et la vieille dame posa à côté un panier de laines multicolores.

— Le maître est-il parti chasser ? demanda négligemment Cadi aux deux hommes.

— Il vient de partir, sinon je ne vois pas comment j'aurais pu faire transporter tout cela ici, répondit Elga à leur place, tandis qu'ils se retiraient.

— La jeune maîtresse voudrait voir son frère, et j'ai un plan, annonça Cadi.

— Sais-tu ce qui t'arrivera s'il l'apprend ?

— Ils seront tous aux cuisines, Elga. Personne ne nous verra.

Elga réfléchit un instant.

— Bon, d'accord. Je descendrai dans la grande salle et je ferai le guet. Ton ami le gardien sera-t-il aussi coopératif, petite ? Il risque de se montrer plus exigeant que la dernière fois. Es-tu prête à lui donner ce qu'il risque de te demander ?

— Je sais exactement ce que je suis prête à concéder. Il ne sera pas un obstacle. Tout d'abord, il me faut une gourde pour donner de l'eau au frère de la jeune maîtresse.

— Il y en a une ici, sur l'étagère, dit Elga en la prenant. Elle est pleine.

Junia l'accrocha autour de son cou et la cacha sous sa robe, puis les trois femmes quittèrent la chambre sans perdre de temps. Comme Cadi l'avait prévu, ils ne croisèrent pas âme qui vive. Elga resta faire le guet et les deux jeunes femmes descendirent vers les cachots.

— Restez là, chuchota Cadi à Junia avant d'appeler le garde. Ohé ! C'est moi, beau gosse !

— Tu veux revoir le gamin ? dit-il en se retournant, le sourire aux lèvres.

— Pas moi, sa sœur. Laisse-la, et tu ne le regretteras pas.

— Le maître me tuera, s'il le découvre !

— Il est parti chasser avec ses hommes, murmura Cadi en s'approchant de lui. Tu veux savoir ce que je vais te donner en échange ?

— Dis toujours, on verra après.

Cadi se laissa aller contre lui et lui murmura quelque chose à l'oreille. Le gardien écarquilla les yeux.

— Vrai ? Tu ferais ça ? s'enquit-il en plongeant une main dans son chemisier.

— Tu enfermeras la sœur avec son frère le temps que je te prodigue les plaisirs que tu mérites, pour te remercier d'être aussi gentil avec une fille comme moi.

— D'accord, céda le garde en ouvrant la porte de la cellule de Brynn. Venez, madame.

Junia se glissa subrepticement dans la cellule, et il referma à double tour derrière elle avant de se tourner vers Cadi.

— À présent, j'attends le petit cadeau que tu m'as promis. Et prends ton temps, car plus longtemps ça durera, plus longtemps la jeune lady pourra rester avec son frère...

Junia et Brynn s'étreignirent.

— Ton visage ! Qu'est-il arrivé à ton visage ? lui demanda-t-elle.

— C'est le coup que m'a envoyé Hugo de Bohun. Ça fait un mal de chien.

Junia lui donna la gourde qu'elle avait apportée.

— Ne bois pas trop. De Bohun a l'intention de te laisser mourir de faim et de soif. Cache-la sous la paille et économise l'eau. Je ne sais pas si je pourrai t'en apporter une autre. Il est parti chasser, sinon je n'aurais jamais pu venir. Je suis confinée dans ma chambre.

— Et Simon ?

— Il est rongé par les remords. Il m'aime, Brynn, mais il est hélas impuissant face à son père, car s'il se dresse contre lui, il se retrouvera sans moyens de subsistance. Il n'a rien.

— Quand il viendra, père les tuera, le père et le fils.

— Qu'il tue le père, d'accord, mais je veux toujours épouser le fils.

— Le château est bien fortifié. C'est fou ce que l'on peut remarquer quand on voyage couché en travers d'un cheval, la tête en bas, dit-il avec un petit sourire.

— Oh, Brynn! Tout est de ma faute! Je suis tellement désolée!

— Chut… Tu ne pouvais t'empêcher de tomber amoureuse. Papa va venir, n'en doute pas. Et Hugo de Bohun regrettera sa vilenie.

— En ne sachant pas qui nous étions, Simon et moi avons aggravé la haine ancestrale.

— Elle n'existera plus quand père aura éliminé les de Bohun jusqu'au dernier, et je l'y aiderai.

— Brynn! s'écria-t-elle, choquée par l'intonation venimeuse de sa voix.

— Je n'oublierai jamais ce qui t'est arrivé, Junia. Jamais!

— Simon n'y est pour rien. En agissant comme il l'a fait, il m'a sauvée de son père et de ses soldats.

— Il aurait dû se battre pour préserver ton honneur! Ne comprends-tu pas, Juni? Tu as été cruellement déshonorée. Aucun homme ne voudra de toi, maintenant.

— Simon… commença-t-elle, mais Brynn l'interrompit d'un geste de la main.

— Papa le tuera, Junia. Prie le Seigneur pour qu'il ne t'ait pas mise enceinte, ajouta-t-il avec hargne.

Junia retint un cri de détresse. Il avait raison. Leur père se vengerait sur tous les de Bohun, c'était évident…

Elle sortit un morceau de pain de sa poche.

— Tiens, Brynn. Et prends garde que les rats ne le mangent pas. Je ne sais pas quand je pourrai venir t'apporter autre chose.

304

Il le prit tout de suite et mordit dedans. Il était affamé. Il n'avait rien mangé depuis la veille au matin.

Ils entendirent alors le garde gémir, de l'autre côté de la porte.

— Qu'est-ce qu'elle lui fait ? s'étonna Brynn.

— Je ne veux pas le savoir, mais c'est grâce à elle que je suis là.

— Remercie-la pour moi, dit le garçon, songeant qu'il devrait demander à son père d'épargner la fille. Et dis-lui de ne pas avoir peur des Pendragon, quand ils attaqueront le château.

Junia hocha la tête.

— Prends une gorgée d'eau et cache-la bien, surtout.

À l'extérieur, le garde poussait un dernier cri étouffé. Quelques instants plus tard, la voix de Cadi leur parvint :

— Alors ? Tu es content, beau gosse ? Cela valait le coup de prendre des risques, non ?

Peu après, la clé tournait dans la serrure. Junia et Brynn s'embrassèrent rapidement.

— Il est temps de partir, madame, déclara le garde.

— Fais attention à toi, petit frère.

— Toi aussi.

La porte se referma, et Brynn Pendragon écouta décroître les pas de sa sœur dans le couloir. Il était de nouveau seul…

Cadi et Junia se hâtèrent de regagner la chambre où Elga les attendait. Elles poussèrent un soupir de soulagement quand elles furent à l'intérieur.

— Je ne sais pas ce que tu as fait à ce garde, Cadi, mais merci ! Il avait l'air content, et j'ai pu rester assez longtemps avec mon frère.

Elga fronça les sourcils et jeta un bref regard à la soubrette.

— Comment va le petit ? demanda-t-elle à Junia.

— Son visage a une vilaine blessure, à cause du coup que lui a donné votre maître, hier. Mais il se remettra, et son moral n'est pas atteint.

Elle se garda de dire qu'il n'avait parlé que de vengeance. Elga et Cadi avaient été bonnes pour elle, mais elles appartenaient aux de Bohun et devaient leur garder une certaine loyauté.

— Le métier est prêt, mon petit.

— Alors je vais m'y installer. Je ne connais pas de meilleur moyen pour passer le temps.

— Cela ira si nous vous laissons seule un moment ? demanda Elga. Nous avons du travail au château, car nous sommes les seules femmes de chambre. Nous remplacerons la gourde à notre retour.

— Ne vous inquiétez pas pour moi, leur dit Junia.

Les deux femmes s'inclinèrent et sortirent.

La clé tourna deux fois dans la serrure. Junia était vraiment prisonnière, maintenant.

16

Le regard de Merin Pendragon parcourut la grande salle.

— Où sont Junia et Brynn ?

Ysbail haussa les épaules.

— Je ne sais jamais où va ma fille quand elle disparaît, depuis quelque temps. Je ne les ai pas vus aujourd'hui, ni l'un ni l'autre, ajouta-t-elle en se tournant vers Argel et Gorawen, l'air interrogateur.

— Brynn est venu me dire bonjour, ce matin, dit Argel. Je ne l'ai pas revu depuis.

— C'est bizarre, remarqua Gorawen en regardant le soleil couchant par la fenêtre.

— Brynn n'a jamais sauté un repas, ajouta Argel. Où peuvent-ils être, si toutefois ils sont ensemble ?

— Fouillons le château ! lança le Dragon Lord.

— Inutile, Merin, répondit Gorawen. S'ils étaient là, ils seraient venus dîner, à l'heure qu'il est. Tu devrais aller demander aux gardes de l'entrée s'ils les ont vus.

Il acquiesça et quitta la pièce aussitôt.

Deux hommes étaient en sentinelle, à la grille.

— Étiez-vous tous les deux ici, ce matin ? questionna Merin.

— Oui, mon seigneur. Nous allons bientôt être relevés, répliqua l'un des gardes.

— Avez-vous vu ma fille et mon fils quitter le château aujourd'hui ?

— Oui, mon seigneur. La demoiselle est sortie la première, ce matin, et le jeune lord environ un quart d'heure après. Ils sont partis dans la même direction.

— Et ils ne sont pas rentrés ?

— Non, mon seigneur.

— Et vous n'avez pas trouvé bizarre que ma fille et mon fils soient partis ce matin et ne soient pas encore revenus ? Vous n'avez pas eu l'idée de venir m'en informer ? Vous avez déjà fermé la grille ! cria-t-il.

— Mais le jeune lord et sa sœur sortent tous les jours à cheval, protesta l'homme.

— Et ils rentrent, aussi ! Avez-vous déjà vu mes enfants rester dehors après le coucher du soleil, espèces d'abrutis ?

Merin était hors de lui à présent. Il criait tellement que le capitaine de la garde accourut. Le Dragon Lord lui expliqua ce qui s'était passé.

— Renvoyez ces deux crétins aux champs qu'ils n'auraient jamais dû quitter ! Et rassemblez une troupe d'hommes armés de torches. Je crois savoir où sont allés mes enfants. Mais sont-ils toujours là-bas ?....

Il fit volte-face et courut dans la grande salle où ses femmes l'attendaient anxieusement.

— Ils sont partis tous les deux à cheval ce matin ! lança-t-il. Brynn un peu après Junia. Ils ont dû aller à Mryddin Water pour retrouver le maudit fils de Bohun.

— Ah ! cria Ysbail. Elle va se déshonorer, la petite grue !

Gorawen lui lança un regard noir.

— C'est de ta fille dont tu parles ! Je pense qu'elle est simplement allée dire adieu à ce jeune homme. Elle a toujours été obéissante. Bien sûr, elle est amoureuse, et l'amour rend idiot, tout le monde le sait…

— Brynn a dû la suivre, dit Argel.

— Alors pourquoi n'est-il pas revenu ? s'inquiéta Ysbail.

— Parce qu'il a essayé de protéger sa sœur, glissa Gorawen.

— Des de Bohun ? s'écria Argel en pâlissant. Seigneur ! Ils ont tué mon fils ?

Elle se mit à pleurer bruyamment en se tirant les cheveux.

— Non, non ! intervint Gorawen. Brynn est un otage bien trop précieux. Les de Bohun ont toujours préféré l'argent à n'importe quoi d'autre, Argel. Brynn est sain et sauf, j'en suis sûre. Si Simon de Bohun ne veut pas mettre un terme à leur relation, Junia est en grave danger, bien plus que Brynn. Il lui a peut-être tendu un piège…

— Ah ! cria de nouveau Ysbail. Qui voudra d'une moins que rien pour femme, maintenant ? Elle a ruiné sa vie malgré toutes nos mises en garde !

— Tais-toi ! lui ordonna Argel. Tu crois que notre revanche sur les de Bohun sera moindre parce que Junia est une fille ?

— Mais si elle a été violée, qu'est-ce qui pourra restaurer son honneur ? Aucun homme de bonne lignée ne voudra d'elle !

— Nous ne savons pas ce qui s'est passé, alors arrête ! s'emporta Gorawen, qui avait envie de gifler cette femme uniquement préoccupée d'elle-même. Peut-être ont-ils échappé aux de Bohun et se cachent-ils quelque part, en attendant que notre bon seigneur vienne à leur secours.

Gorawen s'exprimait avec une certaine assurance, mais au fond de son cœur, elle était très inquiète.

— Mon seigneur, les hommes sont prêts, annonça le capitaine en entrant dans la pièce.

— Où allez-vous ? demanda Argel.

— À Mryddin Water. S'ils sont tombés dans une embuscade, qu'on a tenté de les enlever et qu'ils se sont échappés, ils seront contents de nous voir.

Il n'évoqua pas la possibilité que ses enfants aient pu être vraiment kidnappés et se trouvent en ce moment même entre les mains du seigneur de Bohun. Il fit volte-face et suivit son capitaine.

Ysbail s'assit et se mit à pleurer.

— Tu pleures pour ta fille ou sur ton sort ? jeta Argel sans aménité.

— Le bon mariage de ma fille était ma seule chance de m'assurer une vieillesse heureuse et confortable.

— Notre seigneur prendra soin de toi. Il nous aime toutes, dit Gorawen plus doucement.

— Toi, il t'aime, oui. Il respecte Argel parce qu'elle est sa femme. Moi, je suis là parce qu'il voulait un fils que je n'ai pas été capable de lui donner. Je ne lui sers à rien, et il ne sera pas triste de me voir partir.

— Merin ne mérite pas que tu parles ainsi de lui, rétorqua Argel. Tu as une fille, et le sang du Dragon Lord coule dans ses veines autant que dans celles de ses autres enfants. Pour cette raison, il te traitera toujours avec respect et générosité. Tu n'as jamais souffert de quoi que ce soit, ici, ou subi la moindre disgrâce, Ysbail. Nous avons toutes une place dans son cœur. Si celle qu'occupe Gorawen est un peu plus grande, cela ne me gêne en rien, car Merin a toujours été un bon mari pour moi et un bon seigneur pour vous. Pour l'instant, la seule chose qui importe, c'est le sort de mon fils et de ta fille. Prions pour qu'ils rentrent sains et saufs à la maison, et cesse de t'apitoyer sur ton sort.

— Mais… si ma fille a été déshonorée ?

— Eh bien, nous la marierons au jeune de Bohun avant de le tuer, répondit Gorawen. Nous ne pouvons laisser une telle insulte impunie. Le mariage restaurera l'honneur bafoué de Junia, et sa mort nous rendra le nôtre. De plus, elle conservera sa dot.

— Je n'avais pas pensé à cela, dit Ysbail. Ce n'est pas si terrible, finalement.

— À peine… murmura Argel en soupirant. Passons à table, mesdames. Le dîner est en train de refroidir. Nous avons besoin de reprendre des forces.

Après avoir mangé un ragoût de lapin aux carottes, le reste du pain du jour avec du fromage, Ysbail s'excusa et monta dans sa chambre. Argel et Gorawen furent soulagées de se retrouver entre elles.

— Je me demande s'ils vont les retrouver, réfléchit tout haut Argel.

— N'y compte pas trop. Ils sont partis depuis ce matin. S'ils avaient échappé à une embuscade, ils seraient rentrés depuis longtemps. On les a enlevés, j'en ai peur, et nous devons craindre le pire pour la pauvre Junia. Brynn devrait permettre à de Bohun d'obtenir une belle rançon, je ne pense pas qu'il lui fasse du mal. Mais déshonorer la petite lui fournirait l'occasion de se venger des Pendragon. Il faut mettre un terme à cette vieille querelle.

— On ne parlait plus de cette querelle jusqu'à ce que Junia rencontre le fils de Bohun. Quelle malchance !

— À mon avis, il savait très bien qui elle était, l'a dit à son père et, ensemble, ils ont mijoté leur coup. Pauvre Junia ! Son premier amour !

— Et s'il était innocent ? Nous pourrions les marier et mettre un terme à ces sottises ancestrales. Enfin, nous tuerions le père et épargnerions le fils, rectifia Argel. Cette union scellerait à merveille la réconciliation.

Gorawen sourit.

— Pourquoi pas ? Nous en parlerons à Merin. Il saura quelle décision prendre.

— Il saura si nous le lui suggérons, glissa Argel avec un petit sourire coquin qui amusa son amie.

— Cette nuit sans lune ne va pas faciliter leurs recherches, remarqua Gorawen en reprenant son sérieux. L'accès à Mryddin Water n'est pas facile...

Effectivement, Merin Pendragon et ses hommes avançaient avec une lenteur qui le rendait fou, mais il n'avait pas le choix. Le chemin était tortueux et escarpé. Malgré les torches, ils y voyaient à peine. Finalement, après deux heures de route, ils parvinrent à la clairière de Mryddin Water.

— Je vous accompagne, mon seigneur, lui dit son capitaine.

— Bien, mais suivez mes pas, Ivor.

Ils entrèrent dans la trouée sablonneuse l'un derrière l'autre. Éclairant le sol de leurs torches, ils repérèrent très vite le passage de plusieurs cavaliers. Les traces étaient nettes dans le sol meuble, et Merin reconnut l'empreinte des bottes de son fils, plus petites que les autres, le talon de la gauche toujours plus usé que le droit.

Le sable portait aussi la marque profonde d'un corps de femme, membres écartés, avec celles des genoux de son violeur entre les cuisses...

— Mon Dieu! s'écria Merin Pendragon. Ici? Devant toute la troupe?

Combien étaient passés sur son innocente petite Junia? La colère le fit voir rouge. Lord de Bohun allait le payer cher. Et Brynn devait avoir tout vu...

— Mon seigneur! s'écria le capitaine d'une voix tremblante, en constatant à son tour les traces du forfait.

— Rentrons à Dragon's Lair, Ivor. Nous ne pouvons rien faire de plus, ce soir. Mais demain nous agirons, croyez-moi. Ne dites rien aux autres de ce que vous avez vu, s'il vous plaît. Il leur suffira de savoir que mes enfants ont été enlevés par de Bohun et ses semblables. Ils vont regretter ce qu'ils ont fait à ma fille! Je les tuerai, lui et son fils, et je mettrai le feu à Agramant. Le différend vieux d'un siècle entre nos deux familles ne saurait en rien justifier ce qui s'est passé ici aujourd'hui.

Sur ce, les deux hommes rejoignirent les autres et prirent le chemin du retour.

Ils arrivèrent au château des Pendragon plusieurs heures plus tard, à la lueur faiblissante des torches. Une fois chez lui, le seigneur des lieux alla d'abord informer la mère de Junia de l'enlèvement des enfants. Il lui annonça qu'ils avaient été pris en otages et qu'il allait négocier leur libération. Ysbail ne dit rien, mais elle le soupçonnait de lui cacher quelque chose. Toutefois, elle ne lui posa pas de question, car il semblait à la fois fatigué et rongé par une rage sourde.

Merin trouva ensuite sa femme et sa concubine préférée assises près du feu, dans la grande salle, en train de coudre. Elles se levèrent dès son entrée et l'interrogèrent du regard.

— Ils ont été enlevés.

Gorawen s'empressa de lui servir un grand gobelet de vin et attendit la suite.

— C'est de Bohun, sans aucun doute. J'ai reconnu l'empreinte des bottes de Brynn, avec ce fichu talon gauche toujours plus usé, dans le sol sablonneux de Mryddin Water.

— Et Junia ? demanda Argel.

Elle ne s'inquiétait plus pour son fils, certaine qu'en payant une rançon conséquente, ils le retrouveraient sain et sauf.

— Junia était là-bas aussi, avoua Merin en serrant les dents.

— Qu'as-tu vu d'autre ? l'interrogea Gorawen. Sais-tu si elle a été vio…

— Oui ! Et ne m'en demande pas davantage ! Ne dites rien à Ysbail, surtout. Je lui ai parlé d'un enlèvement, rien de plus. Je ne suis pas du tout d'humeur à supporter ses lamentations ! Seigneur… Il y avait les traces révélatrices dans le sable, et les empreintes des soldats tout autour ! Dieu sait combien ils étaient ! Ces de Bohun sont des bêtes nuisibles ! Je jure d'en débarrasser la terre ! Je les détruirai ! Je ne laisserai pas une pierre de leur château debout ! Mon innocente petite fille sera vengée.

— D'abord, nous la marierons au fils de Bohun, si tu veux qu'elle retrouve son honneur, lui dit Argel. Ensuite, nous lui chercherons un bon mari. Elle sera une veuve respectable et sa dot sera intacte.

— Je ne suis pas d'humeur à envisager l'avenir, pour l'instant. Ils ne perdent rien pour attendre, l'un comme l'autre, c'est tout ce que je peux dire.

Il finit le contenu de son gobelet et le claqua si fort contre l'accoudoir du fauteuil que les deux femmes sursautèrent. Elles ne l'avaient jamais vu en proie à une telle colère.

— Mon bon seigneur, viens te coucher, maintenant. Il est normal que tu sois hors de toi mais tu as besoin de te calmer, lui dit Argel.

Merin se leva, lui prit la main et la baisa.

— Va dormir, Argel. Je viendrai plus tard.

La châtelaine lui fit une révérence et se retira. Elle savait qu'il emmènerait Gorawen dans son lit, car elle était plus douée qu'elle pour l'apaiser. Quand il serait plus serein, il quitterait la couche de la femme de son cœur et la rejoindrait, elle.

Pourquoi n'en éprouvé-je aucun ressentiment ? se demanda-t-elle. Jamais la préférence de Merin pour sa concubine ne l'avait affectée. Être traitée avec respect et gentillesse lui suffisait peut-être. Et puis, Gorawen n'outrepassait jamais les limites de sa position sous prétexte qu'un amour profond et partagé l'unissait à son maître. Moi non plus, je n'abuse jamais de mes privilèges, songea Argel. Cela expliquait sans doute pourquoi elles étaient amies...

Gorawen se leva à son tour et tendit la main à Merin.

— Viens, Argel a raison. Tu as besoin de recouvrer ton calme, sinon tu ne parviendras pas à réfléchir clairement.

314

Elle l'emmena dans sa chambre où elle se déshabilla avant de le dévêtir à son tour. Ils se mirent au lit, et elle lui tendit l'un des deux gobelets de vin qu'elle avait pris soin de servir.

— Tu veux que je te réconforte, Merin ? murmura-t-elle doucement, mais il secoua la tête.

— Non. Je serais incapable de faire quoi que ce soit, après ce que j'ai vu cette nuit, Gorawen.

— Dis-moi ce que tu n'as pas dit aux autres.

Elle reposa leurs gobelets vides et, de ses mains expertes, se mit à lui masser la nuque.

— Si tu gardes pour toi certaines visions d'horreur, elles te rongeront, ajouta-t-elle. Exprime-les.

Il émit un gémissement qui traduisait l'ampleur de sa peine.

— D'après les traces, ils l'ont allongée par terre en lui maintenant les jambes écartées. Il y avait de nombreuses empreintes de pas tout autour, et des marques de genoux entre ses cuisses. Dieu sait combien ils ont été à la violer ! Ma petite Junia !

Incapable de s'en empêcher, il baissa la tête et se mit à pleurer. La gorge nouée, Gorawen le prit dans ses bras et le laissa épancher son chagrin. Quand il s'apaisa un peu, elle lui dit :

— Je veux que tu te remémores la scène, Merin.

— Je ne peux pas !

— Tu le dois, insista-t-elle. Y avait-il des traces de pas entre les jambes ? Essaie de te rappeler. Essaie !

Merin réfléchit un long moment.

— Non. Non, je n'en ai vu aucune. Attends ! Oui, il y avait la marque de deux pieds, derrière celle des genoux.

— Rien d'autre ?

— Non, dit-il lentement. Non.

— Donc, selon toute probabilité, Junia a été violée par un seul homme. Cela devrait te consoler un peu.

— Tu crois ? demanda-t-il, tel un naufragé parvenant enfin à s'accrocher à une bouée.

— S'il n'y avait pas d'autres empreintes entre ses jambes, c'est qu'il n'y a eu qu'un seul homme. Je pense que c'est le jeune qui l'a violée. Je regrette qu'il ait hérité des mauvais penchants de son père.

— Je le tuerai !

— Bien sûr, mais seulement après qu'il aura épousé Junia. C'est le seul moyen de sauver l'honneur de ta fille. Une veuve ayant conservé sa dot peut facilement se remarier. Par ailleurs, mon bon seigneur, tu ne peux pas aller punir de Bohun sans te faire aider. Tu dois appeler lord Mortimer.

— Tu veux que cette affaire s'ébruite ? s'offusqua Merin.

— Lord Mortimer gardera le silence quand tu lui auras tout raconté. C'est un homme de confiance, Merin, et il a un atout que tu n'as pas.

— Lequel ?

— Il peut pénétrer dans Agramant sans se mettre en danger. L'essentiel, dans cette affaire, c'est de faire croire que tu es prêt à payer pour récupérer nos enfants sains et saufs. Lord Mortimer négociera pour toi. Une fois que tu sauras ta fille et ton fils hors de danger, tu attaqueras de Bohun. Ce ne sera pas un siège facile, le château est bien fortifié… Enfin, que penses-tu de mon idée ?

Merin réfléchit un moment pendant que Gorawen continuait de le masser.

— Tu as raison, ma tendre. Mais de Bohun ne risque-t-il pas de se douter que je ne veux pas seulement récupérer mes enfants ?

— Non. Si tu envoies lord Mortimer, il te prendra pour un faible qui n'a pas osé venir parlementer lui-même. Jamais il n'imaginera que tu as décidé de détruire son château. Bien entendu, tu ne lui donneras aucune rançon, ou tu la récupéreras après, selon le déroulement des opérations. Car il va être gourmand, crois-moi.

— Mais aller chercher Mortimer et le convaincre d'accepter prendra plusieurs jours. Et s'il refusait ?

— Il ne refusera pas. Lord Mortimer est un homme orgueilleux. Il se sentira flatté que tu lui demandes son aide. Et puis, il a de l'estime pour toi et il sera choqué par ce qui est arrivé à tes enfants.

— L'idée de laisser Junia et Brynn plus longtemps entre les mains de ce sauvage me brise le cœur.

— Le mal est déjà fait. Ce ne sont pas quelques jours de plus qui changeront quoi que ce soit. De toute façon, tu ne peux assiéger Agramant tout seul. Si tu veux ramener tes enfants et empêcher le père et le fils de continuer à nuire, tu dois user de ruse.

— Tu es très intelligente, Gorawen. J'ai de la chance de t'avoir.

— Oui, c'est vrai ! répondit-elle en riant.

— Grâce à toi, je me sens mieux et j'entrevois une lueur d'espoir. Merci, soupira-t-il en se levant. Je ferais mieux d'aller retrouver Argel, pour l'informer des sages conseils que tu m'as donnés.

Il commença à se rhabiller.

— Ne lui dis pas que l'idée vient de moi. Laisse-la croire que tu es à l'origine de tout. Argel est ta femme, et elle ne doit pas se sentir amoindrie à cause de l'amour qui nous unit. Et puis, si tu avais passé cette dernière heure avec elle, elle t'aurait certainement donné les mêmes idées que moi.

— Je ne pense pas. Argel est une femme pleine de qualités, mais elle n'a pas ta finesse.

— Ne la sous-estime pas, mon bon seigneur. Elle t'est totalement dévouée, tu sais.

Il lui donna un bref baiser.

— Non seulement tu es intelligente, mais tu es la sagesse même !

Lorsqu'il fut sorti, Gorawen secoua la tête. Elle l'aimait, mais il n'était pas un grand stratège. Elle se demanda si lord Mortimer parviendrait à convaincre de Bohun d'accepter une rançon. Celui-ci était à l'abri du besoin. Était-ce seulement cette vieille querelle qui l'avait conduit à commettre un tel crime ? Pourquoi avoir violé Junia ?

Gorawen ferma les yeux. Elle devait essayer de dormir. Merin ne reviendrait pas, cette nuit. Ce qu'il avait vu l'empêcherait de trouver le sommeil pendant quelque temps...

Le lendemain matin, un messager partit chez lord Mortimer et revint quatre jours plus tard avec ce dernier, son fils et Rhys FitzHugh. Merin ne s'attendait pas à voir son gendre, car c'était l'époque de la moisson.

— Averil est capable de s'occuper du domaine, expliqua Rhys. Je ne pouvais pas rester chez moi sans rien faire quand j'ai appris ce qui vous arrivait. C'est une histoire de famille.

Le Dragon Lord se félicita d'avoir un gendre tel que lui.

— Comment l'avez-vous appris ?

— Les Mortimer se sont arrêtés à Everleigh pour faire boire leurs chevaux et manger un morceau.

— Bien, répondit Merin. Asseyez-vous, messieurs. Je vais vous expliquer pourquoi j'ai besoin d'aide.

Les trois hommes eurent l'air très choqués quand ils connurent toute l'histoire.

— J'ignorais que Simon de Bohun était aussi diabolique que son père, remarqua lord Mortimer en secouant la tête.

— Qu'attendez-vous de nous ? demanda Rhys à son beau-père.

— Le problème, c'est de mettre les de Bohun hors d'état de nuire sans risquer la vie de mes enfants.

318

Merin leur exposa alors sa stratégie, insistant bien sur le fait qu'il mettrait un terme définitif à la querelle ancestrale en éliminant les de Bohun.

Lord Mortimer approuva.

— Oui, mon ami, tu as raison. Et je suis sûr que les autres de Bohun se féliciteront que leur arbre généalogique ait été épuré de cette branche véreuse. Hugo de Bohun n'a cessé de causer des ennuis partout où il est passé.

— Tu acceptes donc la mission que je te confie ?

— Bien sûr que j'accepte ! dit lord Mortimer.

— Nous irons tous les trois, ajouta Rhys. Lord Mortimer et Roger en tant qu'émissaires personnels, et moi en tant que membre de la famille.

Lord Mortimer acquiesça.

— Nous ferons une délégation impressionnante. De Bohun risque d'être intimidé. Je suis désolé pour Junia, mon ami, ajouta-t-il plus doucement. Je la revois encore petite fille, une enfant charmante…

— Ce qui lui est arrivé me hantera jusqu'au restant de mes jours.

— Essaie de l'oublier. Ce n'est pas facile, je sais, mais Junia aura déjà suffisamment honte et suffisamment de mal à s'en remettre. Je regrette que nous devions attendre demain pour prendre la route, mais le soleil est déjà en train de décliner.

Argel et Gorawen arrivèrent à ce moment-là et saluèrent les hommes. Gorawen avait les larmes aux yeux quand elle embrassa son gendre.

— Belle-mère, lui dit Rhys en l'entourant d'un bras réconfortant. Vous êtes de plus en plus belle, au fur et à mesure que le temps passe.

Et il l'embrassa sur la joue.

— Merci d'être venu, répondit-elle, émue.

— Junia est la petite sœur de ma femme. Merin Pendragon aurait dû m'envoyer chercher tout de suite. Je suis déçu qu'il ne l'ait pas fait.

— Il sait l'importance de la moisson, pour vous. Et puis je pense qu'il n'avait pas les idées claires, ces derniers temps. Il est très éprouvé par ce qui est arrivé à Junia.

— Et si elle était enceinte ? demanda Rhys à voix basse.

Gorawen blêmit.

— Que Dieu nous épargne une telle tragédie, murmura-t-elle, tout en réfléchissant aux moyens d'y remédier si cela se présentait.

— Vous resterez cette nuit et partirez demain à l'aube. Je vais vous faire préparer un bon dîner, messieurs, disait Argel, un peu plus loin.

Ysbail arriva sur ces entrefaites.

— Nous avons des invités ? s'étonna-t-elle.

— Ils sont venus nous aider à récupérer les enfants, répondit Argel.

— Évidemment, il faut retrouver Brynn. Mais Junia est devenue la grue de ce de Bohun, nous n'en voulons plus ici.

— Elle est votre fille, madame ! s'exclama Rhys Fitz-Hugh, outré.

— Elle l'était, mon seigneur, elle ne l'est plus. À cause de son entêtement à faire le contraire de ce qu'on lui dit, elle a provoqué un vrai désastre qui nous salit tous. Elle n'écoutait jamais personne, elle voulait suivre son cœur, la pauvre idiote. Ne savons-nous pas tous que le cœur est notre pire conseiller ?

Ysbail s'assit près du feu et ajouta :

— Cela m'est égal que vous la rameniez ou pas. Je n'ai plus de fille.

— Elle espérait s'installer chez Junia quand elle aurait épousé un parti convenable, expliqua Gorawen d'un ton acide. Maintenant que ses projets s'écroulent, elle se rend compte qu'elle est condamnée à passer ses vieux jours ici, avec nous.

Ysbail bondit sur ses pieds, furieuse.

— Comment oses-tu me juger ? Tu as son amour, Argel a sa considération et son respect. La seule chose que j'avais, moi, c'était cette enfant, qui est maintenant déshonorée et ferait mieux de mourir ! Une place dans la maison de ma fille m'aurait apporté la considération et le respect. Que suis-je, ici ? Une deuxième concubine dont la fille s'est avilie, souillant la maison des Pendragon au passage, et qui a mis son héritier dans un grave danger !

Elle pleurait à présent, mais seulement sur son sort.

— Personne ne rend Junia responsable que Brynn l'ait suivie, intervint Merin. À présent, silence, Ysbail ! Si quelqu'un nous déshonore en ce moment, par ses propos déplacés, c'est toi ! Nous avons des invités, au cas où tu l'aurais oublié. Et je n'ai pas besoin de toi pour me rappeler que ma fille est perdue. Je le sais ! Mais je ne rejetterai jamais l'un de mes enfants, pour quelque raison que ce soit. Si tu es revenue à plus de raison, sèche tes larmes, femme, et viens dîner avec nous, acheva-t-il en lui tapotant l'épaule.

— Tu n'en veux pas à Junia d'avoir entraîné Brynn dans cette catastrophe ? demanda-t-elle en reniflant.

— Non, et tu ne devrais pas lui en vouloir non plus. Brynn est mon fils, il a un cœur noble, mais il manque d'expérience. Un guerrier entraîné n'aurait pas volé à son secours alors qu'il n'avait aucune chance de réussir. Il serait revenu à toute vitesse me prévenir. Nous aurions alors pu récupérer Junia avant qu'ils ne l'emmènent à Agramant. Non, je ne la blâme pas, c'est une jeune fille amoureuse. C'est Brynn qui a eu tort d'agir sans réfléchir.

Ysbail prit la main du Dragon Lord et la baisa.

— Merci, mon seigneur.

Après le repas, les hommes s'apprêtèrent à se coucher.

— En partant avant l'aube, dit lord Mortimer, nous serons à Agramant dans la soirée.

Avant que Gorawen ne quitte la grande salle, Rhys lui murmura à l'oreille :

— Si le Dragon Lord ne veut plus de Junia, Averil et moi la prendrons à Everleigh.

— Dans cette maison, Ysbail est la seule à condamner Junia. Son père l'aime, et nous serons là pour l'accueillir et la consoler. Mais, merci de tout cœur, mon cher Rhys. Je dirai à Merin ce que vous nous proposez. Les choses ont mal commencé entre nous, mais je vois que vous êtes un homme généreux. Ma fille a de la chance de vous avoir pour mari. Elle va bien ? Je ne vous ai même pas demandé de ses nouvelles, avec tout cela !

— Oui, elle va bien et elle attend un enfant pour le printemps, répondit-il avec un sourire heureux. J'espère que ce sera une fille. Deux garçons, c'est un bon début. Quand toute cette histoire sera terminée, venez passer quelque temps à Everleigh. Vous manquez à Averil, et vous n'avez pas vu vos petits-fils depuis des mois.

Gorawen hocha la tête.

— D'accord, je viendrai. Mais d'abord, vous devez retrouver Junia et Brynn, et tuer les de Bohun, sinon nous ne vivrons jamais en paix. Junia sera très malheureuse si elle aime toujours Simon…

— Et si ce garçon était innocent ?

— Merin ne lui pardonnera pas de ne pas avoir su protéger Junia. Je pense qu'elle survivra au drame qu'elle a vécu, car elle est forte, mais ils ont ruiné son avenir et elle doit être vengée, Rhys. Vous le savez bien.

— Mais vous ne m'avez pas tué, moi, lorsque j'ai enlevé Averil.

— Vous ne l'avez pas violée avant de passer devant le prêtre… ni après, d'ailleurs !

— Vous croyez que c'est lui, le coupable ?

Rhys se demandait comment un jeune homme prétendant aimer une demoiselle innocente pouvait faire une chose pareille.

— Si ce n'est pas lui, c'est encore pire. Cela voudrait dire qu'il a assisté à la scène sans intervenir... Mais cela n'a plus d'importance, maintenant. Le mal est fait.

— Nous la ramènerons, affirma Rhys.

— Je n'en doute pas.

Quand Gorawen entra dans sa chambre, Merin l'y attendait, dans le fauteuil devant la cheminée. Elle s'assit sur ses genoux en soupirant et l'embrassa tendrement.

— J'aimerais les accompagner, dit-il.

— Je sais, mais ils ont de meilleures chances de réussir si de Bohun ne te voit pas. Il te verra bien assez tôt, n'est-ce pas ?

— Je ne cesse d'envisager toutes les manières possibles de tuer cette ordure, Gorawen. J'imagine même que je le torturerai et lui infligerai une mort lente.

— Il ne faut pas, Merin. Agir ainsi, ce serait lui ressembler. Tue-le vite et bien. Marie le fils à Junia, et finis-en vite avec lui aussi. Si ta fille aime toujours Simon de Bohun, inutile de rajouter à son chagrin. Au début, elle ne pourra te pardonner, mais elle oubliera, avec le temps.

— Et si elle est enceinte ?

— Nous ferons ce qu'il faut.

— J'ai toujours pensé que tu avais certaines connaissances secrètes, ma tendre.

— Nous ne pouvons laisser Junia avoir un enfant de Simon de Bohun. Elle n'en saura jamais rien, ainsi nous lui épargnerons ce chagrin supplémentaire, et il sera beaucoup plus facile de la remarier.

Merin en convint.

— Tu penses à tout, approuva-t-il en l'embrassant.

Le lendemain matin, lord Mortimer, son fils et Rhys FitzHugh partirent avant l'aube. Armés de torches, ils suivirent l'étroit sentier menant à Mryddin Water, où ils arrivèrent alors que le soleil se levait. Il avait plu depuis l'enlèvement de Junia et de son frère, mais la pluie n'avait pas effacé toutes les traces du forfait.

— Si nous pouvions le tuer nous-mêmes à Agramant, je le ferais, jeta lord Mortimer, les dents serrées.

— C'est au Dragon Lord et à lui seul que revient ce privilège. En revanche, nous nous occuperons de son château, n'est-ce pas ? répliqua Rhys.

Roger Mortimer regarda son ami.

— C'est bon de te retrouver, Rhys, lui dit-il. Et de partir en mission ensemble. Le mariage est tellement ennuyeux !

— Pas pour moi.

— Ah, si j'avais une femme comme Averil…

— Tu ne mérites pas une femme comme Averil Pendragon, le taquina son père. Je ne suis même pas certain que tu mérites une femme comme la tienne, mon fils.

Les trois hommes chevauchèrent toute la journée, ne s'arrêtant que pour manger et reposer leurs montures. Ils ne croisèrent personne dans la campagne.

Le soleil commençait à peine à décliner quand les tours noires du château d'Agramant se dessinèrent devant eux. Lord Mortimer leva une main et ils s'arrêtèrent pour réfléchir à la façon dont ils allaient procéder.

— Roger, tu resteras ici pendant que Rhys et moi entrons au château. Si nous ne sommes pas revenus dans deux jours, retourne à Dragon's Lair et préviens Merin.

Déçu, Roger hocha la tête sans discuter.

— D'accord, deux jours, dit-il.

17

Lord Mortimer et son compagnon furent autorisés à entrer à Agramant juste avant la levée du pont-levis, la fermeture des portes et des herses pour la nuit. Un palefrenier vint prendre leurs chevaux, et un domestique les conduisit dans la grande salle.

Hugo de Bohun était déjà à table avec son fils et Junia. Il se leva pour les accueillir.

— Entrez ! Entrez ! Venez manger ! dit-il. Vous avez l'air d'avoir voyagé longtemps. Nous avons du chevreuil au menu, ce soir. Apportez à boire à mes invités, bande de fainéants ! cria-t-il.

Pendant que les deux hommes s'asseyaient et qu'on les servait, il leur coupa du pain.

— Mangez ! répéta-t-il. Vous me direz ensuite ce qui vous amène à Agramant. Qui est avec vous, Mortimer ?

— Lord FitzHugh d'Everleigh.

Hugo de Bohun émit une sorte de borborygme et, sa curiosité satisfaite, se remit à manger.

Rhys observait Junia. À première vue, elle semblait indemne. En revanche, il se demandait où était Brynn. Il sortit son couteau de son fourreau, coupa sa viande et mangea. Il ne tarderait pas à être fixé.

Lorsque la table fut desservie, Hugo de Bohun fixa lord Mortimer :

— Pourquoi êtes-vous venus à Agramant ? Les visiteurs sont rares ici.

— Merin Pendragon voudrait que son fils et sa fille lui soient rendus. Il est prêt à payer une bonne rançon pour eux, mon seigneur.

Hugo de Bohun se mit à rire à gorge déployée.

— Je respecterai les règles de l'hospitalité, mes seigneurs, répondit-il. Mais demain, vous retournerez chez le Dragon Lord et lui direz que je n'accepterai aucune rançon, même la plus grosse, en échange de ses enfants. Mon fils est sur le point d'épouser Aceline de Bellaud, mais il gardera sa petite poule galloise. Quant à l'héritier de Pendragon, il est dans l'un de mes cachots où il ne va pas tarder à mourir de faim et de soif.

— Mais Brynn Pendragon n'est qu'un enfant !

— Quand il sera mort, je rapporterai son corps à son père pour qu'il constate que la lignée d'Arthur est achevée et qu'il l'enterre.

Avec un rire gras, il ajouta :

— La petite restera avec Simon jusqu'à ce qu'il s'en lasse, puis elle deviendra la grue du château.

— Pourquoi faites-vous cela ?

— Les Pendragon sont nos ennemis.

— Cette vieille querelle s'était assoupie depuis des années.

— Jusqu'à ce que mon empoté de fils rencontre la fille Pendragon à Mryddin Water, et qu'elle le détourne du chemin que j'avais tracé pour lui. Il s'était mis dans la tête d'épouser cette moins que rien, avec sa dot minable, alors que je lui destinais une héritière digne de ce nom. Il se serait sauvé avec elle, alors j'ai mis un terme à tout ça.

— Vous n'imaginez tout de même pas que Pendragon aurait accepté un de Bohun pour gendre, mon seigneur ? rétorqua lord Mortimer, choqué par la hargne de son hôte et déconcerté par le silence du jeune Simon.

Hugo continua comme s'il ne l'avait pas entendu.

— J'ai suivi mon fils, le jour où il devait la retrouver. D'abord, je comptais la tuer, et puis j'ai préféré briser le cœur de son père. J'ai obligé mon fils à la dépuceler devant moi et devant mes hommes. Elle a hurlé, je vous le dis ! Son frère a essayé de la sauver. Il est plus courageux que mon propre fils, le gamin ! Mais il finira dans mon cachot. Je l'ai déjà battu à deux reprises et il n'a pas crié, rien. Oh, ce n'est qu'une question de temps. Je parviendrai à lui faire appeler sa mère avant d'en finir avec lui, croyez-moi. La mort sera une délivrance, pour lui.

— Vous êtes un monstre ! s'exclama lord Mortimer.

— Reprenez du vin, mes seigneurs, dit Hugo en ricanant. Ensuite, la poule de mon fils dansera pour nous. Elle est douée pour la danse, pas vrai, traînée ? lança-t-il en promenant sur Junia un regard lubrique.

— Vous n'êtes vraiment qu'un gros porc, mon seigneur, susurra-t-elle.

— Junia, je t'en prie, ne le fais pas enrager, lui dit nerveusement Simon.

— Regardez-le ! s'exclama de Bohun. Sa mère était une bonne épouse, mais ce n'est pas un fils qu'elle m'a laissé, c'est une lavette ! Heureusement, cette petite grue me donnera des bâtards bien forts, pas vrai, ma beauté ?

— Que le diable vous emporte, mon seigneur, rétorqua-t-elle d'un ton plaisant.

Cet échange permit à Rhys d'observer Junia de plus près. Il capta même son regard l'espace d'un instant et en conclut qu'elle n'était pas brisée par l'épreuve qu'elle traversait. Gorawen avait raison. Elle avait de la ressource.

Pour sa part, il dut se retenir pour ne pas se lever et étrangler Hugo de Bohun sur-le-champ.

— Ne faites pas l'idiot, de Bohun, reprit lord Mortimer. Votre fils a eu la fille et elle est déshonorée, comme vous le souhaitiez. Qui voudra d'elle, maintenant ? Avec sa dot dérisoire ? Vous n'avez tout de même pas l'intention d'accueillir la femme de votre fils à Agramant dans ces circonstances ? Les de Bellaud espèrent que leur fille sera heureuse, et ce serait une insulte pour elle que la maîtresse de son mari vive sous son toit. Je suis sûr que deux belles rançons ne pourraient que vous être profitables, même si vos coffres sont déjà pleins. En outre, Pendragon se retrouvera sans ressources, ce qui ne fera que parfaire votre vengeance.

— Pourquoi me dites-vous cela ? N'êtes-vous pas l'ami du Dragon Lord ? demanda de Bohun avec suspicion.

— Je suis son ami, mais je connais ses enfants depuis leur naissance. Cela me fait de la peine de voir Junia dans cette situation, et de savoir que Brynn est battu et meurt de faim dans vos cachots. Si vous prenez toutes les richesses du Dragon Lord en échange de ses enfants, vous lui rendrez une fille déshonorée, qu'il ne pourra jamais marier, et un fils estropié. N'est-ce pas une vengeance encore plus cruelle, Hugo de Bohun ?

— Hmm… faut que j'y réfléchisse, surtout quand l'idée vient de vous, l'ami de Pendragon.

— À vous de décider, de Bohun. Vous connaissez beaucoup d'hommes qui troqueraient leurs enfants contre toute leur fortune ? Une telle aubaine ne se présente pas tous les jours. Quant à moi, il se trouve que les terres des Pendragon et les miennes sont limitrophes. Elles me seraient bien utiles. Je pense à moi aussi, que voulez-vous…

Et il ricana, un peu à la manière de son interlocuteur.

— Je n'aurais jamais cru que vous dissimuliez une nature aussi calculatrice sous vos airs irréprochables, Mortimer. Vous cachez bien votre jeu, chapeau ! Nous avons donc des points communs ! Qui l'aurait cru ?

Il se tourna soudain vers Junia et brailla :

— Monte sur la table et danse, petite grue galloise effrontée ! Je veux que mes invités s'amusent.

— Il n'y a pas de musique, mon seigneur. Je ne peux pas danser sans musique, répliqua-t-elle en se dirigeant vers la porte.

Mais de Bohun fut plus rapide. Il se précipita derrière elle, Simon sur ses talons, saisit le poignet de Junia et se mit à la gifler violemment, une fois, deux fois, trois fois...

— Quand je donne un ordre, sale garce, on m'obéit !

— Lâche-la, père, pour l'amour du Ciel ! s'interposa Simon en parvenant à écarter Hugo de Junia, qui saignait du nez. Elle a raison, elle ne peut pas danser sans musique.

— Alors trouve une servante qui joue pour elle ! Je veux que mes hôtes se divertissent.

— Laisse-la monter, père. Elle a le nez en sang et des ecchymoses sur les joues. Elle n'est plus très belle à regarder, non ?

— Cette traînée mérite une correction.

— Je la lui donnerai plus tard, je te le jure. Tu entendras ses cris à travers ma porte.

— Non, j'assisterai au spectacle, mon cher fils, décréta Hugo d'une voix doucereuse.

Il regarda Junia.

— Monte, toi, et attends ton maître !

Junia se sauva en courant sans ajouter un mot. Simon la suivit.

Les poings serrés à s'en faire blanchir les jointures, Rhys FitzHugh éprouvait toutes les difficultés du monde à ne pas sauter sur Hugo de Bohun et lui trancher la gorge. Junia était courageuse, mais stupide. Elle aurait pu éviter d'être battue en se contentant de dire qu'il n'y avait pas de musique, sans défier de Bohun pour autant. Il prenait du plaisir à faire souffrir, c'était clair.

Mais Rhys comprit soudain que si Junia était encore en vie, c'était justement parce qu'elle osait le défier. Si elle avait flanché, il l'aurait jetée en pâture à ses hommes depuis longtemps. Elle n'aurait pas survécu. Quant au gentil Simon, il n'avait pas l'envergure nécessaire pour se dresser contre son père. Il était incapable de la protéger, et Junia le savait.

À présent, Hugo de Bohun était en train de fureter dans le tas de bois posé près de la cheminée. Il finit par en extraire un long bout de bois de la grosseur d'un pouce, un sourire cruel aux lèvres.

— Voilà qui devrait convenir, dit-il à lord Mortimer et à Rhys. Les domestiques vont vous montrer vos chambres, mes seigneurs. Nous reparlerons de notre affaire demain.

Et il quitta la pièce.

— Simon a commis une erreur en proposant de corriger Junia, remarqua lord Mortimer en secouant la tête. De Bohun a très bien compris que c'était une ruse et, malheureusement, je crains que nous ne puissions rien faire pour le moment.

— Je vais devoir te frapper, car si je ne le fais pas, c'est mon père qui s'en chargera et ce sera pire. Je suis tellement désolé, ma chérie! disait Simon à Junia, dans sa chambre.

Il la prit dans ses bras et la sentit trembler contre lui.

— Je ne sais pas combien de temps encore je pourrai endurer ça, Simon, murmura la jeune fille d'une voix altérée.

— Essaie de supporter les premiers coups, et mets-toi à hurler. Cela lui suffira peut-être. Et puis, fais ce que je t'ordonnerai, même si cela te rend furieuse. Il a besoin de croire que je suis un monstre, comme lui. S'il me traite encore de lavette, je le tue! Pourquoi considère-t-on la gentillesse comme de la faiblesse et la méchanceté comme une force ?

À peine avait-il prononcé cette phrase que la porte de la chambre s'ouvrait à la volée.

— Tiens ! lança Hugo de Bohun en tendant à Simon le bâton qu'il avait choisi. Montre à cette petite garce que tu sais t'en servir.

Il s'assit sur le lit.

— Alors ? s'impatienta-t-il.

— Enlève ta robe et ta chemise ! ordonna alors Simon. Tu ne voudrais pas que je les abîme ? Tu crois que les vêtements poussent sur les arbres ? Dépêche-toi ! Il est temps que tu reçoives une bonne leçon !

Hugo de Bohun considéra son fils avec un air approbateur et reporta son attention sur Junia qui obéissait. Il promena sur son corps des yeux luisants de convoitise, regrettant vraiment de l'avoir laissée à Simon...

— Viens ici ! aboya le jeune homme.

Il la coinça sous son bras gauche, la tournant de façon que son père ne voie pas les jolies rondeurs de son postérieur, puis assena le premier coup. Au bout du quatrième, elle se mit à gémir. Au sixième, elle criait. Au dixième, elle l'implorait d'arrêter.

Simon regarda son père, mais il secoua la tête.

— Encore un peu. Elle n'a pas son compte. Je peux m'en charger, si tu veux...

— Non, je termine ce que j'ai commencé.

Au treizième, Junia sanglotait.

— Donne-lui-en vingt, exigea Hugo.

— Non, quinze suffiront. Je ne veux pas faire l'amour à une femme inconsciente, cette nuit.

Il l'envoya par terre d'une poussée.

— J'espère que tu as compris ? À l'avenir, tu t'adresseras à mon père avec déférence !

— Oui, mon seigneur, dit Junia en pleurant.

— Embrasse le bâton qui t'a châtiée, et remercie-moi.

Junia fit ce qu'il lui demandait.

— Eh bien, mon fils! Je ne te croyais pas capable de punir une femme, commenta de Bohun en se levant. Faut croire que je me trompais.

Il se baissa et tira Junia par les cheveux.

— Et toi, petite grue, donne du plaisir à ton maître, maintenant. Il l'a bien mérité.

Dès qu'il fut sorti, Simon tira le verrou de la porte et entendit le rire immonde de son père dans le couloir. Il se tourna vers Junia pour la prendre dans ses bras.

— Étais-tu obligé de taper si fort?

— Aurais-tu préféré que ce soit lui qui te frappe? Cela aurait été bien pire, Junia. Je suis désolé, tu le sais. Je vais te mettre un baume pour te soulager.

— Si tu n'avais pas suggéré à ton père de me corriger...

— Je ne pensais pas qu'il voudrait regarder. J'avais l'intention de taper sur le lit, pendant que tu aurais poussé des cris.

— Étant donné la façon dont il t'a obligé à me violer, Simon, tu aurais pu te douter qu'il prend du plaisir à voir infliger des souffrances, répliqua-t-elle, irritée.

— Penche-toi, ma chérie.

— Aïe! cria-t-elle lorsque ses doigts appliquèrent la pommade sur ses blessures.

— Je suis tellement désolé, Junia... Dieu du ciel! Je ne demandais qu'à t'aimer et à t'épouser. Comment les choses ont-elles pu se transformer en un tel cauchemar?

— Arrête, dit-elle en se redressant.

Elle prit le visage du jeune homme entre ses mains.

— C'est pareil pour moi, Simon, je voulais seulement être ta femme. Maintenant, la guerre est de nouveau déclarée entre nos deux familles et nous ne pouvons rien faire pour l'empêcher.

— C'est un être cupide, Junia. Lord Mortimer lui a proposé une belle rançon et il l'acceptera. Qui est l'homme qui l'accompagne, lord FitzHugh ?

— Le mari de ma sœur Averil. J'aimerais lui parler, si c'est possible. Est-ce que tu as vu Brynn, aujourd'hui ?

— Oui. Il est en étonnante bonne condition, dans la mesure où il n'a rien avalé depuis trois jours. Père lui a donné une bonne raclée avec son fouet, hier, mais il tient le coup.

— Il a toujours été un petit garçon courageux.

— Junia, murmura-t-il en essayant de l'attirer contre lui.

— Non. Désolée, Simon, mais je ne peux toujours pas le supporter. Tu dois me donner plus de temps. Et puis, tes coups de trique m'ont meurtrie.

Simon soupira. Depuis ce jour funeste à Mryddin Water, ils n'avaient pas fait l'amour. Il comprenait la réaction de Junia, mais il la désirait désespérément, même s'il savait qu'en la faisant sienne à nouveau, il la déshonorerait davantage. Junia n'était pas sa femme et, à moins d'un miracle, elle ne le serait jamais.

Comme son père le mépriserait s'il savait qu'ils n'étaient pas amants depuis ce jour terrible. Mais jamais il n'oublierait le regard de Junia quand il était entré en elle, jamais il n'oublierait son cri quand il avait déchiré l'hymen. Il ne pouvait pas la contraindre. Elle l'aimait toujours, il le voyait dans ses yeux.

Il la rejoignit dans le lit où elle s'était allongée à plat ventre, et il se tourna de l'autre côté pour ne pas la déranger.

Le lendemain matin, Hugo de Bohun s'entretint de nouveau avec lord Mortimer.

— J'ai une proposition à faire, annonça le seigneur d'Agramant. Je veux toutes les terres de Merin Pendragon, même celles qui touchent les vôtres, y compris Dragon's Lair. S'il accepte, je lui rends ses enfants.

— Bien portants, précisa lord Mortimer. Vous ne leur ferez pas de mal.

— Bien portants.

— Cela signifie que vous nourrissez son fils et que vous le sortez du cachot.

— Je lui donnerai à manger, mais il restera au cachot tant que je n'aurai pas la parole de son père.

— Et sa sœur pourra lui rendre visite.

— Pourquoi pas ? répondit Hugo de Bohun en s'esclaffant.

— Nous sommes bien d'accord ?

— Nous sommes d'accord.

— Très bien. Je vais proposer cet arrangement au Dragon Lord.

— Il n'acceptera pas.

— Je crois que si, le détrompa Mortimer. Il aime vraiment ses enfants.

— Alors il est encore plus idiot que je le pensais ! Prenez votre petit déjeuner. Où est votre compagnon ?

— Il est allé voir les chevaux, avant de partir. Je crois que le mien avait une pierre dans le sabot, hier, répliqua lord Mortimer.

En vérité, il ignorait où était FitzHugh…

Rhys se trouvait en fait dans la chambre de Junia et Simon. Cadi l'y avait conduit, et le jeune de Bohun s'était retiré pour les laisser en tête à tête.

— Mon père va venir ? demanda Junia.

— Oui. Mais ce ne sera pas facile de franchir les murs de ce château. Pourquoi diable lui as-tu désobéi en allant retrouver Simon ce jour-là, Juni ? Te rends-tu compte de ce que ton entêtement a provoqué ? Tu as été violée, tu es déshonorée. Qu'allons-nous faire de toi quand nous t'aurons ramenée ? Aucun couvent ne voudra de toi.

— Je voulais seulement lui dire adieu. J'espérais que son père accepterait de mettre un terme à la vieille querelle ancestrale en nous mariant.

— Ton amoureux est un bon garçon, mais il est faible, Junia. Il n'a pas été capable de te protéger. Il a laissé Brynn se faire capturer. Remarque, je comprends qu'il ait peur de son père. Hugo de Bohun est une bête malfaisante. Il faut être de taille pour affronter un tel animal, et le jeune Simon n'a pas la stature.

— Mais il m'a protégée, Rhys. C'est lui qui m'a déflorée, aucun autre ne m'a touchée. Et nous n'avons pas eu d'autres rapports depuis. Il m'aime, et il veut m'épouser. Il m'a violée sous la menace, afin de m'éviter un sort plus rude, et pour Brynn, il n'a rien pu faire. Brynn est arrivé l'épée au poing, a blessé l'un des soldats et s'en est pris à de Bohun.

— Je dirai tout cela à ton père, mais le problème reste que nous allons avoir du mal à investir ce château pour vous secourir.

— Je connais un autre chemin d'accès à Agramant, intervint soudain Cadi, assise dans un coin.

Elle se leva, s'approcha et s'inclina devant lord Fitz-Hugh.

— Si je vous le révèle, mon seigneur, vous devez me promettre que vos hommes épargneront la vieille Elga et moi. Nous avons fait de notre mieux pour aider lady Junia.

— Oh, Cadi! Tu dois nous le dire! s'écria Junia. Rhys? Jure-moi qu'elles seront épargnées. Elles ont été bonnes pour moi, c'est vrai. Cadi m'a même aidée à voir Brynn. On lui a apporté une gourde d'eau en cachette, et un peu de pain, c'est pourquoi il a survécu. S'il te plaît! Je n'ai plus la force d'endurer la terreur que représente la vie ici!

— Cadi, tu as ma parole, déclara Rhys. Je dirai au Dragon Lord que tu as été bonne envers ses enfants. Mais vous devrez impérativement rester auprès d'elle, toi et Elga, quand nous attaquerons, sinon les hommes vous confondront avec les autres et vous tueront.

— Nous sommes les deux seules servantes au château. Tous les autres domestiques sont des hommes.

— Ah ? Bon. Alors, où est ce passage ?

— Il part des cachots, passe sous les douves et débouche dans la forêt.

— Comment le connais-tu ?

— Mon ami, le garde en faction devant le cachot du petit, me l'a montré il y a quelques jours.

— Pourquoi t'a-t-il montré une chose pareille ? s'enquit Rhys, intrigué.

— Eh bien… voilà, mon seigneur. J'ai accordé à Davy certaines faveurs pour que la lady puisse voir son frère. Il est devenu de plus en plus exigeant, et il a voulu qu'on aille dans la forêt pour être tranquilles. Il a pris une torche, une clé accrochée au mur et m'a amenée jusqu'à une porte. Il l'a ouverte et nous sommes entrés dans un tunnel lugubre, mais au bout, il y avait une grotte qui donnait dans les bois. Je suis sortie et j'ai vu le château, un peu plus loin.

Rhys réfléchit un instant, puis il saisit les avant-bras de Cadi en scrutant son regard.

— C'est vrai ?

— Oui, affirma Cadi en hochant la tête avec vigueur.

— Personne ne t'a demandé de nous raconter ça ?

— Non, mon seigneur ! J'attends avec impatience le jour où Hugo de Bohun mourra. Ma sœur Mary avait douze ans quand il la vit la première fois. Elle était belle comme le jour. Il a fini par venir la chercher dans notre chaumière, l'a emmenée de force ici et l'a violée. Ensuite, il l'a laissée nue dans les champs et l'a donnée à ses hommes, pour qu'ils la chassent comme du gibier. Elle en est morte. Alors mon père a pris son couteau et m'a coupé la joue pour que je ne connaisse pas le même sort. J'avais neuf ans, mon seigneur. Tout le monde me fuyait, et seule Elga m'a prise sous sa protection. C'est elle, et l'espoir d'être vengée, qui m'ont sauvée.

— Pourtant, tu n'es plus vierge, si j'ai bien compris.

— La nuit, tous les chats sont gris, mon seigneur, dit-elle en haussant les épaules.

— Tu es drôlement délurée, petite, mais tu as bon cœur, répondit Rhys en riant. Je tiendrai ma promesse et veillerai à ce qu'Elga et toi soyez épargnées. Je pense que le Dragon Lord vous donnera un toit pour vous remercier.

— Comment ferez-vous pour franchir la porte donnant dans le couloir des cachots ? demanda Junia. Si vous la défoncez, vous donnerez l'alerte.

— Je descellerai les gonds, dit Cadi.

— Tu dois le faire dans un jour ou deux, au plus tard.

— Déjà ? s'étonna la jeune fille.

— Oui. Le temps que je regagne Dragon's Lair, le Dragon Lord sera ici dans deux jours tout au plus. N'en parle ni à Simon ni à Elga, Junia.

— Mais, Simon…

— Simon est un faible. Charmant, mais faible. Il nous trahira sans même s'en rendre compte. Jure-moi de ne rien lui dire, Junia ! Tu risquerais d'avoir la mort de ton père, de ton frère et de beaucoup d'autres hommes sur la conscience. Nous ne pouvons pas non plus nous fier à Elga, car elle a élevé Simon. Cadi ?

— Je vous le jure, mon seigneur ! Motus ! Vous avez raison, Elga ne hait pas les de Bohun autant que moi.

— Junia ?

— Je te le jure, Rhys, mais tu te trompes à propos de Simon.

— Vous devriez partir, maintenant, mon seigneur, lui conseilla Cadi.

Rhys serra sa belle-sœur dans ses bras.

— Courage, Junia. Tu seras bientôt délivrée. Cadi, je ne t'oublierai pas.

Sur ce, Rhys quitta la chambre et se hâta de descendre, espérant qu'il aurait le temps de manger quelque chose avant de partir.

Lord Mortimer se leva à son arrivée dans la salle.

— Alors, Rhys ? Mon cheval avait vraiment une pierre dans le pied ?

— Oui, dans l'avant droit, répondit-il, comprenant tout de suite qu'il s'agissait d'une excuse destinée à expliquer son retard. Ai-je le temps de déjeuner, mon seigneur ?

— Il vaut mieux que nous partions tout de suite, Rhys, nous avons une longue route à faire. Mais prends quelque chose, tu mangeras en route.

Rhys se prépara du pain, du bacon et des œufs durs et remplit sa flasque de vin. Il salua ensuite Hugo de Bohun.

— Merci pour votre hospitalité, mon seigneur. Je suis prêt, lord Mortimer.

— Bon voyage, mes seigneurs ! lança Hugo. Et transmettez mes amitiés à Merin Pendragon, en même temps que vous lui direz ce que j'exige pour lui rendre ses enfants, ajouta-t-il en s'esclaffant.

— Ordure, marmonna Rhys entre ses dents.

— Doucement, le mit en garde Mortimer. Attendez au moins que nous ayons franchi les grilles d'Agramant.

On leur apporta leurs chevaux dans la cour et, peu après, les deux émissaires franchissaient le pont-levis et regagnaient l'endroit où les attendait Roger. En chemin, Rhys avait raconté à son compagnon ce qu'il avait appris, et les trois hommes allèrent repérer l'entrée de la grotte dans les bois, dissimulée sous des buissons.

Roger alla examiner les lieux et revint en décrivant le tunnel et la porte tout au bout. La description ressemblait bien à celle de Cadi.

Ils reprirent la route sous un ciel couvert.

— Nous irons jusqu'à Mryddin Water, dit lord Mortimer. Je continuerai jusqu'à Dragon's Lair pour ramener Merin et ses soldats, et vous resterez cachés là-bas, au cas où de Bohun nous aurait fait suivre. Si vous voyez qui que ce soit, tuez-le. C'est l'élément de surprise qui assurera le succès de notre attaque.

Il faisait déjà nuit lorsqu'ils parvinrent à la clairière. Lord Mortimer décida d'attendre que le jour se lève pour reprendre la route. Ce qu'il fit, aux premières lueurs de l'aube. Roger et Rhys restèrent à couvert entre les rochers.

Vers midi, ils aperçurent deux hommes portant les armes du seigneur de Bohun sur leur brassard, de l'autre côté de la rivière. Ils descendirent de cheval et les attachèrent. Sans doute comptaient-ils grimper en haut des ruines pour faire le guet.

Rhys capta le regard de son ami et lui désigna les arcs attachés à leurs selles. Roger hocha la tête et alla chercher leurs armes. Quand ils furent en position de tir, Roger imita le cri perçant d'un faucon. Leurs ennemis s'immobilisèrent aussitôt en levant la tête vers le ciel. Au même moment, les tireurs lâchaient leurs flèches, abattant leur cible instantanément.

Tués sur le coup, les soldats tombèrent dans l'eau et furent emportés par le courant.

— Mince! lança Roger. J'aurais voulu récupérer ma flèche. Tu crois que de Bohun va nous en envoyer d'autres?

— Cela m'étonnerait. Ces deux-là devaient être chargés de prévenir leur maître de tout mouvement de troupes. Il n'attend pas leur retour pour tout de suite.

Pendant que les deux hommes continuaient de surveiller les environs, Rhys résuma à Roger la situation à Agramant, évoquant la sauvagerie d'Hugo, la faiblesse de son fils, son amour pour Junia.

— A-t-elle compris que son père sera obligé de tuer Simon, une fois qu'ils seront mariés ? demanda Roger.

— Je ne crois pas, non… De Bohun a l'intention de marier son fils à Aceline de Bellaud. Tu connais cette famille ?

— Non. Mais elle doit être riche, si de Bohun l'a choisie. J'en parlerai à mon oncle. Il cherche une héritière pour son fils cadet. C'est un FitzWarren, un nom encore plus noble que celui des de Bohun.

Enfin, Merin Pendragon et ses hommes arrivèrent en compagnie de lord Mortimer. Ils s'arrêtèrent pour faire boire leurs chevaux, traversèrent Mryddin Water, et la troupe au complet prit la route d'Agramant.

Rhys et son beau-père chevauchaient côte à côte.

— Avez-vous emmené le prêtre ? lui demanda le jeune homme.

— Oui. Il est à l'arrière. Je l'ai envoyé chercher au monastère cistercien, le jour où vous êtes parti pour Agramant.

— Qu'adviendra-t-il de Junia, après tout cela ?

— Je chercherai un mari pour ma fille veuve. Elle a une dot non négligeable. Je trouverai quelqu'un.

Rhys ne pouvait s'empêcher de se sentir désolé pour la jeune sœur de sa femme, dont le destin avait irrémédiablement basculé.

— Laissez-moi tuer Simon de Bohun. Mieux vaut qu'elle me haïsse plutôt que vous, mon seigneur.

Merin Pendragon se tourna vers son gendre. Son visage était grave.

— Non, Junia est ma fille, c'est à moi de le faire.

— Le jeune de Bohun a essayé de la protéger. Il continue à faire de son mieux pour qu'elle ne tombe pas entre les mains de son père. Ses deux femmes de chambre aussi. J'ai d'ailleurs promis qu'on leur laissera la vie sauve, pour les remercier.

— Oui, Mortimer me l'a dit. J'honorerai votre parole, mais pour Simon, c'est autre chose. Quand vous avez enlevé Averil, vous étiez déterminé à assumer les responsabilités qui découleraient de votre acte. Simon de Bohun et Junia ont causé leur propre malheur. Lorsqu'ils ont appris qu'ils ne pouvaient se marier, ils se sont retrouvés à Mryddin Water malgré l'interdiction.

— Je ne crois pas que Simon ait pensé un seul instant que son père le suivrait, remarqua Rhys, dans une tentative pour défendre le jeune homme.

— Il aurait dû réfléchir avant d'agir. C'est un homme, que diable! Je pardonne plus facilement l'inconséquence de Junia, parce qu'elle est une femme et qu'elle est très jeune. Ma décision est prise, mon fils, inutile d'y revenir.

Rhys s'inclina. Son beau-père devait réparer le déshonneur qui avait souillé le nom des Pendragon. Ce qu'avait fait subir de Bohun – et son fils – à la descendante du célèbre roi Arthur, n'était pas seulement barbare et d'un autre âge. C'était impardonnable.

Quand la nuit les empêcha de poursuivre leur chemin, ils n'osèrent pas se servir des torches et s'arrêtèrent. Ils allumèrent un petit feu dans une grotte abritée, attachèrent leurs chevaux et s'installèrent pour manger des galettes d'avoine.

— Je crois que nous sommes tout près d'Agramant, dit lord Mortimer.

— Nous partirons dès l'aube.

Lorsque les premières lueurs du jour apparurent, ils reprirent leur chemin dans la pénombre, progressant lentement, jusqu'à ce que le ciel s'éclaire enfin.

— Là! s'exclama Rhys en désignant l'entrée de la grotte qu'il venait de reconnaître.

— Vous êtes sûr? demanda Merin.

— Venez par là, mon seigneur, et regardez entre ces arbres, dit Roger. On aperçoit Agramant.

— Nous ne pouvions choisir meilleur moment. À part les domestiques, les habitants du château doivent dormir encore.

— Oui, acquiesça le Dragon Lord. La grotte est-elle assez grande pour que nous puissions y cacher nos chevaux ?

— Oui, mon seigneur, répondit Rhys.

— Très bien. Allons-y.

Ils laissèrent au plus jeune de la troupe le soin de s'occuper des chevaux et entrèrent dans la grotte. Merin félicita Rhys pour sa prévoyance quand il trouva la porte d'accès au tunnel déverrouillée.

— Peut-on accrocher des torches dans les murs du passage ? demanda-t-il.

— Oui.

Merin Pendragon se tourna vers ses hommes.

— Les douze premiers, vous accrocherez les torches au fur et à mesure que nous avancerons, pour assurer l'éclairage du tunnel. Silence, maintenant.

Ils se mirent en route en une longue file indienne et parvinrent à la porte donnant dans les oubliettes.

Rhys constata que Cadi avait tenu sa promesse. Il souleva la porte et la posa contre le mur.

— Cadi mérite sa liberté, murmura-t-il.

— Elle l'aura, répondit son beau-père en entrant le premier dans le château d'Agramant.

Avançant à pas de loup, il aperçut le gardien endormi. Rasant les murs, il arriva jusqu'à lui et lui trancha la gorge. Puis il prit ses clés et ouvrit la porte de la cellule. Brynn, un large sourire aux lèvres, en sortit en silence. Le Dragon Lord se contenta de regarder son fils, hochant la tête pour marquer son plaisir et son émotion de le revoir en vie, avant de précéder ses hommes dans l'escalier.

Ils débouchèrent dans la grande salle, où les domestiques qui s'y activaient furent occis en deux temps trois mouvements.

— Barrez la porte, dit doucement Merin Pendragon. Nous nous chargerons de la garnison du château quand nous aurons tué Hugo de Bohun.

Peu après, les hommes d'armes se trouvant à l'intérieur gisaient sans vie. Rhys conduisit son beau-père dans la chambre où dormaient Simon et Junia. La jeune fille se réveilla immédiatement, comme si elle s'attendait à voir son père, ce matin. Elle bondit du lit et enfila rapidement sa robe tandis que l'on s'emparait de son amoureux.

Simon mit quelques instants à se rendre compte de la situation.

— Laissez-moi m'habiller, mes seigneurs.

— Où est la chambre de ton père ? demanda le Dragon Lord.

— Il dort dans la tour est, révéla Simon sans hésitation, en agrafant sa tunique.

Sa propre mort était imminente, il le savait. Pour une raison qui lui échappait, il éprouva une sorte d'apaisement à cette perspective.

— Vous avez emmené un prêtre ? s'enquit-il.

— Oui, dit Merin Pendragon.

— J'aimerais me confesser. Me le permettrez-vous ?

— Je ne suis pas un barbare, Simon de Bohun. Bien sûr que vous pourrez être absous de vos péchés avant de mourir.

Junia avait blêmi.

— Père… commença-t-elle.

— Silence ! Emmène-la avec son amant dans la grande salle, Roger. Rhys, viens avec moi.

Les deux hommes gravirent en silence l'étroit escalier qui menait à la tour est. Il n'y avait qu'une porte donnant sur le palier. Ils eurent la surprise de découvrir qu'elle n'était pas fermée à clé.

Dans la chambre, Hugo de Bohun ronflait bruyamment, étendu sur le dos, un pichet et un gobelet vide posés près de lui sur le sol. Il était seul. Tant mieux. Merin et Rhys n'auraient pas aimé devoir tuer une femme.

— Hugo de Bohun, je suis venu chercher mes enfants! clama soudain Merin Pendragon.

Son ennemi ouvrit les yeux, avec une expression de stupeur. D'un coup d'épée, le Dragon Lord lui trancha la tête.

— Exposons-la sur ma lance dans la cour du château. Cela devrait faire réfléchir ceux qui pourraient avoir envie de suivre l'exemple de cet homme, et nous dispensera peut-être de tuer le reste des soldats et des serfs. Nous mettrons le feu, néanmoins. Envoyez Roger et quelques hommes chercher les chevaux. Qu'ils les amènent dans la cour du château.

Rhys se chargea d'exhiber la tête d'Hugo de Bohun, seigneur d'Agramant, sur la lance de son beau-père, à la vue de tous.

— Je suis Rhys FitzHugh, seigneur d'Everleigh et gendre du Dragon Lord. Nous avons investi le château et tué votre maître. Nous vous donnons la possibilité de vous rendre et d'entrer au service de Merin Pendragon. Ce château va être détruit.

— Et Simon de Bohun? demanda l'un des soldats.

— Il ne va pas tarder à rejoindre son père en enfer, répondit froidement Rhys. Que ceux qui sont disposés à prêter serment d'allégeance aux Pendragon posent leurs armes.

Un bruit de ferraille envahit la cour et tous les hommes s'agenouillèrent.

— Vous deux, allez ouvrir les grilles et occupez-vous de nos chevaux. Les autres, suivez-moi.

Ils furent enfermés dans les cachots. Merin Pendragon tenait à les interroger personnellement, un à un, pour s'assurer qu'il pouvait leur faire confiance. Comprenant cette nécessité, aucun ne protesta.

Rhys, Merin et les Mortimer se retrouvèrent ensuite dans la grande salle, où Junia et Simon se tenaient à distance l'un de l'autre, chacun gardé par un soldat du Dragon Lord.

— Où est le prêtre ? s'enquit Merin.

L'homme d'Église s'approcha aussitôt.

— Vous savez ce que vous avez à faire, mon père. Amenez ma fille et le jeune de Bohun.

— Papa !

— Tu vas être mariée à l'homme que tu aimes, ma fille, la coupa froidement Merin. N'est-ce pas ce que tu voulais ?

— Pitié, papa !

— Je lui montrerai plus de pitié qu'il ne t'en a montré. Maintenant, tais-toi et écoute le prêtre.

— Si tu as l'intention de le tuer une fois la cérémonie terminée, je ne prononcerai pas mes vœux, le défia Junia. Si c'est le seul moyen que j'ai de lui sauver la vie, je le ferai !

— Junia, au nom du Ciel, laisse-moi te rendre l'honneur que je t'ai volé ! intervint Simon. Je ne veux pas mourir en emportant le poids de ma faute sur la conscience. Je t'en supplie !

— Mais si je ne t'épouse pas, il ne te tuera pas, puisque mon honneur sera toujours en question, répondit naïvement la jeune fille.

— Junia, je suis déjà un homme mort, lui dit doucement Simon. Épouse-moi, et laisse-moi partir l'esprit apaisé. Notre amour était condamné dès le départ.

Il regarda les mains de sa bien-aimée qu'il tenait dans les siennes.

— S'il te plaît, mon amour. Fais-le pour moi.

Les yeux pleins de larmes, Junia hocha la tête.

Le jeune couple fut amené devant le prêtre. On leur demanda de se tenir la main pendant que les paroles rituelles étaient prononcées. Lorsque Junia et Simon furent unis par les liens du mariage, ils échangèrent un long baiser.

Le prêtre entraîna ensuite Simon à l'écart et, sous le regard horrifié de Junia, le jeune homme s'agenouilla et commença à se confesser à mi-voix.

Elle se tourna vers son père et joignit les mains dans un geste de désespoir.

— Papa! Au nom de tous les saints, je t'en supplie, épargne-le! dit-elle en sanglotant. Je l'aime plus que tout au monde!

Elle se jeta à ses pieds.

— Laisse-le partir! Je ne le reverrai plus jamais! Papa! Papa! Je t'en prie!

Incapable de supporter plus longtemps la vue de sa fille éplorée, Merin Pendragon se détourna.

— L'honneur des Pendragon, le tien, le mien, doit être sauvé, Junia. Il n'y a pas d'autre moyen. Je suis désolé, ma fille.

— Tu es encore plus monstrueux qu'Hugo de Bohun! s'emporta-t-elle. Si tu fais cela, je ne te le pardonnerai jamais!

— A-t-il fini de se confesser, mon père? demanda le Dragon Lord.

Simon de Bohun se leva et marcha vers lui.

— Accordez-moi un instant, mon seigneur.

Il prit alors Junia dans ses bras et plongea son regard dans le sien.

— Ton père a raison, mon amour. En m'emparant de ta vertu, je t'ai déshonorée. Notre mariage a en partie restitué ton honneur, mais seule ma mort te lavera de l'indignité. Je n'aurais jamais dû aller te dire adieu ce jour-là, à Mryddin Water. Je suis tellement désolé, Junia. Pour rien au monde je n'aurais voulu te nuire, mon précieux amour!

— Simon! Je t'aime! cria Junia, aveuglée par les larmes.

346

— Moi aussi, je t'aime, ma chère femme. Mais je dois partir à présent, et toi, Junia, tu dois continuer et mener ta vie selon ton destin.

Il lui donna un dernier baiser, avant de l'écarter de lui et de se tourner vers Merin Pendragon.

— Je suis prêt, mon seigneur.

Le Dragon Lord lui tendit un gobelet de vin.

— Ma bien-aimée Gorawen m'a confié un sachet de poison, expliqua-t-il au jeune homme. Elle m'a dit, si j'estimais que vous méritiez une mort douce, de le mélanger à du vin. Vous vous endormirez tout simplement, sans souffrir.

— Non ! s'écria Junia en se précipitant vers les deux hommes dans une vaine tentative d'attraper le gobelet.

Mais Rhys l'intercepta.

— Tais-toi, Junia ! Je t'en prie ! lui murmura-t-il à l'oreille. Simon fait preuve d'une grande bravoure. Tu voudrais qu'il flanche au dernier moment, à cause de toi ?

Simon de Bohun saisit le gobelet de ses longs doigts racés, le porta à ses lèvres et le but d'un trait.

À peine avait-il terminé que le gobelet lui échappait des mains. Il s'écroula à genoux.

— Junia ! dit-il une dernière fois en se recroquevillant lentement sur lui-même, tandis que son cœur cessait peu à peu de battre.

Sa dernière pensée fut que Merin Pendragon n'avait pas menti. Il ne ressentait aucune douleur. Aucune…

18

Junia se mit à hurler. Se dégageant de l'emprise de Rhys, elle se jeta sur Simon, tentant d'attraper le gobelet pour boire les dernières gouttes restantes. D'un coup de pied, Rhys envoya le gobelet à l'autre bout de la pièce.

Junia lui adressa un regard venimeux avant de se tourner vers son père.

— Tu as assassiné Simon !

— Je t'ai rendu ton honneur, petite idiote.

— Que veux-tu que j'en fasse, maintenant que j'ai perdu le seul homme que j'aimais et que j'aimerai jamais ? cria-t-elle. Crois-tu que l'honneur viendra me tenir chaud la nuit, l'hiver ? Qu'il me donnera un fils ? Va au diable, toi et ton maudit honneur !

Et elle se mit à bercer le corps sans vie de son mari.

— Étendez-le sur la table. Il brûlera avec le château, dit Merin.

— Non ! Nous l'enterrerons honorablement, près de sa mère. Que son père regagne l'enfer dans les flammes d'Agramant, mais Simon sera traité avec dignité. Ce sera ton cadeau de mariage, père.

Elle soutenait le regard du Dragon Lord avec une détermination sans faille.

— Accepte, Merin, intervint lord Mortimer. C'est une bien petite faveur que te demande ta fille.

— D'accord, céda Merin. Va chercher deux hommes d'ici dans les cachots et enterre ton mari, ma fille. Rhys, accompagne-la.

— Je m'en occupe, lança Brynn Pendragon.

Le Dragon Lord tourna vers son fils un regard surpris.

— Il était mon ami, papa. Il a toujours été très gentil avec moi.

— Il a sali notre famille.

— Mais il était mon ami, répéta Brynn en allant relever sa sœur, détachant avec douceur ses doigts crispés sur le corps de Simon. Viens, Junia. Nous devons l'enterrer tout de suite. Venez aussi, ajouta-t-il en s'adressant à Cadi et Elga qui pleuraient en silence dans un coin. Vous nous aiderez.

— Il lui faut un linceul, dit Elga de sa voix chevrotante.

— Nous n'avons pas le temps, lança lord Mortimer. Estimez-vous heureuse que le Dragon Lord vous autorise à l'enterrer auprès de sa mère.

Rhys revint des cachots avec deux hommes robustes. Ils soulevèrent le corps et sortirent.

— Si vous avez des affaires à emporter, allez les emballer pendant qu'ils creusent la tombe, dit Merin aux deux servantes. Je ne vais pas tarder à mettre le feu.

Les deux femmes se précipitèrent vers l'escalier pendant que Brynn emmenait sa sœur à l'extérieur du château, sur la colline où se trouvait la petite sépulture d'Anne de Bohun.

Grâce aux pluies récentes, la terre était assez molle et le trou fut bientôt creusé. Lorsque Elga et Cadi arrivèrent avec leur baluchon, Junia était assise dans l'herbe, près du corps de son mari. Les yeux bouffis à force de pleurer, elle lui murmurait des mots que personne n'entendait.

Rhys lui pressa gentiment l'épaule.

— Dis-lui adieu, Junia. Il est temps.

Elle leva vers lui son visage ravagé par le chagrin, hocha la tête et posa sa bouche sur les lèvres glacées de celui qui avait été si brièvement son mari. Brynn l'aida alors à se lever, et elle assista en tremblant à l'ensevelissement de son bien-aimé. Elga pleurait en regardant disparaître sous les pelletées de terre celui qu'elle avait vu naître.

L'air était de plus en plus humide à l'approche de la pluie, et une brusque rafale charria vers eux une odeur de brûlé. Se retournant, ils virent Agramant en flammes. Le feu jaillissait de toutes les ouvertures du bâtiment. Même le pont-levis se consumait.

Les serfs appartenant au domaine étaient sortis de leurs masures. Bouche bée, ils regardaient l'incendie et la tête du seigneur de Bohun sur la lance. Merin Pendragon s'adressa à eux d'une voix puissante.

— Je suis le Dragon Lord. Ainsi finissent ceux qui bafouent l'honneur de ma famille. Prenez vos affaires et suivez-moi. Vous m'appartenez, maintenant. Vous vous rendrez vite compte que je suis un bien meilleur maître que celui dont la tête décore ma lance.

— Et le jeune seigneur ? demanda l'un des serfs.

Merin pointa un doigt vers la colline.

— Enterré là-bas, près de lady Anne. Que Dieu ait pitié de lui.

À ces mots, plusieurs serfs se mirent à pleurer.

Rhys FitzHugh et Brynn Pendragon relevèrent Junia de la tombe de son mari, l'aidèrent à monter à cheval et mirent les rênes dans ses mains. Elle ne dit pas un mot. Ses yeux étaient tellement gonflés qu'ils étaient fermés, à présent. Mais les larmes coulaient toujours. Voyant cela, Brynn attacha une bride à la bouche du cheval pour le guider lui-même.

Merin Pendragon le laissa faire. Il était naturel que sa fille pleure l'homme qu'elle croyait aimer. Il lui accorderait un an pour faire son deuil, car s'il tentait de la marier tout de suite, on se poserait des questions. En tout cas, elle n'aurait plus le droit de sortir du château sans escorte. Elle avait causé assez de problèmes comme cela.

Ils arrivèrent à Dragon's Lair deux jours plus tard, les serfs les ayant considérablement ralentis. Argel et Gorawen les attendaient dans la grande salle. Quand elles virent l'état dans lequel se trouvait Junia, elles se précipitèrent mais Ysbail, qui surgit à ce moment-là, les devança.

— Te voilà donc revenue spoliée et inapte à épouser un homme décent, ma fille! cria-t-elle. Comment as-tu pu déshonorer le nom des Pendragon de la sorte, Junia?

— Je suis veuve, mère, répondit la jeune fille.

C'étaient les premiers mots qu'elle prononçait depuis son départ d'Agramant.

— Ah, tant mieux. Au moins, notre honneur est sauf. Je savais que ton père ferait ce qu'il fallait. Reste à espérer que tu n'es pas enceinte.

— Je maudis le jour où le Dragon Lord a posé les yeux sur toi, mère! Je maudis le jour où vous m'avez conçue tous les deux! Ne m'approche pas! Tes paroles sont indignes, et ta simple vue me donne envie de vomir!

Ysbail recula d'un bond, la bouche ouverte, incapable d'émettre un son.

Sur ce, Junia quitta la salle la tête haute.

— Doux Jésus! murmura Argel. Je n'ai jamais vu autant d'acrimonie.

— Elle l'aimait, expliqua simplement Gorawen.

— Ton fils est sain et sauf, Argel, annonça Merin à sa femme.

Argel ouvrit les bras et Brynn s'y précipita.

— Tu es bien le fils de ton père! lui dit-elle en le serrant à l'étouffer. Je suis fière de toi, Brynn!

— C'est Juni qui m'a sauvé. Sans elle, je serais mort de soif dans le cachot d'Hugo de Bohun. Elle a eu du courage en venant me voir en secret pour m'apporter de l'eau.

Sa mère l'embrassa sur le front.

— Je la remercierai comme elle le mérite, promit-elle.

— Il faudra attendre un peu, mère. Elle est très en colère que papa ait dû tuer son mari. Si Simon n'a pas toujours été très courageux, il a fait de son mieux pour la protéger et il est mort en homme d'honneur. Il l'aimait vraiment.

Brynn salua ensuite Gorawen et Ysbail.

— Je suis désolé que ma fille t'ait mis en danger, Brynn, lui dit cette dernière. Je suis contente que tu aies survécu et que tu sois de retour.

Il eut soudain pitié de cette femme et, cédant à sa nature généreuse, il l'étreignit.

— Je suis autant à blâmer que ma sœur, Ysbail. Mais nous sommes tous les deux sains et saufs, grâce à Dieu.

Il l'embrassa sur la joue, et Ysbail fondit en larmes en quittant la pièce précipitamment.

— Tu es un brave garçon, Brynn, dit Argel. Quand Junia a été enlevée, tous les rêves d'avenir d'Ysbail se sont écroulés. Elle est complètement perdue.

— Elle a évoqué un problème auquel nous ferions bien de réfléchir, dit Merin. Et si Junia était enceinte ?

— Je m'en chargerai, répondit Gorawen. J'ai déjà préparé une potion abortive. Le problème sera résolu.

— Dieu nous pardonne ! soupira-t-il.

— Préférerais-tu un petit-fils de Bohun ? Et comment trouverions-nous un mari pour Junia, si elle était enceinte ?

Il acquiesça.

— Donne-la-lui tout de suite, au cas où. Junia devient de plus en plus têtue.

Gorawen s'inclina et monta dans sa chambre, où elle ouvrit un petit sachet qu'elle avait rempli d'une poudre. Elle la vida dans un gobelet dans lequel elle versa du vin, mélangea le tout et ajouta de la cannelle pour masquer le goût.

Elle emporta aussitôt sa préparation dans la tour. La porte n'était pas fermée à clé. Elle l'ouvrit sans frapper.

Junia se retourna et posa sur elle un regard peu engageant.

— Que veux-tu ? s'enquit-elle d'une voix glaciale que Gorawen ne lui connaissait pas.

Sans se démonter pour autant, elle lui tendit le gobelet.

— Bois cela, dit-elle.

Après un long moment d'hésitation, Junia vida le gobelet jusqu'à la dernière goutte.

— Tu ne me demandes pas ce que c'est ?

— J'aurais aimé qu'il s'agisse du même poison que tu as préparé pour mon mari. Mais je devine que tu viens de me faire boire l'un de tes mélanges diaboliques destiné à m'empêcher d'avoir un enfant, n'est-ce pas ?

— Oui, c'est cela, admit Gorawen en soutenant le regard dur de la jeune fille.

— Je ne te le pardonnerai jamais, ni à toi ni aux autres.

— Peut-être pas. Mais je te ferais remarquer que ce qui est arrivé n'est en rien la faute de ta mère, d'Argel ou de moi. Ce n'est pas non plus celle de ton père ou de ton frère, Junia. Il n'y a que deux responsables, dans cette affaire : Simon de Bohun et toi. Il l'a payé de sa vie et toi, tu le paieras en te voyant contrainte de vivre sans lui.

Sur ce, elle fit volte-face et sortit, laissant la jeune fille interdite. Gorawen compatissait à son chagrin, mais Junia devrait assumer la vérité tôt ou tard. Alors, autant qu'elle commence tout de suite à faire son deuil.

L'automne arriva, et ils célébrèrent les derniers jours d'octobre selon la coutume. Les feux s'allumèrent sur les collines, au soleil couchant, saluant l'avènement de la nouvelle année. Puis le château se prépara pour l'hiver. Les hommes chassaient tous les jours, afin de faire des provisions de viande. Des chaumières furent construites pour les nouveaux serfs avant que les pluies, le froid et la neige ne s'installent.

Junia demeurait maussade et toujours aussi distante envers sa famille, sauf avec Brynn. Elle passait ses journées derrière son métier à tisser et priait constamment.

Cadi et Elga s'étaient intégrées aux autres domestiques. Argel avait demandé à la vieille dame de servir son fils, dans l'espoir de la consoler un peu en lui donnant un nouveau jeune maître. Brynn ne voyait pas l'utilité d'avoir une servante en plus à sa disposition mais, compréhensif, il lui trouvait des petites tâches à accomplir. Cadi passa au service de Gorawen. La laisser auprès de Junia n'eût constitué qu'un rappel constant du funeste passé à la jeune fille.

Un soir de printemps, Merin Pendragon et ses femmes se trouvaient dans la grande salle, quand il aborda le sujet que chacune s'attendait à voir évoquer un jour ou l'autre :

— Voilà sept mois que nous sommes revenus d'Agramant, commença-t-il. Junia aura seize ans dans deux mois. Il est temps de songer à la remarier.

— Elle ne te facilitera pas la tâche, soupira Ysbail.

— Nous verrons bien…

— Après tout, elle sera peut-être heureuse de quitter Dragon's Lair, puisqu'elle nous en veut toujours, remarqua Argel.

— Penses-tu à un homme en particulier ? questionna Gorawen.

— Peut-être. J'en ai discuté avec Mortimer l'automne dernier, quand nous chassions. Il a un cousin veuf,

William le Clare, qui a été marié pendant plusieurs années à son amie d'enfance. C'était un véritable mariage d'amour, mais ils n'ont pas eu d'enfant. Il a perdu sa femme il y a deux ans et songerait à prendre une jeune épouse, dans l'espoir d'avoir des héritiers.

— Quel âge a-t-il ? demanda Argel.

— Trente-cinq ans. Presque vingt ans de plus que Junia, mais je ne pense pas qu'elle aimerait épouser un jeune homme de son âge, après Simon de Bohun. Et puis, William le Clare a perdu celle qu'il aimait, et je pense qu'il comprendra le chagrin qu'éprouve Junia.

— Si tu crois que c'est un bon choix, Merin, nous te suivons.

Les deux autres femmes approuvèrent.

Le lendemain, le Dragon Lord se rendit dans le joli château de lord Mortimer. Quand il annonça à son ami les raisons de sa visite, ce dernier lui donna une claque dans le dos.

— Tu n'aurais pu mieux tomber ! lui dit-il. Mon cousin arrive demain. Il m'a écrit qu'il envisageait vraiment de se remarier, et qu'il aimerait que je le conseille dans ses recherches.

— Je n'ai pas un grand nom, lui fit remarquer Merin.

— Tu descends d'Arthur et ta lignée est irréprochable ! Toutefois, mon vieil ami, je tiens à ce que mon cousin soit mis au courant des malheurs de Junia.

— Nous lui devons la vérité, bien entendu. Penses-tu que la dot de ma fille lui suffira ?

— William ne cherche pas une femme riche, mais jeune et féconde. Plus j'y pense et plus je me dis que Junia serait parfaite pour lui. Il aimait son Adèle autant qu'elle aimait Simon. Ils se comprendront, et ni l'un ni l'autre ne s'attendent à autre chose qu'à un mariage de convenance. Mon cousin n'est pas un homme cruel, il sait seulement se montrer ferme quand il le faut.

— Dans ce cas, je reste afin de le rencontrer, si tu veux bien.

Le lendemain matin, William le Clare arriva comme prévu, et les trois hommes passèrent l'après-midi à chasser. Le soir, après le dîner, ils s'installèrent devant la cheminée avec un verre de vin, et William exposa les raisons de sa visite à son cousin.

— J'ai décidé de prendre femme. Jusqu'ici, je ne voulais pas me remarier, car j'aurais eu l'impression de trahir ma chère Adèle. Mais j'ai besoin d'un héritier et je suis encore assez jeune pour avoir un fils.

— As-tu quelqu'un en vue ?

— Non. Il n'y a pas de jeunes filles parmi mes relations.

— Il se trouve, cher cousin, que j'ai peut-être quelqu'un à te proposer. Le Dragon Lord ici présent cherche à remarier sa fille veuve. C'est la fille de sa seconde concubine. Elle aura seize ans dans deux mois, et sa dot est intacte. Comme toi, Junia Pendragon ne cherche pas l'amour, car elle aimait son mari. Elle est très belle, bien élevée et s'exprime bien.

William le Clare se tourna vers le Dragon Lord.

— Vous m'accepteriez, mon seigneur ?

Merin acquiesça.

— Oui, mais vous devez d'abord savoir pourquoi ma fille est veuve.

Et il lui raconta l'histoire, du début à la fin.

— Vous êtes un bon père, mon seigneur, lui dit William. Vous avez agi comme il fallait.

— Elle aimait ce garçon, et je crains qu'elle ne l'aime toujours, je tiens à ce que vous le sachiez.

— J'aimais ma femme et je l'aime encore, répondit William le Clare. Si votre fille l'accepte, il n'y aura pas de malentendus entre nous. Je cherche une jeune femme susceptible de me donner un héritier. Rien de plus. Mais je la traiterai avec bonté aussi longtemps qu'elle se montrera obéissante et bonne châtelaine.

— Sa dot n'est pas très importante.

— À combien s'élève-t-elle ?

— Du bétail, ovins et bovins. Un coffre de linge et de vêtements. Son cheval, et seize livres d'argent.

— Eh bien, c'est tout à fait honorable, mon seigneur ! J'aimerais toutefois, dans votre intérêt comme dans le mien, voir votre fille avant qu'un arrangement ne soit conclu. Je ne voudrais pas qu'elle m'épouse à contrecœur. Je crois que je n'aurais pas la patience de supporter une épouse réticente, conclut-il en souriant.

— Entendu, acquiesça le Dragon Lord. Je rentre à Dragon's Lair demain. Venez nous voir avec votre cousin à la fin de votre séjour, et vous rencontrerez Junia. Bien, ajouta-t-il en se levant. Je vous laisse, mes seigneurs. Demain, je pars aux aurores.

Quand Merin Pendragon eut gagné son lit, dans l'alcôve à l'autre bout de la grande salle, William le Clare se pencha vers lord Mortimer.

— Tu connais la fille ?

— Je la connais depuis son enfance. Merin a trois filles. Averil, l'aînée, celle qu'il a eue avec sa première concubine, a toujours été considérée comme la plus belle. Elle a épousé Rhys FitzHugh, le seigneur d'Everleigh. La seconde, Maïa, fille de sa femme légitime, a convolé avec le Seigneur du Lac, Emrys Lynn. Junia est la plus jeune. Elle est charmante, mais inexpérimentée. Aujourd'hui, je trouve qu'elle est la plus belle des trois. Grande, élancée, elle a de magnifiques cheveux noirs et brillants, des yeux d'un vert très vif et une peau d'albâtre. Elle joue de plusieurs instruments avec talent et elle est très intelligente. Mais prends garde à sa mère, cousin. Elle est cupide et effrontée. C'est le seul point noir, à mon avis.

— Tu aimes bien cette petite, n'est-ce pas ?

— C'est vrai. Et je dois admettre qu'à mon avis, il n'était pas nécessaire de tuer le jeune de Bohun. Il aimait vraiment Junia et ne l'a touchée qu'une seule fois, ce fameux jour à Mryddin Water. Elle n'est peut-être plus vierge, mais elle est totalement novice en la matière.

— Reste à souhaiter qu'elle me trouve à son goût et qu'elle soit d'accord, cousin.

Comme prévu, Merin Pendragon rentra chez lui le lendemain. Dès son arrivée, il raconta son entrevue avec William le Clare à ses femmes impatientes.

— Il me plaît, conclut-il. Mais il tient à rencontrer Junia et à ce qu'elle soit d'accord. Il doit venir à Dragon's Lair dans quelques jours.

— Comptes-tu prévenir Junia de son arrivée ?

— Il vaudrait mieux. Où est-elle ? À son métier à tisser, je suppose ?

— Elle est partie à cheval avec Brynn et plusieurs hommes d'armes, lui dit Argel. Il fait une belle journée et elle est restée enfermée tout l'hiver.

— William le Clare a-t-il des biens, mon seigneur ? Où vit-il ? s'enquit Ysbail.

— Il habite près de Hereford, il a des terres et du bétail.

Ysbail l'agaçait avec ses questions intéressées, alors il ajouta plus sèchement :

— C'est le cousin d'Edmund Mortimer, il me semble que c'est une référence suffisante, non ? Mortimer ne me l'aurait pas recommandé s'il n'était pas quelqu'un de bien. Et puis, Junia n'est pas une princesse, Ysbail. Compte tenu de son passé, je m'estime heureux que cet homme ait considéré ma proposition.

— Il est bon qu'il soit plus âgé qu'elle, commenta Gorawen. Avec un homme plus jeune, elle n'aurait cessé de faire des comparaisons. Espérons, Ysbail, que Junia plaira à William le Clare.

— Je n'ose pas parler à Junia, avoua sa mère. Elle n'écoutera qu'Argel.

Celle-ci sourit.

— Elle est toujours en colère, mais elle n'oublie jamais ses bonnes manières.

Junia rentra avec son frère dans le milieu de l'après-midi et se mit aussitôt à son métier à tisser. Sa tapisserie représentait une scène de la crucifixion qui convenait à son humeur.

Argel la rejoignit et posa une main sur son épaule.

— Ton père t'a peut-être trouvé un mari, Junia, annonça-t-elle sans préambule.

La jeune fille se raidit instantanément.

— Il s'appelle William le Clare, continua Argel posément. C'est le cousin de lord Mortimer. Il est veuf, sans enfant, mais il espère en avoir. Il nous rendra visite dans quelques jours.

— Il n'y a pas un an que Simon est mort.

— Non, mais nous ne pouvons attendre plus longtemps. Cette opportunité est providentielle, mon enfant. Si tu lui conviens, ce serait un excellent mariage. Autant que celui d'Averil.

Junia eut un rire amer.

— Tu crois que les questions d'intérêt m'importent ? Je ne suis pas comme ma mère, Argel.

— Ysbail est comme elle est, tu ne la changeras pas. Mais ton père et moi aimerions te savoir heureuse. Me promets-tu de rencontrer William le Clare et de lui laisser une chance ?

Argel contourna le métier à tisser et regarda la jeune fille droit dans les yeux.

Junia soupira.

— J'ai toujours mal, avoua-t-elle dans un murmure.

Argel se pencha et l'embrassa.

— Je sais, mon enfant, je sais…

— J'accueillerai cet homme comme il se doit, Argel. Même s'il ne me plaît pas, ou si je ne lui plais pas. Je ne veux pas qu'il me prenne pour une jeune femme mal éduquée.

— Je suis contente, ma chérie.

— Que sait-il de moi ?

— Tout, mon enfant. Ton père a jugé de son devoir de lui dire la vérité.

— C'est mieux ainsi, admit Junia.

— Je vais de ce pas annoncer à ton père que tu es d'accord pour le rencontrer. Il sera content lui aussi, Junia.

— Ma mère est au courant ?

— Oui.

Incapable de s'en empêcher, Argel éclata de rire.

C'est alors que, pour la première fois depuis la mort de Simon de Bohun, Junia se mit à rire, elle aussi. Et le rire étant communicatif, elle finit par en pleurer en se tenant les côtes. Ainsi donc, la douce Argel, qui n'avait jamais prononcé un mot déplacé sur sa mère, n'avait pas plus de respect pour elle que Junia n'en avait !

— Oh, Argel ! dit-elle enfin en retrouvant son souffle.

— Nous ne sommes pas charitables, mon enfant, ce n'est pas bien.

Et un nouvel accès de fou rire les prit.

À la fin, Junia s'essuya les yeux, saisit les mains d'Argel et les embrassa.

— Merci, murmura-t-elle.

— Oh, ma chère enfant, je te souhaite vraiment d'être heureuse !

Sur ce, Argel s'empressa d'aller annoncer la bonne nouvelle à son mari et aux autres. Le sourire qui l'illuminait quand elle les rejoignit les rassura tout de suite.

Huit jours plus tard, un messager de lord Mortimer arriva pour annoncer que son maître et son cousin seraient à Dragon's Lair dans deux jours. Une vive excitation s'empara aussitôt de la maisonnée, les femmes du Dragon Lord s'affairant pour veiller à ce que tout soit prêt pour recevoir leurs hôtes. Toutefois, Junia resta assise à son métier à tisser, impassible, ignorant l'effervescence.

Elle savait qu'elle devrait se marier, malgré son manque d'enthousiasme. Une femme de sa condition n'avait que deux choix : le mariage ou le voile. Mais la vie au couvent ne l'attirait guère. Elle aimait trop le grand air et elle était trop indépendante pour ne pas devenir folle très rapidement, dans un cloître. Et puis, faire vœu d'obéissance lui semblait inconcevable, même si une femme devait obéir à son mari. Mais c'était différent, car on pouvait composer avec un homme, le manipuler d'une manière ou d'une autre. Non, elle préférait devenir une épouse plutôt qu'une nonne.

Comment était ce William le Clare ? se demandat-elle. Vieux. Deux fois son âge. Et il voulait un héritier... Cette perspective la fit frémir. Sa première expérience l'avait tellement traumatisée, même si Simon avait essayé d'être doux, qu'elle n'osait pas envisager de faire l'amour avec un homme. Pourtant, Argel et Gorawen semblaient heureuses avec son père. Sans doute y avait-il dans les relations physiques entre un homme et une femme des aspects qu'elle ignorait, mais elle ne parvenait pas à envisager l'acte sexuel sans avoir la chair de poule.

Enfin, si cet homme était agréable, peut-être pourrait-elle vivre avec lui, se dit-elle. Elle aurait seize ans dans quelques semaines et n'avait aucune envie de subir la parade des prétendants, comme Maia. Il n'y aurait pas d'amour entre elle et William le Clare, mais elle serait une bonne épouse. Et elle s'efforcerait de lui donner des enfants, malgré le dégoût que cela lui inspirait.

Le plus grand avantage de cette union était qu'elle lui permettrait de quitter Dragon's Lair et de ne plus voir son père qui avait tué l'homme qu'elle aimait…

Le jour d'arrivée de leurs invités, Junia prit soin de sa tenue. Elle choisit une robe en soie vert émeraude, avec une robe de dessus sans manches, en brocart broché de fils d'or. Une chaîne soulignait son tour de taille, et elle tressa ses cheveux noirs en deux longues nattes.

Constatant qu'elle avait fait un effort, les femmes du Dragon Lord l'accueillirent d'un air approbateur quand elle descendit dans la grande salle pour se mettre au métier à tisser.

Lorsque les invités arrivèrent, elles examinèrent William le Clare avec intérêt. Il était grand, bien fait, et paraissait plus jeune que son âge. Ses épais cheveux châtains bouclaient sur sa nuque. Ses yeux noisette teintés de vert éclairaient un visage long et un nez aristocratique. Sa bouche mince et bien dessinée était parfaitement proportionnée à l'ensemble. Il s'exprimait d'une voix grave et bien modulée.

— Je dirais qu'il est séduisant, commenta discrètement Gorawen.

Ses compagnes acquiescèrent.

— Prions le Seigneur et tous les anges du paradis pour que ma fille le trouve à son goût, dit Ysbail.

— Et vice versa, renchérit Gorawen.

— Va chercher ta fille, s'il te plaît, demanda le Dragon Lord à Ysbail.

Elle traversa immédiatement la grande salle et s'approcha de Junia.

— Ton père t'appelle.

Sans un mot, Junia se leva et rejoignit les trois hommes devant lesquels elle s'inclina.

— Père, tu as requis ma présence ?

— William le Clare, je vous présente ma fille Junia.
Tourne-toi, fille, qu'il te voie. On n'achète pas un chat
en poche.

— J'ignorais que j'étais à vendre, riposta-t-elle du
tac au tac.

William le Clare éclata de rire, soulagé. Il avait
craint de se retrouver en présence de quelque pauvre
fille vaincue. En réalité, il n'avait accepté de venir à
Dragon's Lair que pour faire plaisir à son cousin.
Mais la petite avait du caractère. Elle promettait
d'être une compagne divertissante et une amante fougueuse. Bien sûr, il devrait la connaître un peu mieux
avant de prendre une décision.

— Je ne suis pas offensé, Merin. Je trouve votre
fille… rafraîchissante. Mademoiselle, dit-il en lui tendant la main. Venez marcher avec moi.

C'est vous qui allez marcher avec moi, rectifia-t-elle
mentalement. Mais elle répondit en mettant sa main
dans la sienne :

— Marchons, monsieur.

Ils s'éloignèrent des autres et remontèrent lentement la grande salle.

— Je cherche une épouse dans l'unique intention
d'avoir des héritiers. Je dois vous dire que j'aimais ma
femme de tout mon être, et que si j'ai encore de
l'amour à offrir, ce sera pour mes enfants.

— Si je peux vous en donner, je le ferai. Quant à
l'amour, nous sommes d'accord. Il n'en sera pas question entre nous. J'aimerai et regretterai mon mari
défunt jusqu'à mon dernier souffle.

— Nous sommes donc d'accord, acquiesça-t-il.

— S'il s'avère que je vous conviens, mon seigneur,
je tiendrai mon rôle de châtelaine, je vous obéirai, je
vous respecterai.

— Toujours ? demanda-t-il avec un sourire dans les
yeux.

Surprise par l'humour qu'elle sentait poindre dans
ses propos, elle le regarda.

— Vous ne me paraissez pas d'une nature encline à l'obéissance, Junia, ajouta-t-il doucement.

Elle rougit, s'irritant en même temps que cet homme suscitât une telle réaction chez elle.

— Mon seigneur, je peux seulement vous promettre de faire de mon mieux.

— Répondez-moi franchement, lui dit-il. Librement. Vous devez être honnête avec moi. Voulez-vous être ma femme ou non ?

— Oui.

— Pourquoi ? insista-t-il en scrutant son regard.

— Parce que le couvent ne m'attirant pas, je n'ai pas d'autre choix que le mariage, mon seigneur. Parce que je n'ai pas envie d'être exposée devant une armée de prétendants possibles. Parce que j'ai hâte de quitter mon père qui a tué mon mari, Simon de Bohun. J'aurais pu vivre sans honneur, mais vivre sans Simon est une torture. J'ai décidé d'accepter votre offre car vous avez l'air d'un homme bon, qui me traitera convenablement. De plus, nos familles se connaissent. Alors, si je vous agrée, je vous épouserai et m'efforcerai de vous être agréable. Bon, je suppose que ma franchise vous a choqué ?

— En vérité, votre honnêteté me plaît, Junia. Si vous espériez me décourager, c'est raté ! Maintenant, à mon tour. J'aimais ma femme, Adèle. Nous nous connaissions depuis l'enfance. Elle avait quatorze ans et moi dix-huit quand nous nous sommes mariés. Notre plus grande peine fut de ne pas avoir d'enfant. Puis Adèle se mit à souffrir du ventre, et son état empira jour après jour. Sur son lit de mort, elle me fit jurer de me remarier pour que je puisse avoir les héritiers qu'elle avait été incapable de me donner. Je me souviens de son sourire lorsque je lui assurai que je n'en aimerais jamais une autre qu'elle… Je tenais à ce que vous m'épousiez en connaissance de cause. Le sachant, pouvez-vous l'accepter ?

364

— Si vous admettez le fait que je regretterai Simon de Bohun jusqu'à la fin de mes jours, oui, mon seigneur. Je l'accepte. Nous serons amis. Je considère d'ailleurs que l'amitié vaut mieux que l'amour.

— Quand voulez-vous que nous nous mariions, Junia ?

— Simon est mort il n'y a pas un an, mais je suis prête à vous épouser tout de suite, si vous le désirez. Je ne tiens pas à ce que ce soit une fête, j'espère que vous le comprenez.

— Bien sûr, Junia. Venez, allons informer votre père de notre décision.

Le Dragon Lord protesta quand sa fille lui annonça qu'il n'y aurait pas de festivités ni d'invités pour le mariage.

— Tes sœurs seront blessées, lui dit-il. Tu étais à leur mariage, toi.

— Oui, mais je suis veuve et je me remarie, c'est différent. La cérémonie aura lieu demain matin et nous partirons immédiatement après, décida-t-elle. Où est votre maison, monsieur ?

— À Hereford. À trois jours d'ici. Ma demeure se situe en haut d'une colline qui donne sur le pays de Galles. Je possède des champs, des prairies, une petite forêt. Un village avec un moulin et une église. Mes serfs sont travailleurs et rien ne les incite à la rébellion. Vous serez heureuse là-bas, Junia.

— Oui, je le pense. Tout cela te convient-il, père ?

— Absolument. Je regrette seulement que tu refuses de célébrer l'événement.

— Si je me souviens bien, le mariage d'Averil fut très rapide, et sans festivités particulières, non ? Ce fut différent pour Maia, certes, mais je tiens à ce que les choses se passent pour nous dans l'intimité. William le Clare et moi n'avons fait qu'accepter un arrangement pratique.

— Mais nous prendrons tout de même un bon petit déjeuner après la cérémonie, insista Argel. Vous ne pouvez partir pour Hereford l'estomac vide !

— Entendu, madame, acquiesça William le Clare avant d'interroger Junia du regard.

Elle hocha la tête et il sourit.

Au petit matin, Junia se maria dans sa robe de soie verte. Une jolie et copieuse table avait été dressée et, après un bon repas, William le Clare, sa femme et lord Mortimer prirent congé de Merin Pendragon et de sa famille.

Les affaires personnelles de Junia furent chargées dans un chariot, mais elle refusa l'offre de son père d'emmener une femme de chambre.

— Me pardonneras-tu jamais, ma fille ? lui demanda tristement Merin.

Elle lui jeta un regard morne et le planta là sans lui répondre. Docilement, elle embrassa sa mère qui lui murmura :

— Que Dieu te protège, ma fille. Je crois que tu as fait le bon choix.

— Aurais-tu renoncé à venir t'installer chez moi ? s'étonna Junia.

— Je ne viendrai pas tant que tu ne me l'auras pas demandé, rétorqua Ysbail en relevant fièrement la tête.

Pour la deuxième fois, Junia ne répondit pas et se détourna. Elle embrassa ensuite son petit frère, Gorawen, puis Argel qui lui dit :

— Reviens à la maison quand tu voudras, ma chérie.

— Jamais, Argel. Jamais.

Et la jeune fille quitta le château de son enfance avec l'impression d'avoir vieilli de vingt ans. L'homme qu'elle aimait était mort. Elle venait d'épouser un homme qu'elle n'aimerait jamais. Ses rêves de jeune fille avaient volé en éclats.

Leur voyage étant considérablement ralenti par le chariot, ils arrivèrent chez lord Mortimer en fin d'après-midi. Après le dîner, Junia se retrouva seule dans la chambre d'amis. Elle se déshabilla elle-même et se coucha.

Le lendemain matin, une femme de chambre de lord Mortimer la réveilla et lui apporta de l'eau pour sa toilette.

Son hôte et son mari étaient déjà à la table du petit déjeuner lorsqu'elle descendit.

— Il nous reste deux jours de route, lui annonça William le Clare. J'ai pris mes dispositions pour que nous passions la nuit au monastère de St. Wulfstan.

Après avoir déjeuné, ils remercièrent Edmund et entamèrent une nouvelle et harassante journée de voyage. Au crépuscule, ils arrivèrent au monastère où Junia fut immédiatement séparée de son mari, l'endroit n'ayant pas été prévu pour l'hébergement des femmes. On lui apporta donc son repas et son petit déjeuner dans la chambre minuscule où elle passa la nuit.

À l'aube, elle se hâta de descendre, songeant que William voudrait certainement partir tôt. Quand il la trouva prête, dans la cour, il lui sourit avec chaleur.

— Le voyage ne sera pas si long, aujourd'hui, lui dit-il. Je suis heureux de constater que vous avez la notion de la valeur du temps.

Le petit chariot caracolant derrière eux, ils reprirent la route, accompagnés de leurs douze hommes d'armes. Malgré elle, Junia commença à prêter attention aux paysages qu'ils traversaient. Ils ne ressemblaient pas à son pays de Galles natal, montagneux et accidenté. Des prairies, des champs et des vergers s'étendaient en pentes douces. Hereford était une terre prospère. On était déjà à la mi-mai, réalisa-t-elle. Mariage en mai, mariage à regrets… Le vieil adage allait-il se vérifier ?

En milieu d'après-midi, ils arrivèrent en vue d'un manoir.

— Voici Landor, votre nouvelle demeure, Junia, annonça William.

En découvrant la maison en pierres claires coiffée d'un toit d'ardoises, Junia éprouva une étrange sensation de plaisir. Ils s'engagèrent dans une allée bordée d'arbres et bientôt, plusieurs domestiques accoururent pour accueillir leur maître.

— Je vous présente votre nouvelle maîtresse, expliqua-t-il. Je me suis remarié. Vous lui obéirez car la gouvernance de la maison lui appartient, désormais.

Il souleva Junia de son cheval mais, au lieu de la poser par terre, il franchit le seuil avec elle dans ses bras.

— C'est la coutume, ici, révéla-t-il d'un air amusé, avant de la remettre sur ses pieds.

Junia était cramoisie, d'autant plus que les domestiques chuchotaient et riaient sous cape depuis qu'ils savaient que leur maître avait une nouvelle compagne.

Il lui montra alors une jeune femme au visage avenant.

— Voici Susan, madame. Votre femme de chambre particulière. Susan, conduisez votre maîtresse à ses appartements.

Peu après, Junia se retrouva à l'étage, dans une chambre lumineuse et ravissante.

— C'était la chambre de lady Adèle. Elle est propre, mais nous n'attendions pas une nouvelle maîtresse. Le maître avait dit qu'il allait rendre visite à lord Mortimer.

— Lord Mortimer est un ami de mon père, expliqua Junia. Cette chambre est très jolie, Susan, mais nous avons voyagé pendant trois jours. Pourriez-vous me faire préparer un bain ?

Susan hocha la tête et ouvrit la porte d'un réduit, d'où elle sortit une baignoire ronde en chêne. Elle l'installa près du feu et envoya des valets chercher de l'eau chaude.

Peu après, Junia se lavait tout en bavardant avec Susan pour faire connaissance. Elle revêtit ensuite une sous-robe de couleur orangée puis une robe en brocart d'un ton plus soutenu rebrodé de fils d'or, devant laquelle s'extasia la jeune servante.

Celle-ci conduisit sa maîtresse dans la grande salle, où l'attendait William le Clare.

— Le dîner est prêt, annonça-t-il. Vous devez avoir faim, après cette longue journée de voyage. Venez.

Dès qu'elle eut terminé, Junia s'excusa, prétextant qu'elle était fatiguée.

— Je le conçois, dit-il. Mais dois-je vous rappeler que c'est notre nuit de noces, Junia ?

— Bien sûr que non, mon seigneur. Je vous attendrai.

Sa nuit de noces... songea-t-elle en montant l'escalier. Elle n'avait pas eu de nuit de noces avec Simon. Juste un accouplement cauchemardesque et douloureux devant Hugo et ses hommes. Elle se demandait ce qu'elle ressentirait, dans des circonstances différentes.

Susan l'attendait. Elle l'aida à se déshabiller et lui tendit une brosse quand Junia eut terminé sa toilette.

— Merci, Susan. Vous pouvez disposer, maintenant. Oh, Susan ! Je suis veuve, ajouta-t-elle pour couper court aux bavardages lorsque la jeune fille chercherait une trace de sa virginité, demain, et n'en trouverait pas.

La servante rougit, et Junia comprit qu'elle avait eu raison de préciser les choses.

Elle s'assit ensuite sur le grand lit. Les draps sentaient la lavande et les rideaux du baldaquin n'étaient pas poussiéreux. Elle défit sa natte et brossa ses cheveux, décidant de les laver le lendemain. Un voile les avait heureusement protégés pendant le voyage.

Junia se sentait étrangement bien dans cette agréable chambre. Elle avait eu cette même impression en voyant la maison pour la première fois, nichée à flanc de colline.

La porte s'ouvrit et William le Clare entra, souriant.

— Vous pourrez changer la décoration, si vous le désirez, dit-il en commençant à se déshabiller. Adèle trouvait cette chambre confortable.

— Elle avait raison, mon seigneur. Pour l'instant, je me sens très bien ici.

Intimidée, elle n'osait pas le regarder. Il s'assit à son côté, l'attira sur ses genoux et lui prit la brosse pour continuer à la coiffer.

— Que vos cheveux sont beaux, Junia ! Ils sont épais et doux au toucher. Leur noir si intense fait penser aux ailes des corbeaux…

Il souleva leur lourde masse et posa les lèvres sur sa nuque.

Junia ne bougea pas. Elle n'avait pas la moindre idée de ce qu'elle devait faire.

— Dites-moi ce que vous attendez de moi, mon seigneur. Vous allez devoir me guider, j'en ai peur.

— Voulez-vous enlever votre chemise ?

Elle dénoua le ruban de l'encolure et il l'aida à la retirer. Lorsqu'elle fut nue, il l'attira de nouveau sur lui.

— Vous êtes très belle, Junia… Cela vous aiderait-il de me raconter ce qui s'est exactement passé, la première fois ?

Tout naturellement, comme si les mots sortaient d'eux-mêmes, Junia évoqua ce qu'elle avait subi à Mryddin Water, subi et ressenti : douleur, frayeur et peine.

— J'avais honte, aussi, acheva-t-elle. Ensuite, pendant ma détention, je n'ai pas laissé Simon m'approcher une seule fois.

En écoutant les détails de l'aventure que Merin Pendragon lui avait épargnés, William le Clare comprit pourquoi son beau-père avait tué le père et le fils. Il n'avait jamais rien entendu d'aussi cruel. Infliger une chose pareille à une vertueuse jeune fille était criminel.

— Je suis désolé, Junia, vraiment, dit-il doucement. Mais à présent, j'aimerais savoir si avant cette tragédie, quand vous voyiez Simon, vous vous embrassiez, vous vous… caressiez ?

— Non, mon seigneur. Nous nous asseyions et nous parlions de tout et de rien, de nos rêves, de l'avenir. Lorsque nous avons évoqué le mariage, ce fut pour découvrir la haine qui séparait nos deux familles, cette haine ancestrale qui a détruit nos vies. Nous avons bravé l'interdiction pour nous revoir une dernière fois, espérant au fond de nous que nos pères se réconcilieraient et nous marieraient, mais Hugo de Bohun avait suivi son fils… et vous connaissez la suite.

— Oui. Je comprends tout, maintenant. Junia, dans des circonstances normales, heureuses, quand un homme et une femme font l'amour, ils éprouvent du plaisir.

— Je n'en ai éprouvé aucun ce jour-là.

— Bien sûr que non, vous avez été violée. Cela n'a rien à voir avec le désir qui prépare le corps, le dispose à recevoir l'autre. Je vous assure que c'est extrêmement agréable.

— Je sens votre érection sous mes cuisses, lui dit-elle avec sa candeur juvénile.

Il se mit à rire. Cette façon directe qu'elle avait de s'exprimer lui jouerait des tours.

— Oui, Junia. Je vous trouve très désirable. Mais vous n'êtes pas prête.

— Et comment puis-je l'être ?

— C'est à moi de vous préparer, répondit-il en posant une main sur ses seins ronds et en la caressant doucement.

— Pourquoi faites-vous cela ? s'étonna Junia en sur-
sautant.

— Parce que les seins d'une femme ne servent pas
uniquement à nourrir les bébés. Ils procurent du plaisir, aussi. Donnez-moi vos lèvres, Junia…

Il s'en empara, tout en continuant de la caresser.
D'abord déconcertée, Junia commença à se sentir
toute faible.

Elle s'écarta pour reprendre son souffle.

— Mon seigneur…

Mais un nouveau baiser l'interrompit et le pouce de
William se concentra sur la pointe d'un sein, en un petit
frottement circulaire qui déclencha en elle un long
frisson.

— Commencez-vous à éprouver du plaisir ? murmura-t-il.

Elle hocha la tête.

— Bon. Venez, allongeons-nous sur le lit.

Quand ils furent côte à côte, il se mit à effleurer son
corps avec une grande douceur, son visage, sa gorge,
ses seins, son ventre. Lorsqu'il descendait un peu, elle
retenait son souffle, tremblant légèrement.

— Vous n'avez aucun poil sur le corps, constata-
t-il, se souvenant qu'Adèle en avait sur les jambes et
sous les bras.

La douceur de la peau de Junia le fascinait.

— Gorawen dit qu'une femme n'est pas un animal à
fourrure, qu'elle doit avoir la peau lisse. Elle nous a
appris, à mes sœurs et moi, à confectionner une pâte
épilatoire à base de citron et de miel. Mais si cela
vous déplaît, je ne le ferai plus.

Elle appréciait de plus en plus le mouvement de ses
mains sur son corps.

— Non, au contraire. Votre peau ressemble à de la
soie, cela attise mon désir, avoua-t-il avant de lui donner un baiser qui la laissa sans souffle. Maintenant, je
vais toucher un endroit secret, Junia. N'ayez pas peur.

Il insinua un doigt entre ses jambes et, à sa grande surprise, elle se rendit compte qu'elle était mouillée. Il se concentra ensuite sur une petite crête inconnue d'elle. Très vite, une brûlure divine naquit au creux de son ventre. Elle se tendit.

— Tout va bien, Junia, murmura-t-il au creux de son oreille. Je vais vous donner un avant-goût du plaisir qu'un homme et une femme partagent. Faites-moi confiance.

Il continua de la caresser là où c'était si bon, et la sensation s'amplifia jusqu'à ce que Junia se mette à gémir et à se cambrer à la rencontre de sa main. Le plaisir montait, montait... et tout à coup il explosa, lui arrachant un cri tandis qu'une volupté sans nom coulait en elle comme une lame de feu jusqu'au bout de ses ongles.

— Oh, William! s'écria-t-elle, l'appelant par son prénom pour la première fois.

— Maintenant, votre corps est prêt à recevoir votre mari.

Il roula sur elle. Avec une douceur infinie, il se glissa en elle, la trouvant délicieusement étroite.

Au début, cette invasion inquiéta Junia, mais elle ne ressentit aucune douleur, comme avec Simon. Au contraire, c'était doux, chaud, et quand il commença à aller et venir lentement, elle s'aperçut qu'elle aimait cela. Il prenait tellement de précautions pour ne pas lui faire mal ou pour ne pas l'effrayer qu'il en tremblait.

— William, chuchota-t-elle. Tout va bien. Faites-moi l'amour. L'avant-goût que vous m'en avez donné m'a vraiment plu...

— Si je commence, je ne pourrai plus m'arrêter.

— Je ne crois pas que je vous le demanderai. Oh, je vous sens en moi...

Ces paroles le galvanisèrent. Il accéléra progressivement la cadence, jusqu'à ce qu'elle se mette à pousser des petits cris qui le rendirent fou.

— Enroulez vos jambes autour de moi, Junia !

Lorsqu'il s'arc-bouta pour s'immiscer plus profondément en elle et qu'il sentit ses ongles s'enfoncer dans son dos, une flamme le traversa. Il n'allait pas pouvoir se retenir longtemps, mais il voulait tellement l'amener à l'orgasme ! Il la sentait frémir, palpiter et… Soudain, elle émit une sorte de son guttural et le plaisir l'emporta, l'entraînant avec elle dans une extase étoilée et crépitante.

Neuf mois plus tard, au cœur d'une tempête de blizzard, Junia donna naissance à deux jumeaux, un fils et une fille. Deux bébés robustes et magnifiques. En regardant ses deux enfants dans les bras de leur mère, William le Clare comprit pourquoi Adèle avait souri quand il lui avait dit qu'il n'aimerait plus jamais. Il était tombé profondément amoureux de sa deuxième femme. Et elle l'aimait aussi ! Elle venait de le lui avouer.

— Depuis quand le sais-tu ? lui demanda-t-il en admirant ses bébés endormis.

— Depuis la première nuit où nous avons fait l'amour. Mais je n'ai pas osé l'admettre. Et toi ?

— Je crois que je t'ai aimée dès le premier instant, même si je ne voulais pas me l'avouer. Cela me paraissait déloyal.

— Je sais, je ressentais la même chose.

— Tu m'avais promis d'être toujours sincère, la taquina-t-il.

— Oui, mais je ne t'ai pas promis de tout te dire, William, répondit-elle sur le même ton.

— En me donnant ces enfants, tu m'as fait le plus beau cadeau qu'une femme puisse faire à un homme.

— Non, William. C'est toi qui m'as fait le plus beau cadeau.

— Ah ? Lequel ? s'étonna-t-il.

— Tu m'as appris à aimer.

Ils échangèrent un sourire, enfin apaisés, enfin heureux, certains qu'un avenir lumineux s'ouvrait devant eux.

Épilogue

L'été de ses dix-huit ans, Brynn Pendragon épousa la petite-fille du prince de Galles, fille de l'une des filles illégitimes de Llywelyn. Elle avait quatorze ans et s'appelait Enit.

À cette occasion, tous les enfants du Dragon Lord se trouvèrent rassemblés. À vingt-quatre ans, Averil était toujours aussi belle. Elle avait donné à Rhys trois fils et deux filles. Maia, qui avait vingt-trois ans, avait trois enfants, deux filles et un garçon. Son mari, Emrys, ne regrettait pas d'être devenu un mortel. Quant à Junia, présente elle aussi avec son mari, William le Clare, elle avait maintenant un fils en plus des jumeaux. Elle et William s'aimaient passionnément, et elle avait fini par faire la paix avec son père.

— Je te pardonne, père, lui avait-elle dit. Même si je persiste à penser que tu as eu tort de tuer ce pauvre Simon de Bohun.

Heureux d'être enfin réconcilié avec sa fille, le Dragon Lord ne voulut pas entrer dans une discussion à ce propos.

À présent, il contemplait sa famille rassemblée autour de lui avec tendresse et fierté. Une famille qui ne cessait d'ailleurs de s'agrandir. Il avait ses femmes, ses enfants et ses petits-enfants.

Finies, les querelles constantes qui n'avaient cessé d'opposer leur prince à l'Angleterre au sujet de l'autonomie du pays de Galles.

Et la lignée du grand roi Arthur était assurée, maintenant.

Que demander de plus ?

*Découvrez les prochaines nouveautés
de nos différentes collections J'ai lu pour elle*

AVENTURES
&PASSIONS

Le 2 juillet :

Une séduisante espionne ✎ Celeste Bradley (n° 8375)
Londres, XIXᵉ siècle. James Cunnington, espion de la couronne
appartenant au célèbre Liar's Club, doit retrouver Atwater, homme
soupçonné d'être un traître à la solde de Napoléon. La fille d'Atwater,
Philippa, veut elle aussi retrouver son père : pour cela, elle se déguise en
homme et se fait engager auprès du séduisant James...

Le 10 juillet :

La prisonnière du drakkar ✎ Rebecca Brandewyne (n° 3907)
Après avoir mené leur raid, les Vikings s'apprêtent à regagner leurs drak-
kars. Pour la première fois, Erik, le fils bâtard du roi Wulfgar, a été autorisé à participer à l'une de ces expéditions sanglantes. C'est alors qu'au
loin, il aperçoit la fille du roi tentant désespérément d'atteindre une palis-
sade. Troublé par sa beauté, il décide de garder la princesse pour lui seul...

---

*Nouveau ! 2 rendez-vous mensuels
aux alentours du 1ᵉʳ et du 15 de chaque mois.*

Si vous aimez Aventures & Passions,

laissez-vous tenter par :

Passion
intense

Quand l'amour vous plonge dans un monde de sensualité

Le 10 juillet :

La rançon du plaisir ✎ Joan Elizabeth Lloyd (n° 8376)
Erika Holland est à la tête de l'entreprise Courtisans Inc., une agence de
call-girls de haute volée. Un jour, elle a un accident de voiture et se
retrouve dans le coma. Au fond de son lit, elle se remémore ses dix
dernières années, sa séparation d'avec sa fille, ses débuts dans le monde
du plaisir...

---

*Nouveau ! 1 rendez-vous mensuel
aux alentours du 15 de chaque mois.*

Romance
d'aujourd'hui

Le 10 juillet :

Une paella pour deux ⊗ Ildiko von Kurthy (n° 8373)

Choisir entre deux hommes... Quelle femme n'a pas rêvé de se trouver confrontée à ce type de dilemme ? Eh bien, cela m'arrive enfin, à moi, Annabel Leonhard, malgré ma poitrine quasi inexistante et mes trois kilos en trop. Robin ou Ben ? Je sais, je suis venue sous le soleil de Majorque pour réfléchir sérieusement à ma vie et à mon couple. Depuis quatre ans, je vis avec Ben. Alors, qui pourrait résister au charme d'un jeune et séduisant propriétaire de yacht ?

> *Nouveau ! 1 rendez-vous mensuel*
> *aux alentours du 15.*

SUSPENSE

Le 2 juillet :

Traque fatale ⊗ Allison Brennan (n° 8395)

Il y a douze ans, dans la région du Montana, Miranda et une amie sont kidnappées par un psychopathe. Après les avoir torturées et violées, l'agresseur les relâche dans les bois pour les chasser comme du gibier : seule Miranda en réchappe. Depuis, cette dernière est en passe d'intégrer le FBI. Mais le tueur réapparaît, avec les mêmes méthodes, faisant ressurgir les drames du passé...

> *Nouveau ! 1 rendez-vous mensuel*
> *aux alentours du 1er de chaque mois.*

MONDES
MYSTÉRIEUX

Le 2 juillet :

Le voleur de diamants ⊗ Shana Abe (n° 8377)

En 1751, Kit, le comte de Chasen, est à la tête d'une communauté ancestrale. Grâce aux pouvoirs de leurs pierres magiques, les membres de ce clan possèdent des facultés de mutation C'est alors que sévit, à Londres, un voleur de bijoux, soupçonné d'appartenir à la tribu. Kit fomente un piège pour l'appréhender...

> *Nouveau ! 1 rendez-vous mensuel*
> *aux alentours du 1er de chaque mois.*

Et toujours la reine du roman sentimental :

Barbara Cartland

Le 2 juillet :
Un faux mariage (n° 1121) collect'or

Le 10 juillet :
Une infinie patience (n° 4336)

---

*Nouveau ! **2** rendez-vous mensuels*
aux alentours du 1ᵉʳ et du 15 de chaque mois.

8371

Composition Chesteroc Ltd.
Achevé d'imprimer en France (La Flèche)
par Brodard et Taupin.
le 16 mai 2007. 41751
Dépôt légal mai 2007. EAN 9782290000540

Éditions J'ai lu
87, quai Panhard-et-Levassor, 75013 Paris
Diffusion France et étranger : Flammarion